霍桑探案 ————————

 程小青作品

霍桑探案

程小青　著

DETECTIVE HUO SANG

五福党

10

海南出版社

·海口·

图书在版编目（CIP）数据

霍桑探案．10，五福党／程小青著．－－海口：海
南出版社，2025．1．－－ISBN 978-7-5730-2071-0

Ⅰ．I247．7

中国国家版本馆 CIP 数据核字第 20243NF615 号

霍桑探案 10　五福党

HUO SANG TAN'AN 10　WUFU DANG

作　　者：程小青
策 划 人：彭明哲
责任编辑：高婷婷
插　　画：杨冬梅
封面设计：张　军
责任印制：郄亚喃
印刷装订：河北盛世彩捷印刷有限公司
读者服务：张西贝佳
出版发行：海南出版社
总社地址：海口市金盘开发区建设三横路 2 号
邮　　编：570216
北京地址：北京市朝阳区黄厂路 3 号院 7 号楼 101 室
电　　话：0898-66812392　010-87336670
电子邮箱：hnbook@263.net
经　　销：全国新华书店
版　　次：2025 年 1 月第 1 版
印　　次：2025 年 1 月第 1 次印刷
开　　本：880 mm×1 230 mm　1/32
印　　张：10.125
字　　数：228 千字
书　　号：ISBN 978-7-5730-2071-0
定　　价：46.00 元

· 目录 ·

难兄难弟

五福党

警 耗

五福党党魁毛狮子和他手下的一班党徒，自从到了上海以后，接连干了几桩骇人听闻的案子，竟使警探们束手无策。上海社会的秩序被这一班党徒完全破坏，几乎人人自危。幸亏在上月二十日，这一班党匪和党魁毛狮子，都被私家侦探霍桑和他的朋友包朗所擒，大家才透了一口气。

党匪们以杨树浦的一只小轮船为大本营，专干那劫掠和绑架勒赎的勾当。霍包二君冒险登船，设法把他们灌倒，才得以一网打尽。但包君为了救护俞家的小儿慧宝，肩膀上中了一弹，据闻在医院里住了十多天，昨天方才出院。他俩为着公众的安宁，不惜亲历艰险，和恶徒们对抗，实在是令我们起敬的。那班党匪这一次虽有漏网者，但受了这一次挫折，至少也得胆寒，不敢再到上海来为所欲为。上海有了这样勇于为公的大侦探震慑着，实在是我们上海人之福！

现在盗魁毛狮子已经被关进模范大监，其余的匪徒们还在地方分监暂拘，不久就要处刑。他们的那只五福轮船也已给水警厅没收了。

　　我在离开博爱医院的第二天早晨，发现这一节新闻被刊登在言论比较公正的《上海日报》上。关于俞慧宝被绑和毛狮子遭擒的事，我曾写过篇《黄浦江中》。此刻报纸上的论调，竭力揄扬我的朋友霍桑，我心中很觉愉快。我虽然因公受伤，但社会上既有同情的表示，我非但不以为苦，反益发兴奋。霍桑和我之所以能够得到社会上人们的赞扬和同情，原不是轻而易举的。我们和社会的恶势力斗争，不但费心费力，有时还冒着性命的危险。现在我们从艰苦上得到酬报，自然越觉得可贵。

　　霍桑打好了电话，缓缓地踱进办公室来。我问他打电话给谁。他一时不答，坐到壁炉面前的那只光滑而有毛毯垫子的藤椅上去，低着头，右手支着下颏，似乎在思索什么要事。隔了一会儿，他才低声回答：

　　"我打到科学仪器制造厂里去。"

　　"什么事？那厂里你有朋友？"

　　霍桑摇摇头，无精打采地答道："不是。我叫他们定做一种东西，此刻又催一催。"他把眼睛注视在火炉里面，又低头不语。

　　我自从上一天出医院以后，便看见霍桑的脸上罩着一重郁郁不乐的表情，似有什么心事。我怀疑我在医院中的时候，他又接到了什么疑难棘手的案子，但不知道他何以绝口不和我谈起。可是他因着我枪伤初愈，不愿意再用为难的问题打扰我？

　　我想起报纸上的那一段新闻，他还没有瞧见，因为当霍桑走出办公室去打电话的当儿，报纸方才送来。我就把手中展开的《上海日报》递给他。

　　我说："霍桑，你瞧这一段新闻，也许可以解解你的烦闷吧？"

霍桑仰起头来，将报纸接过去瞧了一遍，忽而把报纸向桌子上一丢。他随手掏出一支白金龙来，用铁钳在火炉里夹了一块火煤，把烟燃着了，交叠了两腿，默默地吸着。他的面色越发严肃了。

我诧异地问道："霍桑，你为什么这样？难道这一节新闻你不欢喜？你常说，人们都有一种喜欢赞美的心理。我们虽不喜欢空泛的虚誉，但如果有适当的称赞，我们也应当接受。今天你怎么这样子？"

"就因为不适当，太过分，所以我不愿意瞧。"

"你说这新闻的称赞太过分，不适当吗？我真不明白。他们说我们俩为着公众的安宁，和恶势力斗争，他们才因此起敬。这论调难道是过分的？"

"这果然不算过分，但是他们还说我们俩足以'震慑上海社会'。你想这种抬举，你和我也受得住吗？"

我觉得脸上有些火辣辣，嗫嚅地答道："这也不算得——"

他目光灼灼地拦着说："什么？不算得？你想我们俩果真有震慑上海社会的能力，保得住不再有匪害发生吗？'盛名之下，难乎为继。'你难道忘了这句警惕的训诫？别的莫说，但瞧这班五福党匪竟敢从东北到上海来，声势汹汹地把这上海社会扰得鸡犬不宁，已足教我们置身无地！况且黄浦江中的事虽已告一段落，但后患无穷，我们正不能乐观。因此，这类的新闻前几天我已经看到，非但不能使我快乐，却反而勾引我的心事。包朗，我们未来的情况真危险呢！"

他愁眉不展的原因，我开始有些眉目。我索性再进一步。

我问道："霍桑，你到底有什么心事？"

霍桑接连吸吐了几口烟，才慢慢地抬起头来，他的眼睛里露出沉重的光彩。

他说:"我所担忧的,就是这班五福党徒。你可知道这五福党的历史?"

我说:"我也约略知道些。他们本来是东北的悍匪,杀人越货,绑票勒赎,就是他们的专门营生。今年春天他们派了两个小头目来,到真茹去施诡计,想借用华伯荪的别墅做营地,给你吓走了。我以为他们就此死了这念头。不料上月里那党魁毛狮子果然到上海来活动了。他们来了以后,虽还没有杀伤过多少人,却已干过几桩巨价的勒赎绑案。那郝奇珍的牺牲就是内中的一个例子。因此上海社会一般较有地位的人都恐慌起来。可是现在党魁毛狮子和他手下的几个党徒,既已一股脑儿都被我们捉住了,他们的活动至少也可以告一段落。你何必这样子担忧?"

霍桑又吐出一口烟,摇摇头:"不,包朗,你所知道的还太笼统。我告诉你,我们所捉住的这班党匪,在他们的全党中还只是一小部分。据我所知,在五福党的名称之下,一共有五个首领。毛狮子虽居第一,其实还不及第二个首领金钱豹厉害。据说金钱豹一夜里曾射杀过三十七个人;因为他的双手可以同时发枪,三十码内百发百中。他的本领既高,性格又狠毒,真是一个凶恶的魔鬼。还有一个叫作白狐狸,智计多端,专管全党的计谋策划。此外还有长脚狼,能够从三十英尺高的峭壁上跳下来。最后一个是奔跳如飞的爬山虎,也是个杀人不怕血腥气的匪棍!"

他的声调很紧张,眼睛里也闪闪有光,仿佛这几个悍匪此刻都排列在他的面前。我的反应也从轻意的情态变为郑重。

我问道:"霍桑,你怎么知道得这样详细?"

霍桑反问我道："你可还记得钟德？"

"记得的。他是在'江南燕'案中和我们认识的。后来他升调往北平去后，我们在'血匕首'一案上又和他联手过一次。可就是他告诉你的？"

"不是。我自从知道毛狮子到了上海，便写信到北平去，请钟德代替我调查五福党的真相。他又转托一个叫谢铁生的长春的警官。谢警官便接连来了几封信，报告得非常详细。"他伸手到衣袋中摸出几封信来。

"你就因着这件事郁郁不乐吗？"

"是啊。你想这班党匪既有五个首领，他们的势力也可想而知。我们俩费了九牛二虎之力，又冒了生命的危险，方才捉住五个中的一个。况且此刻毛狮子虽然已被拘禁在模范大监，但因着调查其他案情和搜集证据的缘故，还没有处刑。你也知道，我国现在的司法还没有达到健全的地步，有时候还不免承袭着前清衙门的因循糊涂的通病。夜长梦多，这里面万一发生了什么意外的岔子，又将如何？你想我怎能放心得下？"

"你也未免过虑。你难道怕他们纳贿逃罪？还是——"

"慢，你听我念几句。"他扬一扬拿着信封的手，把信笺展开来，"这就是谢君最近的报告，我在三天前接到的。"他瞧着信笺，朗声念道："据可靠的消息，昨日又有一股五福党的男女党匪从新民登火车往秦皇岛，似乎准备从秦皇岛附轮往上海去。他们大概已经得到了毛狮子被擒的消息，此行的目的，好像不是劫掠而是复仇。这消息如果属实，先生们似乎应当及早防备。……"

他停顿了，仍把信笺摊在膝头上，弹去了些纸烟的烟灰，重新送入口中。他的面色更见严肃，他用发冷的眼光向我瞧着。我暂时静默，严重的意念袭上我的心头。

他又说："包朗，你想我们的状况，不是很危险吗？"

据霍桑所说的历史，这班匪党着实厉害。假使这情报不虚，这班恶匪果真要来寻仇，我们防不胜防，确是十二分危险。但一转念间，我仍想松弛一下我的老友的情绪。

我道："这究竟还是一种消息，是否实在，还没有证明。你也不必过于焦虑。"

霍桑说："这封信是快递邮件。我一接得后，便通知汪银林、倪金寿和王桂生等，叫他们分别派人往船埠和车站去守候，看有没有形迹可疑的人登埠。直到昨夜为止，都报告没有这样的人。"

"那就可以证明谢铁生的消息未必一定确实。"

"唔，我也希望它不实在。不然，你才刚从医院出来，又要连累你和匪徒们较量，我也委实不安。"

"这又是你过虑。我究竟没有重伤，虽然失了些血，健康上并无多大影响。倘使那班匪徒果真敢来，我也尽可以再叫他们知道些厉害。霍桑，你尽可放心。"

我们这一席谈话，是在十二月六日星期日的清早。霍桑听了我的譬解，似乎也放心得多，不再像先前那么担忧。那天晚上，我们一同往华光电影院去消遣。回来之后，又围炉闲谈了好久，直到十二点过后，彼此方才安寝。第二天七日的早上，我正睡得酣熟，霍桑忽然叫醒我。我睁眼一瞧，看见他立在我的床前，他的手中执着一张白纸，脸色阴沉着。

他低声道："包朗，事情坏了！"

我吃了一惊，忙问道："什么事？莫非——"

霍桑点点头："毛狮子已经越狱逃走了！"

一个线索

这消息是够惊人的，不由使我从床上跳起来。霍桑不等我发问，先自动向我解释。

他道："事情很简单。模范大监的典狱官黄大麟，清早差人送这封信来。我听得叫门的声音，便从睡梦中惊醒。此刻汽车还停在门外，等我们动身呢。"

"他的信中怎么说？毛狮子怎样逃走的？"

"信中只说毛狮子在昨天晚上逃去，是否有人劫狱，或是设计逃脱，都没有说明。你快起来，跟我一块儿去走一遭吧。"

我急忙离了床，用高速度的动作，穿衣洗漱。唉，此番真闹出大乱子来了！霍桑所料竟不幸而中。毛狮子既然逃了，上海社会势必又要发生恐慌，并且他既怀恨我们，不消说要来寻仇报复。我们的处境当真有些危险。

霍桑已先下楼去。我听得一阵铃声，霍桑又在那里接电话了。等我装束舒齐，走下楼去，已是八点钟。我和霍桑匆匆吃了些点心，就立刻上车，向模范大监进行。那大监是新建筑的，位置在上海市郊的北部，和铁路距离很近。从外表看来，这监狱办得相当好，占地二十多亩，有三个手工场，一百多号囚舍。典狱官黄大麟是个法政速成科学业生，在社交上颇活跃，也很得上峰的信任。

我们在汽车中时，彼此默然。霍桑在努力吸他的纸烟。他的双眉紧紧地锁着，一双深黑的眸子发出炯炯的异光。他平日的状态本来和平常人没有两样，可是他一逢到惊骇的案子，那侦探小说中惯于描写的大侦探的紧张的神情，便会自然而然地流露出来。他的神态固然还不失镇静，但比较他平日的常态，已略略有些变异。他把口中的纸烟吸了几口，就取了下来，接着又重新放到口中去，一起一落地不停。他的眼珠左右转动，手背上的筋络也比平时暴涨些，显见他精神的紧张，感觉的敏锐，此刻已到了极度。我的好奇心也被激动了，虽然冒着晓寒出征，但神旺气足，真有勇敢的战士临阵的气概。我们在危险疑难中讨生活，久久已成了习惯，虽明知前途危险万分，非但没有畏惧，却反而有一种跃跃欲试的情味。

汽车驶进了模范大监，那个穿石青色狐皮袍子，胖脸小眼，上嘴唇有两撇黑色短须的典狱官黄大麟，慌忙走出来迎接。我看见黄大麟丰腴的面庞上苍白可怖。他把我们领进到了会客室中，连说话的声音都颤动了。

他说："霍先生，包先生，不得了！真不得了！……这件事不能不麻烦你们两位了！"

霍桑安慰他道："黄先生，事情既已这样，急也没用。你还是镇定些，把详细情形说给我们听。"

典狱官点点头。他的嘴唇张动，却说不出话，仿佛一部二十四史，不知从何说起。

霍桑婉声问道："毛狮子怎样逃走的？"

"霍先生，这……这实在是出乎意料的！"

"是。我知道你不会故意放他逃走。但他到底怎样逃走的？"

"这……这实在是偶然的事！这……"

黄大麟这样子吞吞吐吐，我有些不耐。但霍桑仍不失他的冷静，给予对方一个谈话的引子。

他说："黄先生，我要知道的，是那匪徒怎样逃走——有人来劫夺的？还是他自己断了镣逃跑的？"

"霍先生，因为……因为昨夜里这里偶然失火，他就乘机逃脱。"

"失火？他的号房里失火？"

"不是。他被拘在四十八号里。失火的是轻罪囚室，一百〇一号。"

"唔，你说得仔细些。昨夜里什么时候失火的？"

黄大麟又呆住了，举起右手，狠命地抓他自己的头发。他忽向旁边一个穿黑呢制服的瘦长而有鹰爪鼻的警长发问。

他问道："子才，可是在十一点钟？"

那法警把头似点非点地动了一下，没有答话。

我暗暗叹一口气。这人真是糊涂，他是全监的主管人，出了这样一件大事，连发案的时间还没有弄清楚。

霍桑点头道："黄先生，你昨夜是住在公馆里的，是不是？当起火发案的时候，你大概不在狱中，是吗？"

黄胖子的脸上居然红了一红："这……这个……"

霍桑扬一扬手："好吧。现在不如请这里主管的人来，让我和他直接谈话，也许更爽快明白些。"他开始感到不耐。

"是，是。"黄大麟满脸通红地答应着。他又指一指那穿制服的警长："这就是费子才警长。我每逢因公出外，狱中一切事情都是由他管理的。昨晚的事，他也亲眼看到。……子才，你说给霍先生听！"

他的介绍和命令的声调是不同的——前者是柔婉而小心，后者是充分暴露出上司腔。霍桑回头向那法警长瞧一瞧，又点点头，算作一个简单的招呼。

他说："费警长，到底什么时候失火的？"

那警长小心地答道："昨夜失火的时候已经很晚了，大约……大约是十二点钟。我从睡梦中给呼喊声音惊醒了，知道监房里失了火，急急地爬起来。我看见失火的是一百〇一号，就一边分派监中附设的消防队赶紧救火，一边吩咐弟兄们把失火附近的监舍开放，将犯人领出来，免得给烧死。"

"毛狮子所居的四十八号囚室，可是和一百〇一号毗近的？"

"是，就在那失火的囚室后面一排。我知道毛狮子是一个要犯，所以不敢不把他一并领出来。领出来以后，就将犯人们留在廊下，另外派人看守着，一边赶紧救火。我不敢专擅，马上派人到黄公馆去报告黄典狱长。等黄典狱长赶到，火已经熄灭。我们检点犯人，别的都在，单单少了毛狮子一个。"

报告相当简洁而明晰。费警长说完了向黄大麟瞧瞧。黄大麟的视线却另有所属，没工夫接应他的下属。他注视着霍桑，像在等他发表什么。霍桑却用右手摸着下颊，低头沉思。一会儿，他才重新抬头瞧费子才：

"这样说，毛狮子的逃走，就在从囚室中被放出以后和黄先生到监以前的时间中，是不是？"

"是。"

"这中间有多少时候？"

"大约有一个钟头。"

"这么长久？"霍桑锐利的目光在费子才的脸上闪了一闪，"昨夜里一共烧掉几间？"

费警长低垂了头，答道："烧了两个号子。"

"奇怪！两个号子竟能烧一个钟头？我想你在火熄以后，大概曾耽搁过一会儿，并不曾立即把放出来的囚犯关进囚室里去。在这耽搁的当儿毛狮子才有脱身的机会，是不是？"

费子才慌忙道："不，先生，我并没有耽搁。我一看见火熄，就将领出的囚犯逐一检点。犯人们都在廊下冷得发抖，动也不敢动，偏偏就少了他一个。正在那时，典狱官也坐了汽车来了。"

黄大麟接嘴道："是的，这是实在的。我到这里时，他正在点号。那失火的几间囚室还是白烟直冒，分明火熄还没有多时。"

"那么你到这里是什么时候？"

黄大麟寻思道："大约……大约十一点一刻。"

霍桑的眉毛忽而掀了一掀："你记得清楚吗？"

"清楚的。因为我从迎春——"黄大麟话刚出，慌着改口道，"因为我昨晚回家时，恰打十一点钟。据说费子派人来请过。我知道一定发生了什么事，便急急赶来。从我家里到这里，至多不过十分钟。所以我敢确定我到这里时总在十一点一刻光景。"

霍桑回过脸来，庄容向费子才道："你听得吗？黄先生到这里时才交十一点一刻，你怎么说失火时在十二点钟？又说从失火到熄火，约莫有一个钟头？这里面不是显然矛盾吗？"

费子才忽然面如土色。他用舌子舐着他自己的嘴唇，颤声说："这个……这个……先生，请原谅。因为我那时从睡梦中惊醒起来，没有弄清楚时刻。照现在看，失火时一定在十一点……嗯，十点左右了。"

这时我才明白，费子才起先说十二点钟失火，若不是真个糊涂，一定是故意说迟些，减轻些他的渎职处分。

霍桑冷冷地说："唔，这也显见你太疏忽了。你是负责的人，时候既然这样早，怎么你竟睡着了？"

黄狱官也趁水行船地打官话："唔，睡得这样早，真懒！"

费警长用手摸摸他的鹰爪鼻，低头不语。

霍桑又问："火怎么发生的？"

警长仍低垂了头，答道："这也是很奇怪的！我们虽然竭力查问，可是查不出起火的真相。因为那一百〇一号囚室，这时候恰正空着，里面只放着几只盛水门汀的木桶。不知怎的竟会失火起来。"

"果真太奇怪。你们已经检查过没有？"

"是，查过了，可是查不出什么。"

黄大麟忙接口道："方才北区探长王桂生已经来察勘过，他也寻不出端倪。并且毛狮子怎样出监也非常神秘。"

费子才接续道："是，真奇怪。因为失火时，监门没有开，直到黄典狱官汽车进来，方才开门。可是那时候毛狮子已经不见了。"

霍桑略略沉默，眼光在这两个公务员的脸上打旋。这两个人却在面面相觑。

我插嘴问道："他可会越墙逃出去？"

费子才答道："这里的墙壁都是水门汀做的，不容易穿凿，并且有二十二尺高，跳不出去。只有东面第三工场的墙角略有些损坏，这几天正搭着阴架修理；不过那边有水泥匠看守。据王探长察看，也丝毫没有迹象。况且毛狮子的脚上还有脚镣，要跳也不能够。"

霍桑向我瞧瞧，我也向他回了一眼。我觉得这一件事太诡秘。就听得的情报论，不清不实，内幕中势必有通同的人。

霍桑瞧着黄大麟说："事情果真很奇怪，但我相信毛狮子绝不会插了翅膀飞出去。少停仔细些勘验以后，总可以明白。

现在最紧要的，就是关于在逃的毛狮子的问题。你们可曾有什么行动？"

黄大麟道："今天早晨，我已报告北区警署，所以王桂生才赶来勘验。他临去时已经答应立即报告总厅，通知各地警署，派探伙往车站轮埠去堵截。"

这人实在太颟顸了，事前既因狎妓而旷职——他露出了"迎春"字样——事后又不知补救，完全推在别人身上。现代法治对犯人感化重于威吓，责任相当重，这样的人怎么配做典狱官？

我又说："毛狮子既然在昨晚十一点钟已经逃走，今天早晨再截留，有什么用？"

黄大麟回头向我瞧瞧，又用力抓他头顶上的几茎稀疏的头发。

霍桑也说："是啊，失踪的事昨夜里既已发觉，怎么不立刻追寻堵截？"

黄大麟低着头，答道："当时我也曾派监狱中的巡逻班分头出去追赶，可是都没有踪迹。"

"你们狱中有多少巡逻法警？怎么能够分配？这是个要犯，怎么可以让他逃跑？你当时为什么不立刻通知警厅，赶往车站轮埠去分头拦阻？"

黄狱官又没有话，抓头发的动作又继续表演。

我又冷冷地补一句："我料想毛狮子此刻早已离开上海的码头哩！"

那典狱官受了这番近乎诘责的问话，好似下属官看见了上司，连头也不敢仰起来。可是情势上不容他再不开口。

他低声说："霍先生，这实在是我的失着。但是……但是我也有我的苦衷。因为我知道毛狮子是一个要犯，一旦失踪，我的责任不是玩的，所以当时我还想悄悄地将他追赶回来，免得张扬开去，受渎职的处分。谁知道我接连打发了两批法警出去追赶，前后左右的附近完全没有踪影。那时候天已破晓，我没法可想，才往法院和警署去报告。因着这一番周折，才耽搁了几个钟头。霍先生，你想毛狮子此刻可是一定已经离开了上海？"

霍桑缓缓点头道："很可能。他昨晚上出狱以后，乘火车轮船的机会很多，可能早已脱身。"

"我……我想他不会这样子快。究竟是半夜时分了，火车轮船不一定赶得上。"

"要是像你所希望的他还在上海，我们就有法子，不怕他再逃。"

黄大麟的灰白的脸上顿时露出一丝喜色，小眼睛也张大了。

他急忙问："霍先生，你有法子想？那好极了！我……我早知道事情僵透了，只有请你老人家来，才有办法。霍先生，你……你有什么法子？"他的呼吸也接不上了。

霍桑仍淡淡地说："毛狮子如果还在上海，现在藏匿在哪里，我们虽还不知道，但是线索总可找得一个。"

"喔？这线索你从哪里去找？"

"就在这监墙里面。"

黄大麟忽一愣。他向霍桑瞧瞧，又回头换一种目光瞧瞧旁边的瘦高个子。费警长的高度也似减缩了些，定了目光，似乎莫名其妙。

霍桑继续道："我以为毛狮子所以能够逃脱，这监里一定有个接应通同的人！"

黄大麟又怔了一怔，脸上的喜色消逝了。他仍瞪着小眼，呆瞧着霍桑，不知如何回答。因为霍桑的表示显然把若干重量加到了他的肩上。

霍桑又瞧着费子才，问道："昨夜你派出去的那些法警都已回来了吗？"

"是，都回来了。"

"此外可有狱中的执事人们留在外面？"

"没有。刚才黄典狱已点过一次名，没有一个缺少。"

霍桑点点头，又回头向黄大麟道："这样很好。回头我也许要叫他们来问问。现在我先要瞧瞧囚名录。"

黄大麟诺诺连声，乘势轻意地向费子才噘一噘嘴，吩咐他去取囚名录来。费警长马上奔出会客室。

霍桑向我道："包朗，你姑且去察看一会儿，有没有可疑的痕迹。我怕王桂生也许有失察的地方。"

我答应着，就走出会客室。门外立着两个法警。我便叫了一个相貌伶俐的，请他引导。我先到失火的地方察看，果真烧掉了两个囚室，就是一百〇一号和一百〇二号。那一百〇一号的废基上还剩几个焦枯的木桶。但失火的火种是什么，因着砖石和焦木的压叠，这时当然无从发现。

我问引导的法警道："那一百〇二号中是不是也空闲的？"

法警点头应道："是。全狱中只有这两号是空闲的。不过一百〇二号中并没有木桶。"

"那么这火警怎么被发觉的？"

"一百号中拘禁着一个山东盗匪。昨夜天太冷，火发的时候，我们都已睡了，因着这山东人大声喊叫，我们方才觉得。我们先把他开门放出来。"

"这山东人进监多少时候了？"

"有一两个月光景。"

我兜到后面去，瞧瞧那拘禁毛狮子的四十八号。这一排的囚室都是水泥墙壁，门窗上的铁栏也相当粗，建筑得似乎比较坚固些，因为这是拘禁重要囚犯的囚舍。

我又问道："你们监里的规例，晚上犯人可去镣？"

法警说："去镣的，但只限于轻犯。像毛狮子那样的要犯是不去镣的。"

"昨夜事发以后，你们可曾寻过，有没有遗留的足镣？"

"寻过的，实在没有。他分明是带镣逃的。"

"我想不见得吧。如果他带镣出监，决计逃不远；况且不久你们便追踪出去，势必要被你们捉住的。"

"那也难说。也许他出监后藏匿在附近的人家，那自然追不着了。"

"那么你们可曾往附近人家去调查过？"

"这还没有哩。"

我和那法警一边说，一边走，已走到靠东一个藤器工场的墙角。那里果真有好几个匠人在修理。那围墙确有二十多尺，不仅戴着足镣的人万万不能上去，即使叫霍桑所说的长脚狼来，凭空扒跳，也未必跳得出去。但我仍在围墙的四周踏步观察，可是并不见有人上下的迹象。接着我又兜到监外面去绕着看，墙脚下的泥痕草根都仔细察看，也寻不出什么疑点。

我回到会客室，想报告我所察看的结果，却不见了霍桑。只有费子才一个人面无血色地坐着。桌子上摊着一本厚厚的囚名录。

费子才站起来，说："霍先生和我们典狱官到外面去查勘了。"

我点点头，正想坐下来等待，忽见霍桑一个人匆匆地走进来，高声向我说：

"包朗，我所说的线索已经被发现了！我料毛狮子的脱逃一定有人接应。这一点此刻我已经证实。"

催眠术

黄大麟也踉跄地跟着进来。霍桑的话，他分明已经听得。他的一双小眼在流转，多肉的颊上也失了血，神态上似乎怀着鬼胎。

他说："霍先生，你……你得到的线索，不会就是在监中执役的人们吧？因为我在你查问以后，又仔细把他们问过，不像有什么通同的人。"

霍桑微笑道："当真？我也但愿如此，不然你的处分更不得了。"

"嗯，嗯，是！那么你的线索是什么？"

"我发现的线索就是八十九号里的那个姓张的犯人。"

"喔？八十九号姓张的？"他又用眼梢斜睨他的属员。

费子才应道："那个人叫张老和，昨天才进来。昨夜里他也给放出来过，可是此刻他仍拘禁在八十九号里啊。"

霍桑点头道："是，正是这个人。我知道他就是毛狮子的同党，新近从东北来。他所以进监来，为的是营救毛狮子。他犯的不是拘禁三个月的吸鸦片罪吗？"

霍桑最后的问句是向黄胖子发的，所以他的视线也移到他的脸上。可是这又是个他回答不出的难题。他只做了个视线的接应站，立即把眼光转移到他的属员脸上。

费子才应道："是的，他是三个月的轻刑。"

黄大麟点点头："唉，不错，不错。霍先生，你确实相信他是毛狮子的同党？"

霍桑简语道："是。"

"你可曾问过他？"

"问过的。他不肯说，但我听他的口音，明明是辽宁一带的人。况且他一听我的诘问，神色变异，又不肯多开口，分明是怕漏了秘密。"他顿一顿，索性直接问费子才，"他昨天什么时候进监的？"

"早晨十点钟。"

"他进监以后可曾有过探访的人？"

"这个……是。傍晚时他的妻子来瞧过他一次。"

"喔，那妇人不也是同样北边口音？"

"是的。"

霍桑斜睨着我，点点头。我立即会意。谢铁生所报告的，有一股男女党匪往南边来复仇的消息果真不虚了。

霍桑又向费子才问道："那妇人进来时可曾跟张老和谈过话？"

"谈过的。"

"谈话时可有人在旁边监视？"

费子才迟疑地摇摇头："这样两三个月的轻犯，比较的随便些，没有人特别监视的。但他们谈话的时候，就在囚室门前，当然有人瞧见。"

"那么你可知道那妇人有没有送什么东西来？"

"我记得伊曾送一碗辣茄酱来，别的没有什么。"

黄大麟忽又练习一下抓头的姿态。他沉下了脸，向费子才斥责：

"你们真糊涂！怎么让外面人随便送东西进来？"

我懂得这分明还是一种"腔"，是敷衍我们的一句官话。霍桑也早已瞧破，冷冷地笑一笑。

他说："黄先生的职位既高，自然顾不到这些琐屑小事。其实我相信只要纳一些小费，什么都可以送进来！"

黄大麟在当着他的下级人员的面的情势下，遭受这种训斥，似乎很觉难受。霍桑本不是他的上司，论地位他还是个小小的"官"，但他因着他眼前所负的责任，有所希求于霍桑，故而不敢和霍桑硬碰，只是脸红过耳，把手送到头顶上去，表演那老姿态。

霍桑自言自语地说："我敢说一句预言，那一碗辣酱，一定就是火种的来源。你们实在太疏忽了！"

黄大麟勉强答道："当真？你……你确实相信？"

"我相信不会错。但你既然怀疑，少不得设法证明一下。现在毛狮子的踪迹既然毫无把握，当然不能不借重这个线索做一个引子。"霍桑回头瞧我，"这个同党很狡猾，闭着嘴不肯说。包朗，今天我的精神太差，没法集中。为迅速起见，这一着不能不烦劳你了。"

我一时还不明白他要烦劳我的是什么，正待问他，他先问我察勘的结果。我就先把巡查的经过，向他报告了一遍。霍桑抚摸着下颏沉吟了一下，就向我点点头：

"好，现在你得想个方法，教那张老和吐实。"

我暗暗诧异。霍桑自己既然问他不出，我又有什么口才可以使这狡黠的同党供出来？

霍桑向黄大麟道："张老和着实狡猾，刚才我用温言诱供，他抱着死不开口主义。我看他是一个相当结实强项的家伙，若用威胁，也未必济事。此外方法虽有，可是多费周折，未免坐失时机。幸亏这位包朗先生研究过催眠术①。你总知道催眠术可以使说谎的人说真话，把隐藏的事吐出来。现在西方的司法界已经采用它做问供的工具。这是一种新兴的科学。包先生在夏芝馨的绑案上实验过，很有奇效。"他又回头向我道："包朗，你今天再试一次吧。"

我方才打破了先前的疑团，他要我实施催眠术。但我的催眠功夫很浅，远不及霍桑自己。我虽然曾在一个江北老妇人身上实验过一次，但对于这种悍蛮的强徒是否有效，还不敢自信。可是听霍桑的语气，他这时的精神太兴奋，一时不能集中，所以叫我代庖，情势上似乎已不容我拒绝。这方法要是施行得当，可以有迅速的效果。只要对方受了术，那隐蔽的真相立刻可以明白。那么，无论如何，我只得试一试。

我表示同意以后，黄狱官连忙吩咐布置准备。我选定了一间小室，把窗门关翳着，只留一扇靠东的小窗，使光成一直线。论理，对于这样的人，应当用强制催眠法，可是我们出来时，并没带那金色球和别的应用的东西。我就因陋就简，用一面圆镜代替了催眠镜子。霍桑帮着布置，将镜子放在一只小几上面，使光线直射镜面。几的一面，放一把椅子，预备张老和坐。

布置既毕，霍桑引着一切人走出去，一面吩咐提张老和

① 这种催眠术实际上是给犯人注射麻醉剂，利用犯人的昏迷状态诱供。这是一种骗术，而且极不人道，在社会主义国家是完全违法的，绝对禁止。——作者注

来。我自己借了一身黑呢制服，先独自在这小室中静坐一会儿，使我的精神凝聚集中，以便施术。

一会儿，张老和已给开了锁，被两个法警领进小室来。张老和的个子足有五尺七八寸高，年纪在四十左右，满脸横肉，一双鼠目，外貌很怕人。他一进这暗朦的屋子，不知道将有什么事情发生，好像震了一震。他张大了惊恐的双目，不住地左右骇顾，好像要奔逃出去，却又不敢。那两个领他进来的法警，我已预先叮嘱过；他们的任务，但须领张老和到椅子面前，推他坐下，便退回后面，在左右两旁站着，以防他蠢动，却绝对不许作声。张老和坐定之后，瞧瞧面前，照着一面反射光线的圆镜，似乎不禁有些眼花。他仰起头来，又看见我直立着不动。室中的光线既暗，又完全静寂无声，他的精神上便自然而然地起了一种变态。我静立了一会儿，突然发出一种宏大而庄肃的命令声：

"张老和，现在你应当睡了！"

反应并不佳。他的鼠目仍张得很大，瞧瞧我，又瞧瞧他对面的那面反射光线的镜子。我集中精神注视他。约莫等了三十秒钟，我又向他发第二次暗示：

"张老和，你觉得很疲倦。你真要睡了！"

他还是张着眼睛，眼珠依旧在转动。我的精神和信念绝不动摇，再接再厉地发暗示的命令：

"你的眼睛应得闭合了！……好啊！你的两只眼睛都闭拢了！"

效果来了。对方的眼皮开始垂落。我的凝神一志的眼光，始终没有离开他的脸。我又接连地发了两次暗示：

"你果真睡着了！……你的手和足都不能动了！"

张老和的眼睑果然都已缓缓地合拢，两只手平放在他的腿上，显见已受了我的术，渐渐进入催眠状态。我的信念还像磐石一般：

"张老和，你此刻只能听我的说话，别的声音都听不见了！"

又过了两分钟，他已经陷入深眠状态，他的头也低垂了。时机已经成熟，我便开始向他发问：

"张老和，现在我问你几句话，你仔细听着，一句一句地答复我。"

一阵静。

"你们几时到上海的？"

这问句既发，我看见他的眼睑微微动着。略停一停，他果然张口答话：

"我们到上海已经五天。"

我的施术已经成功了！同时我知道霍桑的预料和谢铁生的报告都没有错误。我仍镇定地站着，不让惊喜的情绪动摇我，接着按顺序问下去：

"你们一起有多少人？"

"九个。"

"谁是你们的头儿？"

"金钱豹跟白狐狸。"

"你们从哪里来？"

"从新民乘火车来的。"

事实和情报着着都已合符。我心里欢喜吗？当然。可是我仍努力控制着我的情绪：

"你们到了上海，耽搁在哪里？"

"新华旅馆。"

"你们的头儿在旅馆中用什么名字？"

"一个叫金宝全，一个叫白利华。"

这是个多么重要的情报！我料想伏在小室外面的霍桑和黄大麟，大概要欢喜得手舞足蹈了！匪党的巢穴既然知道了，我们不是就可以着手进行了吗？

"你犯了烟案进监来是有一种目的的。你要救援你们的大头儿毛狮子。是吗？"

"是。"

"昨天晚上，这里失火，火也是你放的。你承认吗？"

"承认的。"

"你怎样放的火？"

"我们的柳姑姑把火种带进来。到了晚上，我假托肚子痛，要往茅厕里去。法警不肯开门让我出来，我送给他一盒纸烟，他才答应。白天我早已瞧明白，一百〇一号中最容易着火。我从那里走过时，趁势将火种丢进去。十一点钟还没敲，火势就冒穿了一百〇一号的屋顶。"

"火发以后，毛狮子就乘机逃脱，你自然也知情的？"

"是，知道的。不过他怎样逃出去，我不知道。"

"你怎样帮他的忙？"

"辣酱的碗底上藏着一个写地址的纸卷，一瓶化铁镪水。我把那碗辣酱打发一个法警送到四十八号去，首领接到以后，大概就扭断了镣逃的。"

"你昨天才进监，怎么就能够使唤监狱中的办事人？"

"我出钱买的。柳姑姑还带了好几张钞票和几盒上等纸烟来。"

"这监里还有你们的同党吗？"

"没有了。我们知道别的弟兄们都关在分监里，所以另有一个小猴子准备往那里去救应。"

匪徒的活动概况，大体都已明白，我觉得已没有再问的必要。况且时机很急迫，我们一方面应当急急捕捉匪徒，一方面又得赶紧通知分监，教他们谨慎防备，别再闹出同样的乱子。我就预备使他觉醒过来，我定一定神，再高声向他发令：

"张老和。你现在应该把我们的谈话完全忘掉。你得慢慢地醒了。……你的手足都活动了；你的血运的流转也恢复觉醒时的状况了。"

张老和的两只手果然缓缓转动，好像要从腿上举起来的模样。我继续暗示：

"现在你果真醒了。……你听我说五个数目，等我说到第五个数目，你就得张开眼睛，完全醒过来。一——二——三——四——五！"

我缓缓说着，数到"五"时，张老和的眼睛便突地张开，用手背揉一揉，灼灼地向左右瞧视，好似从梦中醒来的一般。我向那站在他背后的两个法警噘了噘嘴。法警会意了，正要动手挟持张老和，张老和忽然有一种意外的举动。

他突然立起来，哼一声，伸出一手抢了小几上的那面圆镜，向着我站立的所在飞掷过来。我并不是没有准备，只把身子一偏，举起两手，轻轻将镜子接住了。他的手再度举起来时，便给左右的两个法警捉住了，挟持着领出小室去。我定定神，也就换好了原来的衣服，走出施术室来。

光明和寒风刺激我疲乏的神经，我的精神松弛了些。室门外面，只有黄大麟费子才和两个法警立着，单单不见了霍桑。我感到疑惑，正待询问，黄大麟忽走近我，向我拱了拱手。

他道："包先生，这玩意儿真灵！多谢，多谢！你们的问答，我们都已听清楚。我真感激得很。"

我摇摇手："别客气。霍桑呢？"

"他在十分钟前已经出去了。"

"往哪里去的？"

"他听得了匪党们的下处，就立刻赶去捉拿了。"

我明白了。霍桑所以不自己施术，他说他的精神不能集中还是托词，实际是他要留个自由的身子，一知道匪党的寄身地点，可以马上赶得去。因为时机很急迫，不可一刻放松。我自然也不能怪他不辞而行。

我点头道："好，但还有一件事也不能耽搁。你应当即刻打一个电话到分监里去，别再闹出越狱的事情。"

黄大麟答应了一声，就叫费子才去打电话。他又领我回到会客室里。桌子上泡好了一壶热茶，又放了一罐三炮台，几盆蛋糕之类的点心。黄胖子一边敬纸烟茶点，一边又问我。

他说："包先生，你想霍先生这一次可能够一举成功？"

我喝一口茶，吸了几口烟，才说："大概总有希望。如果他们仍在旧处，自然不会漏网。"

"要是他们又跑了呢？"

"我想我们得到这个消息还不算迟，党匪们也料不到会有这个突变。"

黄大麟捻了捻他的两撇短须，露出得意的微笑："唉，我但希望如此。回头我一定要重重酬谢你们两位。"他又连连拱手。

我不禁有些鄙薄他。我国的旧官僚们擅长的只是"摆架子""逢迎拍马"一类，平日办事既然惯于怠忽渎职，只要虚行故事，敷衍得过上司，便算好手；一朝事变发生了，却又手忙足乱地没有办法。这种人真使人觉得可笑可怜，又可鄙可憎！

黄大麟又拱手道："包先生，这一件事承二位的盛情，挽救了这个僵局，又履行了我的职司，我真是——"

我不耐地说："你用不着客套。这僵局能不能挽回，捕捉毛狮子的事是不是可以成功，此刻还不能说。你先不必这样——"

黄大麟又着慌地插嘴道："包先生，你……你可是以为霍先生此去还靠不住？"

"我早说过了，匪徒们要是来不及得信，没有迁移，当然可以成功。但事情是不能预料的，他们究竟有没有迁移，或者竟已离开了上海，现在还说不定。"

"如果逃了，我想沪宁沪杭两线和各地的轮埠，都已由警厅发电知照，可以堵截，他们也逃不掉。"

"党匪们假使乘了昨夜的夜车逃走，那就截不住了。"

"乘夜车？你想时间上可来得及？"

"据张老和说，昨夜十一点或十点左右就失火。毛狮子如果在那时就逃去，乘十一点半的夜车，时间上不是绰绰有余吗？"

黄大麟脸上的喜色，好像一星微火又落入了水缸里去。我觉得不必再留，正要辞别了回寓，忽见费子才急急忙忙进来，向黄大麟报告：

"典狱官，警厅厅长有电话来，说有一个关系毛狮子的重要消息，请你赶紧过去商量。"

勒索信

这消息又是出我意料的。莫非他们也已经知道了匪徒的下处？或是霍桑通知他们捕匪，中途有了变端？

黄大麟迟疑地说："包先生，既然如此，我想请你再劳一次驾，陪我走一遭。假使真有什么重要消息，也可以烦劳你和贵友接洽。"

我私忖这时候回去，霍桑未必在寓，倒不如跟他去听听有什么消息。我允许了黄大麟的请求，就和他同车往警厅去。我们一踏进警厅的会客室，那殷厅长已等在会客室的门口，向我们招呼了一声，便郑重警告：

"唉，这件事真不得了！"

劈头的这句开场白，不但黄大麟没有准备，连我也不禁怔了一怔。黄大麟用手搔搔头发，又把嘴角牵了一牵，好像要回答，却一句也说不出来。那厅长姓殷叫玉臣，我本来认识。他是浙江人，方形的脸上有几点细麻，五十多岁，在警界的资格相当老。我先向他发问：

"殷厅长，什么事？"

"刚才闸北的绅士严九成来报告，他昨天晚上回家的时候，有人在汽车门前开了一枪，他虽没有被打伤，却吃了一大惊。等到他停了汽车，唤岗警追寻，已没有影踪。后来他在车厢中发现一封短信，才知道那人当时只发了一次空枪，目的在恫吓。否则，他既有机会投信，枪弹一定也打得中。"

"那投信的人难道就是毛狮子？"

"是啊。这就是他的恫吓信，请你们瞧吧。"

我接过一张白纸，展开来默念：

　　我今晚才出监，手头缺乏些费用。我知道你的丝厂营业很好，特向你暂借五万元。这款子你得在明天晚上十点钟，亲自送到天通庵东首观音殿里。要是你自己不能来，应得派一个心腹人。款子必须是钞票，不许有三个人一同来。你得明白，我们的话是没有还价的。假使你三心二意，或是去请教那一班没用的警士侦探，那么今晚上你已经得到了一次教训，总也可以知道我的手段。说得明白些，你要是不知趣，不出三天，你一定没有命！

毛狮子

　　念罢了信，我回头瞧瞧黄大麟。他正目瞪口呆地瞧着殷厅长的面孔，好像在欣赏那麻斑的图案。

　　殷厅长向他道："大麟，你让毛狮子这样一个重犯逃跑了，这件事不是连累到我身上来了吗？严九成把这一封信送了来，无非要我负责保护。汪探长出去了。事情很紧急，我正没有办法。你总知道这班五福匪徒的厉害。瞧了他们历次的行径，实在叫人头痛。万一此番在严九成身上发生什么变端，如何得了？你总知道严九成是什么样人吧？他做过两任县知事，他的老弟又是现任国会议员。我哪里担当得住？"

　　黄大麟勉强答道："厅长，姑且别着急。我决不连累你。我为了这个强盗，已经请了大侦探霍桑先生和这位包朗先生。刚才他们在监狱中发现了一个同党，已给包先生问出口供，知道匪徒们住在新华旅馆。现在霍先生已往那里去捕拿了。"

　　殷厅长惊喜道："唉！包先生，真的？那就好！新华旅馆可是就在火车站西面的吗？"

　　黄狱官说："我……我不大知道，据霍先生说，好似在上海的北部。"

我接嘴道："正是，在火车站西首，是一个中等旅馆。"

殷玉臣说："是。霍先生已经去捕拿了吗？可是他还没有通知这里。"

我说："他大概先去看一看，动手时自然要请警察们执行。殷厅长，我要问一句，昨晚上严九成遇匪在什么时候？"

警厅长呆了半晌，才答道："这倒没有问过，也容易知道，我立刻打一个电话去问。"他微微点一点头，回身走出去。

黄大麟见旁边没有别人，便露着急迫的神色，把头凑过来："包先生，这件事越闹越大，我的处分到底逃不了吧！"

"你别着急，急也没用。但因这一着，越见这班党匪无法无天。他才刚逃出了监狱，马上就敢做这样勒索的事。他们实在凶狠已极，非扑灭不可！"

我说这几句话时，想起了早晨报纸上赞美的论调，说我们俩足以震慑上海。现在想来，这班盗匪简直完全不把我们放在眼里！这未免教人心里难堪。

黄大麟兴奋地说："唉，包先生，你真有勇气！"

我用拳头击着自己的掌心，坚决地说道："这恶匪实在可杀！无论如何，我们总应当把他们拿住！"

"包先生，你真有把握？"

"我自信有制敌的决心。有把握没有，此刻还不能定。我们等厅长回话再说。"

"你要知道严绅士遇匪的时间，有什么作用？"

我还没有回答，殷厅长已回到会客室来：

"严九成说，他昨晚离开大舞台时已经快一点，遇匪的时间一定在一点钟过后。"

黄大麟忽而领悟了什么似的点点头："这样说，毛狮子大概还在上海，霍先生一定可以得手。"

殷厅长问道："何以见得？"

黄狱官说："因为一点过后，火车已没有了，乘轮船可能也来不及；况且他还想弄到五万块钱。这明明显得他还没有出码头哩。"

我说："从一方面看，我的意见和黄先生的相同。但别一方面还有一个疑问。"

"什么疑问？"

"我以为这一封信不一定真是毛狮子写的。要是有什么人冒名顶替，这假定就不能成立。"

黄大麟摇头道："我想不致如此。毛狮子昨夜半夜才逃出去，那假冒的人消息怎么会如此灵通？况且毛狮子是一个犯死罪的恶盗，谁敢来冒名送死？"

殷厅长也附和道："不错。如果有人冒名，真是自寻死路，未免太愚蠢了。"

他们俩的话也很近理，我不再答辩。我瞧瞧时计，已近十二点钟，就辞别出来。他们向我再三叮咛，霍桑如果得手，应立刻给他们一个消息，大家好安心；否则，严九成被勒索的事，当晚怎样应付，也得请霍桑想一个解决的办法。我应允了，就从警厅出来。我回到了寓中，便忙着问施桂。

我道："霍先生回来没有？"

施桂道："他已经回来过一次，但不久又出去了。"

"他可曾留下什么话？"

"书桌上有一张条子，你自己进去瞧吧。"

我在办公室的桌面上取得了那张纸条。纸上只写着寥寥

数语:

> 匪徒昨夜已迁移了。我还没有头绪。现在我去找汪银
> 林。你尽可先进午膳,不必等我。
>
> 桑

我感到些失望,不知霍桑所说的迁移,是否指迁往别的旅
馆,或是竟已离了上海。如果只是换一个地方,那总还有法子
可想。霍桑此刻去见汪银林,也许就为着要请他帮忙,派人往
各旅馆去调查。

苏妈送饭进来,我便独自在餐室中进食;饭后,我吸着一
支纸烟,烤火休息。我想起严九成被勒索的消息,霍桑谅必还
没有知道。我不如就到汪银林那边去,把这事告诉他听,以便
从速商量一个方法,再回复殷玉臣厅长。可是我的一支纸烟还
没吸完,霍桑已大踏步走进来。

我忙问道:"霍桑,怎么样?有希望没有?"

霍桑的面色非常庄穆。他先卸了那件深棕色厚呢外衣,缓
缓地坐下来。

他答道:"据我所料,匪徒们还在上海。现在各处既已派
人监守,他们似乎也不容易离开码头。"

我应道:"不错,他们一定还在上海。不过你可知道今天
又发生一件事?"

霍桑睁眼瞧着我:"不知道。什么事?你不是往警厅中去
过的吗?"

我说:"是的。我就在那里得到一个惊人的消息。"

霍桑似乎已有所会悟,点头说:"唔,我早料又出了什么

岔子。因为我往旅馆里去扑了一个空，便打电话到模范大监。一个接电话的法警说，你和黄大麟都已被殷厅长请去。我料想也许又发生了什么事情，大概就是关于毛狮子的吧？"

"是。他昨晚从监中逃出来后，竟敢就到闸北去恫吓严九成。"

我就把殷厅长所说的一切和恫吓信中写着的话完全告诉霍桑。霍桑用两手捧着颔部，肘骨却支在膝上，偻着身子，眼睛瞧着炉火，默默地思索。

一会儿，他才道："瞧这情形，可见这班匪徒的胆子委实不小。"

"据说这事情发生在昨夜一点过后，可知他们还没有连夜逃走，此刻当然还在上海。"

"我也这样想。但他们既已迁移了，匿迹在什么地方，一时也不容易知道。"

"你总已看见银林了吧？请他设法往各旅馆去调查一下，行不行？"

"是的，我已经托他。不过这可能也是劳而无功的。"

"那么眼前不是有一个机会吗？毛狮子既然和严九成约定，今天夜里在观音殿相见，我们何不就从这条线路上着手？"

霍桑沉吟了一下，说："唔，这条路果然好。但殷厅长对于这件事打算怎样对付？"

我答道："他正急得没有主意，托我转言，要等你去商量以后再回复严九成。"

霍桑又思索了一会儿，才说："好，我们去走一趟再说。"

霍桑立起来，先到电话室中去打电话到模范大监，打算通知黄大麟，毛狮子还没有下落，又约他同往警厅里去会商。不料黄大麟还没回去，霍桑只得向接电话的人说了一声，嘱他转告黄大麟。我们就一同到警厅里去。

不巧，殷厅长刚才出外，汪银林也不在，我们只得在会客室中等待。我趁这空儿，就把张老和后半部的口供告诉他。霍桑也利用时间，补述他在新华旅馆中探访的情形。据旅馆的账房和茶房们说，那一班匪徒装束阔绰，很像客商，已经住了五天。那个姓金的身材高大，一望而知膂力过人。那姓白的一个，短小瘦削，却像一个文弱书生。但从昨天晚饭以后，这些人一哄而散，不知都迁往哪里去了。他又亲自到模范大监附近去调查过，怕毛狮子就藏匿在什么人家，但也没有结果。

我们谈了半个钟头，才见殷玉臣急匆匆从外面进来。他见了我们，连连道歉，并说他刚才见过法院乔院长，他也很吃惊，吩咐将这件案子赶速办妥。他听了霍桑说匪徒们已迁了住所，他没有捉住，不禁紧皱着眉头发怔。

他道："这样，这件事好像不容易迅速了结哩。但严九成已经打电话来催过，问我怎样办。此刻就请两位想个主意。"

霍桑道："你打算怎样对付？"

"我简直没有办法。刚才严绅士来催促以后，我只派了几个便衣侦探去，暗暗地在他的公馆左右防守。因为汪探长还没回来，我又没有和先生会面，不敢张扬，怕反而弄坏事体。"

"他既敢投信勒索，我们当然不能不去。但他们一定有准备。我们若使明目张胆，派了警探去捕捉，他也许匿不露面。或是他另委什么小匪来接洽，我们即使捉住了，也是徒然。"

"那么，霍先生，你想怎样去接洽？"

"最好请严九成带了钱亲自送去，另外派几个得力的侦探，在观音殿附近埋伏着，不必惊动声张。假使匪首果真到场，严九成进去会见，交了钱便可脱身。然后等那匪首出来的时候，警探们就可以上前兜捕。"

"这计策果然很好。但以严九成的身份，在黑夜中叫他往那荒僻的观音殿去和匪首会面，未免太危险，恐怕他不肯去。"

霍桑皱眉地说："他如果看重他的身份，那也没有办法。若说危险，他自己去还比较的好些。假使请别人去代庖，多一重怀疑，那就更加险了。"

一个听差进来通报，黄大麟来了。我们就停顿了等他。一会儿，黄大麟气喘吁吁地进来。他的脚步急促异常，举步时左倾右侧。他的神色仓皇，虽在寒天，额角上还满缀着汗珠。他的手中还提着一个白巾小包，瞧上去似乎非常沉重。

黄大麟又拱拱手，和我们打过招呼，两只眼睛便盯在霍桑的脸上。接着他将手中的小包顺手放在圆桌上。铿锵一声，我才知是什么金属东西。霍桑抢步过去，把桌上的白巾小包打开来，是一副新式的白钢脚镣。

意外之惊

会客室中的四个人都暂时静默。大家你瞧我我瞧你的扮演了一会儿哑剧。打破静默的还是霍桑。

他问道："黄先生，这脚镣你可是在监里寻到的？"

黄大麟还是气息咻咻，一时不能回答。殷厅长呆瞧着他，也没有说话。霍桑又把脚镣取起来，仔细察验了一下。

他自言自语地说："不错，这镣的一节果真是用镪水化断的，还有这一节是被锉刀锉断的。"

黄大麟才喘息着答道："不，不。霍先生，这东西不是在监里找到的，是一个附近的乡民送来的。"

"这乡民是谁？他怎么样得到的？"

"那乡民叫许巧林，住在离监半里的地方。我已调查清楚，他现在纺织工厂里做小工，从前是种田的，确是一个安分良民。据他说，昨夜十二点钟相近，他忽听得庭中豁琅一声，不觉大吃一惊。他叫醒了妻子，点着火到庭中一瞧，没有别的，只发现了这一副脚镣。"

"这副脚镣你可曾检验过？是不是毛狮子脚上的？"

"验过的，确是锁毛狮子的。"

"那乡人所说的时间，你想可靠得住？"

"我知道这一点关系重要，曾经仔细问过。据许巧林说，他因为在工厂中做事，上工不能过时，故而卧室中有一只钟。他在得镣以后，特地向钟上瞧过，恰正十二点钟。"

"他发现以后又怎么样？"

"他起初非常害怕，就将镣藏起来，不敢声张。后来他到了厂里时，听说大监中逃出了一个大盗，警察们正准备逐家搜检。他着了慌，等到午饭时回家，就亲自将镣送到监中，以免被连累。霍先生，你说这东西的发现不是很重要的吗？"

殷玉臣开口了："大麟，你说的重要指哪一点？"

黄大麟道："这是锁毛狮子的东西，不是从它可以找到他的踪迹吗？霍先生，你说是不是？"

霍桑摇摇头说："我还不能这样乐观。不过这东西多少也有点启示。"

"唔，什么启示？"殷玉臣问。

霍桑道："从这东西上可以知道一些昨晚毛狮子逃监的情形。他起先得到了张老和授给他的镪水等物，便着手毁镣。等到失火以后，狱中的法警们从囚室中将他领出。那时候他的脚镣的一节早已断去，不过当时法警们没有觉察。后来，他趁着众人纷乱的当儿，便悄悄地从囚群中逃出，藏匿在什么阴暗的地方。直等到黄先生的汽车进去，或是等巡逻们出外追赶的机缘，监门开着，他才混出监去。"

"你料他是从监门里出去的？"黄大麟又有些发急。

"是。我知道毛狮子的性情很猛鸷，气力像蛮牛，可是他究竟还缺少鹰鹯般的翅翼。除了门，他还不能飞出去。"

黄大麟讷讷地道："虽然，那围墙的东角——"

我插口道："我知道的。我起初也曾疑及。但那里虽在修葺，墙的本身并没坍陷。我又曾在墙外仔细察验过，没有人上下的迹象。我敢说他绝不是从墙上逃出去的。"

黄大麟陪着强笑道："这样说，他……他一定是乘人不备的当儿混出去的。"他还是一贯的卸责作风。

霍桑继续道："他出监以后，谅必外面有接应的人，因此才把别一节镣环锉断。至于他还将这副断镣丢进许巧林家里去，是否别有用意，我还想不出。"

黄大麟问道："霍先生，什么用意？可是说毛狮子要陷害许巧林？但许巧林是一个安分良民，和毛狮子没有往来，似乎不会有什么怨嫌吧？"

霍桑不答，低着头沉思。

我说："这问题姑且别论。但因这一着，可以证明昨夜十二点钟左右毛狮子还在上海，此刻他虽然已不在新华旅馆，但照情势瞧，却还没有离开上海。那么严九成的那封恫吓信，果真是毛狮子本人投发的了。"

殷厅长道："我原说没有这样敢冒名顶替的愚人。霍先生，包先生，这件事，总要请两位襄助一臂。如果能够把这匪首擒住，不但兄弟对于严绅的责任可卸，就是大麟的处分也可以减轻些。"

顺水推舟，也是黄大麟的技能之一。他在旁边怂恿着，又给我们戴了几顶高帽：

"霍先生，包先生，你们如果捉住了这个恶匪，不但殷厅长跟我感激不尽，你们为上海社会消灭一个害物，更是功德无量！"

霍桑只自低着头寻思，绝不理会。那通报的听差，又匆匆进来。殷厅长才刚将名片接过，还没有出迎，外面早已闯进一个五十以上白脸的人来。

那人躯干魁梧，戴一副眼镜；头上戴一顶红结的瓜皮小帽，身上穿着宽大暗蓝色的毛细呢狐皮袍，上面罩一件团花玄缎马褂，举步时又摇摇摆摆，显然是一个旧社会中的所谓绅董。殷厅长急急起立招呼，又和我们介绍了一声。我才知他就是接得恫吓信的严九成。严九成向我们寒暄了几句，便显着焦急的面色，问殷玉臣：

"请问厅长，这件事可已有了办法？究竟我应当将五万元送给他呢？还是让厅长去应付他？须知这件事关系兄弟的性命！况且此刻已近四点钟了，距离约期，只有六个钟头，似乎不能再耽搁了吧？"

殷玉臣勉强带着笑容，说："严先生，请放心。兄弟此刻正和这两位先生商量，想一个两全的计策。我想严先生早知道两位的赫赫大名。现在霍桑先生已经应允了，那一定可以有办法。"

他们三人的目光都不约而同地集中在我们俩的身上。我感到些局促不安。

霍桑仰起头来，很郑重地说："我有一个办法，刚才已和殷厅长说过。最好请严先生亲自去一趟，免得匪徒们疑惧规避，反而坏事。但殷厅长的意思，以为太危险，严先生未必肯去。现在我又想得一个变通的办法，让我和包朗兄乔装着前去。如果赴约的果真是毛狮子本人，我们就当场动手，把他拿住。万一不然，毛狮子倘派什么代表，他本人并不到场，我们就不能动手。那时我们一边将钱如数交付，一边知照预先埋伏在左近的探员们，悄悄地尾随那匪徒的踪迹。只要得到一条线路，就可以再打算把他们一网捕住。"

严九成的头旋了几个圈子，连连击掌道："这计划再好没有！但两位既然替我冒险，我如果安全无恙，情愿把这五万元奉敬。"

霍桑轻意地笑了一笑："严先生，你很慷慨。可是我们的工作对象是群众，工作目标是社会的安宁。要是为了酬报，那么这区区数目似乎还不足买我们的性命！"

空气有些不和谐，严绅士的白脸上泛出些桃色，咬着嘴唇，搓着手，近乎下场不得。解围的是殷厅长。

他说："严先生，霍先生是清高不过的，做事只为兴趣，从来不论酬报。现在我们谈正事。霍先生，你打算怎样入手？"

霍桑才从袋中取出一张上海地图，瞧了一会儿，便把地图摊在圆桌上，指给他们瞧：

"这就是所说的观音殿，马路通到这里为止。这一段路大概须步行。"霍桑摸出一支红铅笔来，偻着身子，在地图上画了几个十字。他仰起头来，又道："我认为这几个地方都是通观音殿的要道，埋伏的人就应伏匿在这几个地方。"

殷厅长应道："很好，很好。霍先生，你说一共要几个人？"

"四五个人够了。"

"好，我尽可派五个最干练的人，听你指挥。"

"很好。回头我还得和他们接洽几句。"他旋过头来，又向严九成道，"严先生，我想你进出总是乘汽车的。今晚上这汽车须给我们使用，连你身上的衣服也得一起借用，才不致露出破绽。"

严九成连声道："可以，当然可以。但你不是说要和贵友包先生一同去吗？匪徒的信上限定不能三个人同去。现在先生们两位，连那司机计算在内，至少要有三个人了。"

霍桑微笑道："我只说借用汽车，并不说借用车夫。车夫我早已固定了。"他的微笑流送到我的方面。

我也笑道："这一会儿我大概要改行做司机了。"

严九成向我们俩拱拱手："唉，真对不起！真对不起！"

计议妥定了，那三个人都喜形于色。霍桑叫严九成将五万元钞票预备好。严老头子答称早已预备。霍桑又嘱咐严九成应直接回寓，不可外出。等夜饭过后，我们俩从严家的后门进去，乔装妥当，再从前门出外，乘汽车去和匪首会面。接着霍桑又和选派的五个侦探约定暗号，叫他们各带手枪，以备动手时应用。接洽既毕，我们才回爱文路寓所，准备略略休息。

天色将近断黑了，马路上已暗暗地笼罩着一片暮色，但电灯还没有亮。我们坐的是黄包车，进了爱文路，霍桑的车子忽而加快起来，和我的一辆距离了四五个门面。我看见他的车子先到寓屋门前。他跳下车来，刚在付车钱的当儿，马路那边的树干后面突然跳出一个人来。我看见那人举手招呼霍桑。

砰！

我的车夫立时停止了脚步。这一惊又出我的意料。那明明是枪声！我急忙向前瞧去，忽见有一个黑形向西面飞奔过去。霍桑却已跌倒在他的黄包车旁边。

霍桑已被人打中了！

我从车子上直跳出来。我没有带枪，便徒手向着那黑影追去。当我从车上跳下来时，还看见那刺客向西奔跑。可是这时路灯虽已明了，我追过寓所门口，向前一望，一眨眼逃走的人已不知去向。我站住了进退两难。怎么办？

砰！

第二次枪声又发作了，那是从我的背后发生的。我蹲了一蹲，立即回转身来，奔到寓所门前。霍桑还躺在地上。两辆黄包车都飞也似的向东奔去。路上没有人。我才知行刺的匪徒不止一个；一个人虽已向西逃去，势必另有其他匪徒坐了黄包车向东逃了。我虽想瞧瞧霍桑，又舍不得不追赶匪徒。正在这时，我又听得"哎哟"一声，有一个人从我们的寓中跑出来。我在昏暗中还不知道是谁，等他开了第二句口，才知道是我们的仆人施桂。

"哎哟！霍……霍先生，你……你怎么……"他一见霍桑跌倒在地，不由得失声惊叫。

我急忙止住他道："施桂，别声张；快把霍先生扶起来。"

这时霍桑把右手撑在地上，已缓缓地在坐起来。

我低声问道："霍桑，枪弹中在哪里？"

霍桑很微弱地摇了摇头。

"伤得怎么样？"

"不碍。你别着急。"

说时他已给施桂扶了起来。我瞧他的面颊上已染满了鲜

血，声音也低得几乎听不出。他一手搭在施桂的肩上，一步一跛地预备进去。

我向施桂道："你把霍先生好好地扶进去。我去追赶凶手。"

霍桑忽在门口站住，侧转头来把左手摇一摇，似乎叫我不要去追。

我问道："那么你中了几枪？当我向西追赶时，听得背后又发一枪，显见东面也有匪徒。那第二枪可曾打中你？"

霍桑不回答，只把左手努力摇着。我要查看他的伤势，路灯光又不允许我，我没有办法，只得扶着他一同进去。

那匪徒真厉害！我们还没有动手，他们却先下手为强，竟敢反来行刺。霍桑因着不曾防备，已遭了他们暗算，性命如何，还不能预料。我们为社会服务，生死原置之度外。不过这样子牺牲，似乎太不值得。即使幸免不死，但这天晚上往观音殿去的计划，当然已不能实行。并且这一着对于霍桑的名誉和前途也都是有重大影响的。他这一次吃亏真是非常凑巧。因为他的黄包车将到寓前，忽然会快赶几步，竟使我落在后面。否则，我和他并肩同行，他虽中弹，我近在他的旁边，捕凶时当然比较容易。

我们将霍桑扶进了办公室中，让他躺在安乐椅上。我从电灯光中瞧见他的右脸上满是血污，但血的来源似乎不在脸部。我又瞧他的右手和外衣上面，也都染着鲜红的血渍。

我问道："你想请哪一个医生？我去打电话。"

他又摇摇手："你送我到自新医院里去。我知道这一次伤势不是随便请一个医生可以治疗的。"

唉！霍桑的枪伤一定很厉害了。

我立即到电话室中，打一个电话给何乃时医生，叫他立刻派一部急救车来，以便将霍桑载送进去。当我回进去时，看见霍桑闭着眼睛，把头仰靠在椅子背上，吁吁地喘息。室中寂静。旁边施桂和苏妈都静立无语，脸上却都蒙着重忧，真像他们的亲人遭了什么不幸一般。这两个仆人都很忠诚。我们对待他们，也破除了规矩，所以名分上虽是主仆，实际上竟像家人一般。

景状是够冷静而凄恻的。忧患之神分明已光降了这一间室中，我不禁一阵子心酸。

我走近霍桑面前，轻轻回复他我已和何乃时接洽过。我将一手扶在他的肩上，想要解他的外衣纽子，瞧瞧那枪弹是否中在要害。但我刚给他解了第一粒纽子，霍桑皱了皱眉头，便伸出手来推开我。我没法可施，也只得陪伺在一旁。

七点零五分时，我听得门前有汽车声音。施桂急忙出去开门，果真是从自新医院来的急救车，何乃时医生也仓皇地进来。他一见霍桑的模样，便上前握住他的手，又在霍桑的耳朵旁低声问话。霍桑只轻轻地答了一句，何乃时便回头招呼两个随来的院役，将霍桑扶到汽车上去。我帮同着送他到车上躺平以后，他忽向我挥手作别。

"让我陪你一同去吧。"我表示。

霍桑又摇摇手，努力说："不要。你快预备往观音殿里去！捉毛狮子！"他的声音很微弱，眼睛随即闭拢。

赴　约

霍桑的最后一句话又出乎我的预料。他受伤进医院了，叫我一个人去和匪首会面！这岂不有些危险？但霍桑的神志还清醒，这一句最后的吩咐当然不是没有意义的。他大概因着和严九成约定在先，不愿毁约，所以仍旧要叫我去接洽，以便保持我们的信用。既然如此，我岂可因着危险的缘故，违反霍桑的意思？

我一边吩咐苏妈预备晚饭，一边上楼去收拾电筒、手枪等应用的东西。我在晚餐的时候，饮了一小杯白兰地酒。等到晚餐完毕，时计上已指七点三刻，我换了一双软底皮鞋，穿上外衣，戴了顶便帽，就别了施桂动身。临走时我叮嘱施桂小心守住门户，不要放任何人进去。

半点钟后，我的车子已到严九成屋前，我悄悄地从后门进去。严九成也早已在一间布置精致的书室中等候。他见我一个人进去，没看见霍桑，不禁有些惊怪。

他问道："霍先生呢？"

我低声告诉他："他已被匪徒打了两枪，往医院里去了。"

严九成愣了一愣，才颤声发问：

"霍先生伤了？什么时候伤的？"

"就在我们从警厅里回寓的时候。"

"哎哟！在什么地方？"

"你知道爱文路上两旁都种着大树，那匪徒就伏在我们寓所门外的树干后面，等我们的车子停时，便突然开枪。"

"唉，这又怎么回事？他伤得可厉害？"

"我也不大明白。可是你不必焦急。这件事我只告诉你，别处还没有声张。你也应当暂守秘密。"

"那自然，一定遵命。这消息一经传到外面，势必会惊动上海社会。但是……但是……今夜里……"严九成吞吞吐吐地说不下去。

我接着道："没有关系。这件事我准备一个人去干。"

"喔，包先生，你还打算一个人去？"他有些诧异，"我认为事既如此，我也不能再吝惜这五万块钱。我的意思还是另外派一个人把钱送了去就算。若使让你一个人去，万一再有差池，我又怎么对得住二位？"

"你不必过虑。我此番去，也不是为你的五万块钱。我们的目的在于替社会除害。今夜既然有这样的机会，岂可因着我的朋友受伤而白白放弃？"

他拱拱手："包先生，你很勇敢。不过我认为你也应当量力而行。这一班无恶不作的党徒实在太危险。"他的语气倒不像那些只顾自己安全不顾别人性命的劣绅。

我坚决说道："是，我也明知很危险。但职责所在，决不能因危险而畏缩不前。现在你别多说，把你的司机叫进来，叮嘱他听我的命令；还得放大胆子，不要害怕，以便到了约会的地点，彼此可以联络。"

严九成勉强应允了。我问他要了他的衣服，又取出我随身带的东西，着手乔装。

一会儿严九成回进来，告诉我已吩咐车夫预备汽车，不论开往哪里，都听我指挥。他又取出五万元钞票。我用一条青布包了，像腰带似的围在腰部。他敬茶敬烟，彼此又闲谈了几句，直到九点三刻，我叫严九成上楼去睡，我自己才模仿着摇摆的姿态，大踏步走出前门，跨上汽车，立即往天通庵进行。

那一晚天气寒冷，风势又大。天空中布满浓密的黑云，星月都给包裹得沉沉无光。汽车向前进行，和风声相搏，车窗的玻璃便震震地作响。窗中虽透不进风来，却自然而然地发生一种寒意，使人肌肤起粟。汽车到了天通庵前，我叫车夫向东进行。路径狭小了，并且高低不平，车身便越发簸动不定。一会儿，车突然停止，车夫阿福告诉我已不能前进。

我从车窗口中探头一瞧，前面都是些屈曲小径，果然不能行驶。我就走下车来，向四面一望，都是黑魆魆的，但见西面有一缕隐隐微光，仿佛是从门隙中漏出来的。那里分明是一所屋子，但不知道可就是所说的观音殿。好在有一条石条的小径直通，并且距离不远，我就决定走过去看看。

我一手执着电筒，一手摸摸衣袋中的手枪，便循着那条小径前进。我且行且向左右照视。小径的两旁都是荒地，黑漫漫不能望远。小径的石条缺少得不少，泥土也非常松软，踏步下去，脚底上觉得温软如茵。因为前两天下过雨，泥土中的水分还没有干透。

我想起霍桑刚才在警厅里接洽过五个侦探，叫他们伏在观音殿的左右，不知道此刻是否就在这里附近。少停我如果遭遇危急，使用暗号，不知道他们能否就应命接应。

砰！

我将要走近屋子面前，忽然听得这声音，不禁微微一震。我停步瞧时，那一缕微光霎时已完全不见。这有什么作用？莫非毛狮子果真先到，他已经瞧见了我吗？既然如此，我当然不能示弱，就闭了电筒，继续放步前进。

我在黑暗中撩着皮袍，装着绅士姿态，踱过了确荦不平的路，已走到屋前，仰面一瞧，果然有一块匾额。我把电筒举起来，照见匾上有三个字，大部分已经剥落，但还辨得出来"观音殿"模样。我面前有一扇木栅的门，栅里面另有两扇破旧大门。刚才我在汽车中瞧时，里面的大门开着，故而灯光能够从木栅中穿射出来。后来砰然一声，那大门突然关闭，灯光就因而隔断，造成了黑漆无光的局面。

我站住了，揣想这宅屋子的面积，大概从大门里进去，除了一个天井，分明只有一座房子。我应当怎么样？里面当然是有人的，但那人是否就是毛狮子，我不知道；假使是的，此外有没有别的余党，我也无从悬揣。我为着要解除疑团，站在门口，把耳朵贴在木栅门上，敛神地静听。

里面静悄悄的没有声息。

奇怪！他既然见我来了，财神送钱到门，何以反把大门关上，又造成这种静寂的境地？这到底有什么作用？可是他起先本是等我的，后来觉得时间已过，料想我失约，所以就关门安睡吗？不，不是的。毛狮子约在这个地点，无非是偶然借用，绝不会睡在里面。况且这时候十点钟刚过，也不能就算我过时失约。思索的结果，我毅然举起拳头，在木栅上敲了两下。

里面没有人答应。

怎么办？风加紧些。我虽穿着毛细呢的狐皮袍，还觉得冷飕飕。前面是墨黑的门，左右和后面都给黑暗包围着。声音除了呼呼的风声外，简直没有其他。幸亏我负着的名义是送钱来的，并不显着和他对抗，还不怕在黑暗中给做枪靶。可是怎么办呢？

我等了一等，再在木栅上敲两下。唔，有些声音了，是咳嗽声音。接着我又听得缓缓的步声，有人已经走到门口。

"外面谁呀？"

我忙应道："我姓严。特地来约会的。"

"外面谁呀？"里面的人似乎没有听得我的答话，又接着问了一句。

那人是个聋子？还是假装没有听得？

咯噔！

那是里面拔门闩的声音。大门果真开了。一个人手中执着一只木蜡托盘，点着半支蜡烛，烛焰在呼呼的风中颤动。幸亏那蜡烛非常粗大，还抵得住风力。烛光描出那人的面貌，是一个六十开外的老男子，穿一件黑布棉袍，头发半白，面颊瘦削，额角上皱纹不少，背脊也弓形似的弯着。他用一手蔽着烛焰，仰起了脸，撑着没光的倦眼，似乎要瞧瞧我是谁。

他又问道："你是谁？来干什么？"

"你姑且开了栅门，让我进来了再说。"

他仿佛仍没有听得，不肯把栅门开放。他又瞧不清我。

他又说："我们师父的夜课才刚完，正预备睡哩。你要烧香，明天来吧。"

这人真是一个聋子。局势有些尴尬，我觉得没法应付。

"我不是来烧香，是来找一个姓毛的朋友的。"我的声音提高了。

我的声浪虽然提高了，但效果等于零。那老头儿仍旧没有领悟。其实我的目的也并不要他领悟，里面如果有什么人，也应当听得了我的声音出来招呼。可是仍旧没有动静，里面也是黑魆魆的，并不见第二个人出来。我心中不耐，用力推那木栅，预备到里面去另找一人，问个明白。谁知那老头儿不再客气，呀的一声，重新把大门合上。接着又是一声咯噔，他上了门闩，橐橐地回进去了。

我有什么法子可想？我回转了身子，悻悻地顺着原路回去，摸到了汽车停留的所在，才停脚步。毛狮子既然没有来，也许只是假意恫吓，借此寒寒警探们的胆，并不当真要钱。我们上了他的当，就劳我空走一趟。

　　我站在路口，把手中的电筒按了三按，电筒的光线便三暗三明——这就是霍桑和警探们约定的暗号。一会儿，有一个人从那田边的一棵大树上爬下来。我将电筒向他一照，果真是五个中的一个。那人见了我，就低声向我说：

　　"包先生，怎么样？霍先生呢？"

　　"他有别的要事，没有来。你什么时候到这里的？"

　　"我们在八点半前就到这里来分头伏着。"

　　"可曾见过什么人？"

　　"没有。直到你到来，不见有人来往。"

　　"好。今夜谅必不行了。你可以通知同事们各自回去。"

　　我说完了，就点点头和他作别，随即乘了原车驶回严九成家。不料汽车刚到严家门前，还没有停住，又出事了！

　　砰……砰！

　　手枪的子弹直打进车窗中来，接着又是一阵子乒乓声音。车窗左面的玻璃都给打碎了！我明知有人暗算，但一时不能够跳出车外，又无从回枪，只能把身子躲避一旁。正在这时，一个黑脸大汉，突然从那打碎的车窗中探头进来。我看见那人面色黧黑，额角上削，两耳特大，但高下不匀，眉骨凸出像弓形，满面短髯，两只圆眼也狰狞可怖。我在这一刹那的印象，印合了意大利犯罪学权威龙勃罗梭（Cesare Lombroso）所归纳的典型罪犯的生理特征。这个人分明就是那个越监的毛狮子！

　　我的眼光一接触他的怪面，右手就自然而然地伸进衣袋里去，预备还他一枪。可是我的手枪还没拔出，那丑恶的人面倏忽不见。等我开了车门追出来时，猛觉有两个人突地上前，一左一右地把我扶住。

　　唉！又是个虚惊！这两个是警厅中派来的便衣侦探。

我忙问道："你们可曾看见那强盗？"

一个人答道："我们听得了枪声，便赶过来捉捕，但还没有走到汽车面前，忽见一个人向宅子后面奔过去。还有两个弟兄，已经向那边追上去了。"

"追到了没有？"

另一人引手向北面指了一指："他们向那一面追去的。我们不如也赶过去瞧瞧。"

我们兜到后面，转了一个弯，相距严家的后门还有几步，便见前面有几个人扭作一堆，好似有一个人被掀倒在地上。我同行的一个侦探忙高声招呼：

"好！根生，别放他逃走我们来哩！"

我很欢喜，放开脚步，跟着侦探们走上去。

失败的新闻

"放手！……放手！……我是阿福啊！"

一种呼救声浪突破了那一阵喧噪，送进我的耳朵里来。我一听，才知道事又出于误会，忙叫两个侦探放手，让那被压在底下的人立起来。那人真是开汽车的阿福。他身上穿一件厚呢大衣，前襟上已被撕下了一块，帽子失落了，乱发蓬松，面色灰白如纸，眼珠也几乎突出眶外。他的身体靠在墙上，口中咻咻地喘着。那两个追他的侦探面面相觑了一会儿，也似出乎意料。

一个人问道："你是开汽车的阿福？为什么开手枪？"

阿福喘息地回答："我几曾开过手枪？你做梦哩！"

"那么，你不心虚，为什么没命地奔逃？"这是另一个人对于他的同伴的帮衬。

"我也是听得了枪声才跳下车来逃的。你看见我开枪？"阿福还是在发喘，他的两只手在抚摸他的头。

我忙上前阻住他们的无意义的辩论：

"别瞎说！那开枪的毛狮子大概早已从那面逃了，你们却没有瞧见。阿福昨夜已受过一次惊吓，今晚上枪声就在他的座后，自然怪不得他要惊骇逃命。你们既然误会了，还闹什么？"

我把那两个乱打的侦探申斥了几句，便同着阿福回到前门。阿福把破衣整了一整，仍旧跳上汽车，预备将车开到车房里去。我就一个人走进严家。严九成又已在楼下书房中等待，一见我便颤着发问：

"包先生，你没有闯祸？"

我摇摇头。

严九成追逼着问："没有伤什么人？"

"没有什么事。"

"唉，吓死我了！自从你走了以后，我提心吊胆，哪里睡得着？后来眼瞧着时计，只等你平安回来。不料枪声突然发作，我吓透了！现在你真个没有受伤？"

"没有。单单碎了两块汽车上的玻璃。你尽可放心。"

我就把经过的前后向严九成说了一遍，他不住地伸舌摇头。

他沉吟了一会儿，又道："这也算得危险极了！他今晚没有伤你，大概是仍旧放的空枪。否则，他既敢从车窗中探头进来，绝不会打不中。"

我应道："不错。今天他一定以为汽车中的是你，所以还用这种恫吓手段，想要取得你的钱。假使知道是我乔装，这两枪当然也不肯空放了。"

"这样看，那匪徒着实厉害。我们为安全计，还是把五万块钱送给了他吧。"

"你别急。我料他对于今夜所以失约不到和以后的步骤如何，一定还有通告给你。我们且看他怎样进行再说。"

司机阿福匆匆地进来，手中执着一张白纸。

他望着我说："包先生，我在车厢中收拾打碎的玻璃，看见这一张纸，可是你遗失的？"

我一手把纸接过，点点头叫阿福出去。

我向严九成道："严先生，这一定就是我所说的通告了。他方才探头进来，我只注意那可怖的面庞，却不曾觉得他投纸进来。"我念那纸上的字句：

> 你真是太蠢了！今晚你竟敢违背我的话，叫人伏在观音殿附近，并且在宅子周围也派了那些饭桶。你真要找死！现在再饶你一次，给你一个最后的机会。明天晚上十点钟，在乐园摩星塔下交款。你若是要性命，应得知趣些亲自送来。
>
> 毛狮子　十二月七日

严九成的面色成了白纸："哎哟！他已经瞧破你们的计划了！"

"是的。不过这一次他虽侥幸地占了便宜，迟早少不得要落在我们手中。"

这句话似乎有几分夸张意味吧？可是霍桑常说"人是靠希望生存的。没有希望，就没有生命"。所以此刻霍桑既已中枪，我也扑空失败，似乎已到山穷水尽的境界，但我仍本能地有一种希望，自信我还能成功！

我解下和交还了钞票，又换好了自己的衣服，向严九成要了那封警告信，说明我将往医院里去瞧霍桑；明日应得用怎样的方法对付毛狮子，且听了霍桑的意见再说。严九成不敢再和我执拗，也就勉强应允。

我到了自新医院，先求见何乃时院长，希望得到他的特许，进去见霍桑。不料时候太晚，何乃时已归私宅。照医院定章，探病以日间为限，深夜时万不能通融。我向挂号房里问问霍桑的状况如何，也没有确切的答复，只说不听得什么变化，大概已经安睡。我没法可想，只得快快走出医院，预备回爱文路寓所。

这件案子可称为我们从来未遇的难案。我们虽知道五福党匪徒凶悍蛮横，却不料他们蛮横到这般地步。他越狱不算，一出监牢，便能干这种瞥不畏法的勾当，足见他们的无法无天。现在霍桑既已受伤在医院里，我一个人孤立无援，怎样才可以把这一班猖獗的匪徒扑灭，一时实在想不出什么妥善的计划。

时间已是十二点过后。寒凛的夜风吹在脸上，好似刀刮一般。天色仍完全沉黑，气压很低，明明告诉人不久便要降雪。我的车子进了爱文路，静悄悄的路上已绝了行人。我记起方才霍桑中枪的事来。此刻可还有匪徒伏在我们的寓屋前吗？好在我身上带着手枪电筒，有备无患，不比霍桑的出乎意料。车子将近寓前，我的手中仍执着手枪，眼睛竭力在黑暗中瞧，因为道旁的树干既大，很容易藏人。但这时候左右两旁都不见什么动静。

车子到寓所门前停下来。我才把手枪放在袋中，取出钱袋来付车钱，忽听得我头顶上一声怪叫，使我一凛。我回头一瞧，才知树枝上有一只夜鸥，似乎车子的声音惊动了它。我定了定神，就上前按铃叫门。施桂在里面仔细问明，方始出来开门。我到了里面，便问他可有什么人来过。

施桂答道："没有。但约莫一个钟头前，接连来过两次电话。"

"从哪里打来的？"

"模范大监一个姓黄的打来的。他要向霍先生问话。"

"你怎样回答？可曾告诉他霍先生中枪的事？"

"没有。我觉得这个消息似乎不便让外面人知道，所以只说霍先生出去了没有回来。"

我用点头的动作奖励他的答语的机敏。这时电话的铃声阻断了我再问。我忙起身接应，又是黄大麟打来的：

"你是霍先生？"

"不。霍桑已经睡了。我是包朗。什么事？"

"包先生，今晚的事怎么样？可曾成功？"

"没有，毛狮子今夜失约不来。我们准备明天晚上再去捕他。"

"明天晚上？你想明天晚上一定捕得住他？"

我毅然答道："是，一定的。但你那里可有什么新发展？"

他顿了一顿："有的。我有两个消息报告你们：一个是分监里的十几个匪徒，今天晚上已经按照军律全部枪毙，免得发生后患。"

"唔，这一着可算是亡羊补牢。还有什么消息？"

"我们在监中仔细搜查以后，在垃圾桶中发现了一身毛狮子穿的囚衣，另外又知道失去了一身法警秦得标的制服。我才知霍先生所料的果真不虚。毛狮子当真是在众人忙乱时换了衣服，趁着派人出去追赶的机会混出去的。"

我安慰他几句，就挂断了电话，上楼去睡。

"日有所思，夜有所梦"的那句成语是有充分的正确性的。这一夜我的梦魂当然不安。梦中忽觉得霍桑已死，匪徒们却越发猖獗，扑到我的卧室中来，竟使我惊醒几次。直到天色微明，我方才睡熟。

十二月八日，我起身时已是九点钟。早餐既毕，我披阅报纸，发现一节惊人的新闻。瞧了那"毛狮子越狱""霍桑被刺"的两个标题，已足使我惊异失色。我本预备把他中枪的事暂守秘密，报纸上怎么会发表出来？

那新闻道：

> 五福党匪首毛狮子，之前被霍桑包朗二君擒住，禁闭在模范大监，本报已一再记载。不料前天晚上，狱中失火，毛狮子竟乘机逃脱。这匪徒胆大包天，因着怨恨霍君，竟敢在昨天傍晚，伏在爱文路七十七号霍君寓前，向霍君开一枪，打中了要害。当晚包君已将霍君送往自新医院。据何乃时医生诊断，枪弹中在胁部，失血过多，非常危险。

我想昨晚霍桑被刺，时间已在傍晚，又没有过路的人瞧见，报馆的消息怎么会这样灵通？莫非这消息是匪徒故意传布出去的，目的在损害霍桑的名誉？那新闻上说霍桑伤在胁部，非常危险。这些话更使我惊疑不定。因为昨晚他进医院的时候，他的精神似乎还好，不像有性命危险。难道他进了医院伤势反而厉害起来？这两个疑团促使我立刻动身往医院里去看霍桑。我到医院时，刚巧十点。我先问院长何乃时博士，他正忙着临诊。我就问明了霍桑的号数直接进去见他。

霍桑住在头等病房九号，在二层楼上。我到了楼上，有一个女护士问明来由，领我到九号室前，又替我在室门上弹了两声。略停一停，另有一个穿白色制服的女护士开门出来。我向伊鞠了一个躬，就跨进门去，抬头一瞧，看见病榻上面，霍桑正头裹着白纱布，静止不动地躺着。

他仰起头来，先招呼我："包朗，请坐。"

我点了点头，就在他的床边坐下。他的精神不见得怎样衰颓，似乎不及报纸上所说的厉害。我略略宽慰了些。

我问道："你觉得怎么样？是不是伤在胁部？"

霍桑不答，忽用他的锐利的目光在我的脸上瞅了一眼。这状态使我十分诧异。因为每逢破案的时候，霍桑精神奋发，他的眼睛中才会露出这一种闪电般的异光。可是此刻是什么时候？他不是正受了伤在医院中吗？怎么会有这种异状？我感到诧异的历程在时间上不过一秒中的百分之一。我还没有发第二句话，霍桑忽回过头去，向那靠窗口坐的护士发话：

"周女士，这是我的挚友包朗先生。我们要谈几句话，请你暂时到外边去。"

那护士正在做绒线手工，听了霍桑的吩咐，便带了绒线，轻轻地走出去。霍桑目送伊走出室外，才放低了声浪向我说：

"包朗，你把室门的插销闩上。我有紧要的话跟你谈。"

密　谈

这医院的构筑风格还是旧式的，病房门上像人家住屋一般有锁和插销，新式的是没有的。我将室门关上了，回到床前坐下，怀疑霍桑将有什么严肃的谈话。霍桑忽伸出一只手，像向我索取什么的样子。

他说："包朗，你可曾带纸烟？我已经十六个小时没有烟吸。这是世界上最难受的事！"

我笑了一笑，便从衣袋里摸出一支纸烟给他，又替他擦火烧着。

霍桑吸了一口，说："医院中吸烟是不许的。所以别的东西我都可以叫人设法送来，唯有这烟我不好意思开口。此刻我实在忍耐不住，只得犯一次规了！"

"你现在怎么样？你的胁部可还觉得痛——"

霍桑抢着答话："你问我的身体？我的体力是充充足足丝毫没有折扣的百分之一百，脑力的敏锐也许到一百二十分以外！你别多问！"

我兀自向他呆瞧。他的话是真的？还是借此慰藉我？我瞧瞧他的神色，果真不像不健康的人。但昨天傍晚，我明明看见他中枪出血，神态也衰颓得不堪，并且此刻他的头上也还裹着绷带。这是什么一回事？

霍桑像阻断我的思绪似的说："包朗，你别胡思乱想。你把昨晚经历的事告诉我。"

"昨夜我空走了一趟，失败了。"

"唔，我早料到八九分了。现在我要知道的，就是昨晚上的详细情形到底怎么样。"

我把昨晚和霍桑别后的情形详细说明：怎样往严家去乔装；怎样坐了汽车出发；到了观音殿后，又怎样和聋子谈话，以及向埋伏的侦探问话，才知并没有可疑的人来往。可是回到严家附近，毛狮子又怎样开枪；又怎样探头进车窗里来——

霍桑闭着眼睛，缓缓吐吸他的纸烟，听到这里，突然张开眼来：

"慢！当他探头进来的时候，你瞧见他当真是毛狮子？"

"是的。我们在五福船上已经看见过毛狮子的真面目，满颊浓须，面貌又黑丑可怖。昨夜我看见的分明是他。"

霍桑点点头，想了一想：

"这样说，这家伙的胆子真不小。以后怎么样？"

"他所以探头到车厢中来，原为投那第二次的警告信。现在这警告信还在我这里，可要我念给你听？"

霍桑又点点头，听我念完了，忽而坐直起来。他把纸烟取在手中，发出惊奇的呼声：

"什么？我们的埋伏竟被他瞧破了？"

"是啊。我也不知道他竟有这样长的耳目。……喂，你这样子别受寒。"

霍桑随手取起一条盖覆的毛毯裹住了他的上半身，低头想了一想，唇角上忽现出一种笑容，又点了点头。接着他又仰面瞧我。

他道："包朗，你以为他有什么天眼通吗？不，不。我们应当从实际上去想。现在我问你，据你的观察，昨夜观音殿里到底有没有匪徒藏匿在里面？"

我摇头道："我想不会有。我问过埋伏在那里的侦探，据说并没见过任何人往观音殿去。"

"这也难说。假使那匪徒进去的时候，在警探们到场以前，他们当然就瞧不见。"

"虽然，我曾在庙门口高声叫唤。假使毛狮子果在里面，他一定听得。他为什么不出来见我？"

"也许他起先往观音殿去，本准备和你约会；后来看见侦探们来了，伏在近旁，他未免有些害怕，才不敢出头露面。"

"那么，你认为我昨夜到观音殿的时候，毛狮子确实在庙里？"

霍桑瞧着我道："是啊。我料他这样。你难道还不赞同？"

我想了一想，摇头道："是。我并不是强辩，想借此掩饰我的失败。如果像你所说，事实上却有些矛盾。"

霍桑缓缓吐了一口烟："矛盾在哪里呢？"

"第一，我的汽车将到庙前的时候，还看见庙门开着。如果先有什么人藏在里面，既然畏怕警探，为谨防计，势必早已关好门了。"

"这一个论据还靠不住。你难道还不知道兵法上的虚虚实实的作用？"

我继续说："还有一点，更加不容易解释。你既说毛狮子到了观音殿中，因为瞧见有警探埋伏，不敢出来，那么我离庙的时候，他当然还是在里面。怎么我坐了汽车回到严家附近，他却早已在那里等待我？你曾说过，他缺少两只翅翼，势不能高飞。何以他步行比乘汽车还速，竟比我先到？如果你说藏在庙里的不是毛狮子本人，另有别个匪徒，但那匪徒困在庙中，当时也没有方法和毛狮子通信。毛狮子又怎么会知道真情，下第二次警告？"

霍桑忽摇头笑道："好，好！包朗，你得胜了。我辩不过你。其实你还漏掉一个论证。毛狮子大概是不通文的，那张文理通顺的警告书，也断不是片刻之间所能预备的！"

"不错，这更可见昨夜的事原出于他们的预计，并非我坐失机会。这班匪徒委实很狡猾。"

"唉，包朗，你何必说这种话？昨夜里你能够单身往观音殿去，足见你的忠诚勇敢不是一般人可及。谁又来责备你？现在你的职务已尽，你尽可回寓去休息一会儿，静待好消息吧。"

他说到"好消息"三个字时，他的声浪越发减低，双目灼灼地不住向室门和窗口间瞧视。我轻轻地走到室门口，从锁孔中张了一张。外面空空，并没有人。我又走到窗口，向外一望。下面是一片草地，对面有许多树木，树外就是围墙。此外左右隔壁虽也有同样的窗，然像我们这样的谈话，声音既轻，断不能够给人窃听。我回到床前，向他摇了摇头，示意没有异象。

霍桑说："我为谨慎计，每次走出去打电话，总先叫周女士在室门外瞧瞧，防有什么人窥探我的举动。"

"这是你过分小心。"

"也不是。刚才我听得周女士说，九点钟时头等病房中新进来两个病人。虽未必就有关系，但我不能不随时戒备。"

我点点头，忙着把话题引进要港，因为他的"好消息"三个字激起了我的兴趣。

我低声问："霍桑，你所说的好消息指什么说的？"

他也低语回答："这还用问？当然是指捕拿毛狮子说的。"

"当真？你打算用什么方法捕他？"我的心头怦怦的。

他沉吟地说："我刚才虽已拟定了一种计划，但还想设法去证实一下。现在听了你的说话，便可省去这一番周折。"

答语还不算怎样具体，但已有些轮廓。他的神气不像说笑，但还不能使我尽信。他身在医院之中，有什么方法能够捕拿毛狮子？

我又问："你的计划怎么样？能不能说得具体些？"

他迟疑地说："说明了未免泄露秘密，我想还是不说的好。对不起。"

唔，他又卖关子？一件期望中的东西在看得见而抓不着的时候，最使人牙痒痒。他未免可恶。

霍桑笑道："包朗，你可是有些怨恨我？请你原谅。须知这件事关系太重要，我实在不能轻易发表。"

我沉默了一下："那么，你的计划什么时候可以实行？"

"就在今天晚上，至多还有十二个钟头！"

我的心房再度激动得厉害："这么快？那时候可用得着我？"

他摇摇头。

"什么？你想我怕危险？"我有些懊恼。

"不是。你的伤势才刚好，昨晚上已经走了一次，今晚不必再烦劳你。你只需在寓中坐等好消息。"他停顿了，想了一想，又低声向我说话，"虽然，有一件事还得烦你。"

"什么事？"

"就是严九成的事。你可以和他说明，他的事我们没有办法，只能卸责不干。你还得暗示他最好将五万元亲自送去，免得再发生意外。"

"这有什么用意？"

"你姑且别问，但照着这话做，回头你自然会知道。"

又是一个闷葫芦。可是有什么办法可以立马打破？

我又问道："你准备自己去干？"

"是。"

"但是你的身体究竟怎么样？"

霍桑把吸剩的烟尾向痰罐中一丢："刚才我早告诉你了。现在你不必多问，只请你依着我的说话办，事毕后快回去静养。"

再多说没有益处，我正要立起身来，忽见霍桑的枕头底下有几张报纸。我又记起刚才在报纸上读到的新闻。

我问道："这是今天的报纸？"

霍桑点点头。

我又道："你可曾见一段奇怪的新闻？我不知道谁把这消息传扬出去，还说你伤势很重。"

霍桑凑近我的耳朵："你不必奇怪。这新闻原是我送出去的。"

"喔？你为什么自曝你的短处？"

"你不记得前天六日那一节新闻吗？那上面说了许多过分恭维的话，我实在不愿意承受。今天这一节新闻的用意，一则纠正他们的错误，以后不至于再说什么'震慑上海'的肉麻话，使我们受之有愧；二则也带着些广告性质。这一层你总也明白了。"

我点了点头，又把黄大麟电话中告诉我的枪毙余匪和发现囚衣两个消息略略向他说了几句。这时室门上忽响了两声。我乘势取了帽子，就走过去拔销开门。门外的就是那个周护士，手中拿着一张发票似的纸头，走进来送给霍桑。

霍桑接过一瞧，说："好，叫他送进来。"

他又向我扬一扬手，表示作别。我不便再留，就也同样举一举手，回身走出。不过我心中又加上一个疑团。那送进来的是什么东西？我瞧见发票上有科学仪器制造厂字样，但到底猜想不出他买的是什么。

摩星塔下

离开自新医院时，我因着霍桑的一番谈话，心中不但安慰，精神上也着实兴奋得多。可惜的是这一次圆满功德，霍桑竟不叫我与闻，我未免有些脊痒难搔。不但如此，他偏偏派一件难办的差使给我，叫我向严九成声明我们撒手不干。这句话我委实难于启齿。霍桑叫我这样说原是有作用的，我可不能向严九成说明。我们对于严九成方面，只能承认失败，没法可想，所以才叫他亲自将五万元送去。但我起先曾在他面前夸过几句口，此刻又自认失败，岂不有些不好意思？我一再筹思，就定意不去见，回寓后打一个电话去告诉他，似乎比直接见面好些。不料我踏进寓所的时候，忽见施桂神色仓皇地站在门口：

"包先生，这事越闹越厉害了！"

"什么事？"

施桂轻轻地开了办公室的门，举起战栗的手指，指着里面靠窗的一张书桌：

"包先生，你瞧！假使刚才你在这里，不是没有命了吗？"

我依着他的手指瞧，看见桌子边上插着一把利刀，刀上还穿着一张白纸，桌子上却有许多碎玻璃屑，那是从窗上碎下来的。我走进了办公室，定一定神，才向施桂问话：

"这东西你什么时候发觉的？"

"你走后不到一个钟头，我在里面忽听得击碎玻璃的声音，连忙奔到门外一瞧，只见有一个向东的骑自行车的邮差，向西的有一部汽车，此外没别的行人。可是回头一瞧，窗上已少了一块玻璃；我还以为是被什么顽皮的孩子投石击碎的。谁知开门进来，便发现这可怖的东西。你想危险不危险？"

我向窗口外望了一望，又凭着窗槛瞧瞧窗下，并无异迹。

我缓缓地说："照现在的情势看，这一宅屋子似乎已不适宜我们使用了。"

施桂点头道："是啊。你们当侦探的，难免受强盗恶棍们的怨恨。这种寻常的住屋，没有一些防御，万一有什么报复举动，那就没有办法。"

我随手把那刀拔起来，是一把牛角柄的钢刀，刀锋非常锐利，头尖而背厚，分量很沉重，委实不是常见的东西。

我说："我料他这一次不是蓄意要谋刺我，只是借此恫吓我罢了。"我又将那刀穿过的白纸取下，纸上果真有几行草书。

那信道：

包朗：

　　昨晚你看见了你的朋友所得的教训，大概也可以知道我们的手段了。现在我们放你一条生路，限你在今天晚上十二点钟以前离开上海。你还得通知那些不中用的警探，叫他们在家里休息一会儿，别再在外面捣鬼。你如果不愿尝尝你的朋友已经尝到的滋味，那你就得早一刻准备动身！

我念完了这信，忽觉脊梁间有一股热气直透脑顶，同时我的面部也觉得热炙起来。我把那纸用力搓成一团，向火炉中一丢。我委实愤怒极了！这班强盗真可恶，竟敢这样子变本加厉——他们竟下命令驱逐我了！他们必以为霍桑既伤，若能把我一并打发开去，别的警探便不在他们的眼里。这样，他们既没有顾忌，就可以在上海任意横行。但是他们怎知道他们的死亡就在眼前了呢?

我想到这层,深恨霍桑不肯把计划和我说明。否则,我帮着动手,也可以泄泄我心头的怒气。我又推想霍桑所说的计划到底是什么一回事。据情势推测,他既然叫严九成将款子送交匪徒,大概仍旧要借这一条线索,引他往匪穴里去,达到他的捕匪的目的。那么,我不如也悄悄地到场,相机而动。如果有什么变端,我也可以从旁帮助一下。

主意既定,我便打电话给严九成,依照了霍桑的说话,叫他放着胆子,将款子送到乐园去交割。严九成听得了我们自己已承认失败,又鉴于两次的恫吓,知道那些警署探伙当然更靠不住,就一口答应依言行事。

那天下午,我的身体虽空闲无事,我的心却被这一件案子层层困缚着,脑海中的思绪,便也起伏不定。我私忖我既准备晚上到乐园去,此刻尽可以休养一会儿。不过那匪徒们既要迫我离开上海,我如果坐在寓中,岂不要另生枝节?我还不如将计就计,准备乘一次火车。那时倘若有什么人监视我的踪迹,必信我已遵从了他们的命令。这样,他们少一重防备,我也可更自由一些,少停到场,不但便于乘机行事,同时也不致违背霍桑的叮嘱。因为霍桑所以叫我在寓中等待,无非怕我到场时被匪徒们觉察,破坏他的计划。

我想了一会儿,就决定往南翔去耽搁几个钟头。我开始收拾皮箧,带几件改装的衣服和一些应用东西,又吩咐施桂将外面的百叶窗关上,表示没有人留寓的样子。接着我提了行箧,从寓所出来,叫了一辆车子,一直往火车站去。

如果有什么交好相识或同情于我们的人,从我们的寓前走过,看见了这种关窗闭门的景状,一定要以为我们被匪徒所败，从此偃旗息鼓了。谁知这只是我们的烟幕，实际上我们正准备把匪徒们一网打尽！我领会霍桑所以特地发出那一段受伤的新闻，也无非是和我这一次的举动同一用意，目的在使匪徒们骄满懈怠，以便他动手时省力些。

我一路到火车站时，后面有没有人尾随，我也绝不理会；等到上了火车，四面一瞧，却不像有跟随的人。火车到了南翔，我下车去见站长刘志远。他原是我们的同学，一见我非常欢喜，问我为什么事去。我含糊着不说。

他笑道："我明白的。没事不到三宝殿，你到这里来，一定要探什么案子，是不是？"

我忙止住他道："你别声张。这会引起人家的注意。我只要在这里耽搁一会儿，回头就要乘晚车回去的。"

我把那件事约略和他说了几句，彼此就闲谈了一会儿。他将我留在他的私宅里，又取了几种小说杂志给我消遣。直到吃过夜饭，七点钟相近，我打开皮包，将随身带的衣服取出来着手改装。我戴一副眼镜，穿了一件淡灰色皮袍，元呢马褂，式样都很入时。不过头上的淡灰色呢帽和足上的黑皮鞋，还是原来的东西。这种打扮，混在乐园里面，当然不会让人家注目。

一会儿，我乘了末一次南翔专车回到上海。到站时我将应用的东西藏在身边，那皮箧寄放在一个熟悉的转运公司中。这时已八点十五分。我一个人就动身往乐园中去。我平时常穿西装，此刻改了服饰，又把呢帽压低一些，脸上又经过一次化装功夫，无论他人，就是霍桑见了，一时也许也瞧不出我。我们虽久居上海，但对于这种游戏场，除了偶然的调剂以外，平时却难得涉足。我到了里面，曲曲折折，觉得非常生疏。好在地方不大，绕了一个圈子，我便把各处的通道弯角默记在心。这时虽交冬令，不宜于夜游，可是那些少年妇女和男子的游兴，却仍不稍减。一会儿我兜到了摩星塔下。这地方究竟有些"高处不胜寒"，游客们也不能不裹足了。我向四周一瞧，冷清清地不见一人。我暗想毛狮子选择这个地点当真很好。大概他从狱中逃走以后，必曾到这里来逛过一次，所以才知在这闹市的中心，还有这一个静僻所在。

我瞧瞧时计，已过九点，离约会的时间已不到一个钟头。我不敢在塔下逗留，就拣一个靠近出口的所在坐下来。堂倌过来给我泡了一壶茶，我又买了一张小报，假作读报的模样。我的座位约和出口距离十码，但是凡在摩星塔下往来的人，我都瞧得清楚。我的对座，有一男一女并肩地在那里密谈。瞧他们的模样，显然是不正式的临时结合。这种光景，我本不愿意接近，但在这个当儿，却也有利于我。因为假使我一个人坐在那里，不免有些惹眼，匪徒们来了，也许会引起他们的疑心。我的眼睛虽注视在报上，眼角却熠熠留神。约莫过了一刻钟，忽见有一个衣服宽阔的中年男子，挺胸凸肚地穿过了出口，向摩星塔走去。

这是什么样人？瞧他的面孔，白皙而肥胖，走路时大摇大摆，装束上也有一种"老白相"的神气。他绝不是我期望中的匪徒。他可是警署中的侦探？我虽不认识他，但他的架子态度，早告诉我他不是一个正经人。他走到摩星塔下，便立定了脚步，摸出一只金表来瞟了一眼，又取出一支雪茄，很惬意似的擦一支火柴烧着，缓缓地吐吸。他的左手指中夹着雪茄，右手叉在腰部，分明在那里等什么人。

他等谁？可是等那五福党匪首毛狮子？如果这样，他真是愚蠢极了！他平日善于用空架子吓人，难道今晚也想吓退毛狮子？论势，今晚的事应当格外秘密。像他这个样子，毛狮子即使到来，也必像昨晚一样不敢露面。那么这一次岂不又要坏事？我又想这人假使果真是警署的侦探，显得主持的人安排失当。但霍桑处事素来十二分谨细，即使转托他人，也必仔细叮嘱，绝不会把这重要的职司，委托这一个人。这样一想，我觉得他又不像侦探。但他又为什么等在那里？万一毛狮子就在这时候到来，岂不要被他误事？

一个丽装少年妇人也轻轻地走向摩星塔去。那男人一见，便忙着上前招呼。我才知道那人的目的就在等这个妇人，大概也是拆白一流人物。但他们站在那里，实在碍事。我可能设法驱走他们吗？

时计上已指九点三十八分。毛狮子和严九成大概就要来了。

我正暗暗着急，忽然看见一个长身大汉，从我的面前掠过。那人的身材足有六尺多高，虽穿着长袍马褂，但他的骨骼和外面的服装似乎很不和谐，望去不很贴服。这人显然是才从外乡来的。我仍非常谨慎，一边用报纸遮住了脸，一边偷眼瞧他。他走到了出口的地方，站住了向塔下瞭望，接着便放步走过去。这个人真有些可疑。但瞧他的年纪还轻，脸上也没有髭髯，不像是毛狮子。大概就是毛狮子差来接洽的匪徒。那时那人一手摸在袋中，已走近塔下，便也停住了脚步，向着那一对男女凶狠狠地瞧着。这种局面有些不妙。这个匪徒可是已误把那一男一女当作侦探，因而便想先发制人地行动了吗？这样，这个流氓男子将怎么应付？不会因此决裂吗？我虽仍旧坐在我的原位置上，不敢轻举妄动，但我却全神却贯注地注视在塔下的三个人身上。这时又有一个人影闪过我的眼角，大踏步向塔那面去。

第四个角色登场了!

黑暗中的枪弹

我的期望没有落空。我的视神经的活动从眼角扩展到全部。那第四个登场的角色当真就是严九成。严九成提着一只小皮包,向前面望一望,似乎因着那一对无耻男女的缘故,略略有些惊疑,便踌躇着不向前进。那两个局外男女也似乎有些不好意思,便手挽手地向塔上走去。于是那个第三个上场的长身大汉,便走过来向严九成点头招呼。严九成照样点了一点头。彼此走近了,低声交谈,显见已在那里解决交款问题了。

我依旧坐在那里,摸出一支纸烟烧着,装作漠不关心的状态。但我的心房的跳动,自觉已增加了若干速度。我在盼望,或者还有第三人现身出来。可是我向四周一望,都没有人影,未免失望。那么,我可要上前去补缺?不,不行。这个人虽属匪徒,却不是毛狮子本人。这时候即使霍桑在场,也决不肯轻举妄动,反而失去引线的机会。我现在如果趁着意气,上前去捕拿,岂不是太非时机?我见那个大汉和严九成接谈的时候,他的右手始终没有从衣袋中伸出来,分明他的袋里藏着火器。

一会儿严九成带来的皮包已经换了手,他们俩的谈判也终止了。那大汉便提着那只皮包,先从出口中出来。严九成却还在后面。这匪徒提着五万元的巨款,势必一直回到匪穴里去复命。我假使悄悄地跟随他去,知道了匪徒的所在,再准备一网擒住,岂非一个绝妙的计划?我正这样忖着,那大汉从我的面前经过,向书场中走去。我也就立起身来,预备尾伺他的踪迹。我虽明明记得霍桑只叫我在寓里等待消息,并不分派我到这里来尾随匪迹。但眼前既有这种机会，在事实上有益无损，我岂肯失之交臂？那大汉进了书场，并不停顿，只穿过了人丛，向另一面的门口走出去。好在那人特别高，虽然距离了好几步，还逃不出我的视线。我正要照着他的路线，从人丛中穿过身去，不防我的肩背上有人拍一下。我回头瞧时，忽见是严九成。

他的面色灰白，两只张大的眼睛炯炯地盯在我的脸上，仿佛要向我恳求什么。我很诧异，他怎么会瞧破我的真相。但他这时候特地向我招呼，无非要阻梗我的举动，不必等他开口，我早已明白。因此，我并不停留，仍急急地从那出口中追踪出去，却已不见了那个大汉。我再向前进，就是女子剧场，观剧的人非常拥挤，那匪徒是否混在里面，一时不容易瞧见。我想我若使即刻赶到楼下，在门口等他，也许还有撞见的机会。不料严九成仍紧紧地跟在我的后面，到了书场外面，他竟老实不客气地一把将我拖住。

他惊异地说："唉……你……你是……包先生！"

我发怒道："你为什么阻住我？"

严九成作哀恳声道："包先生，你……你救救我吧！别送我的性命！"

"谁要送你的命？"

"刚才那个人和我约定，他说如果有什么埋伏的人和他作难，他仍旧要和我算账。我曾向他发誓，声明实在没有埋伏什么人。他说无论如何，他在离乐园以前，如果遭遇什么意外，我仍旧脱不了关系。故而我看见他走出那出口的时候，忽见你接踵而起，跟在后面。当时我虽瞧不出你，但我为安全起见，不能不冒昧上前阻拦。包先生，现在请你看我的面，别再去追他！"

"为了你一个人的安全，这样子固然很好；但你可知道为着保持你一个人的安全，却要教别的人不安全？"

我将我的衣裳扯离了他的手，撩起了皮袍，急急赶过去。但我到了下层的门口，仍不见那人的影踪。

唉！太扫兴！明明是一个很好的机会，却张着眼睛失掉了！在失望之余，我只得慰藉自己。霍桑既有计划，这一着当然是他计划的一步。他如果觉得那匪徒有尾随的必要，他自然也会布置妥当。这时候也许另外有人跟随着那匪徒同去，不过我没有觉察罢了。

时候已近十一点钟。我在南京路的转角上徘徊了好一会儿，竟不知道往哪里去好。霍桑虽告诉我在今夜动手，此刻是不是已经开始？或是竟已得手成功了？他今夜是否亲自出马？还是他只安排计划，叫别的警探们动手？不过这班万恶的匪徒悍猛无比，今夜里是否能够一举成功，还是一个疑问。

在无所适从的情势下，我只得拿回了寄存的皮箧，悄悄地回到寓中。施桂告诉我，霍桑既没有回寓，也没有什么消息；只有模范大监的黄大麟，在我动身以后，打过电话来，问霍桑是否当真受伤。施桂已照实回复了。我默念黄大麟听了这个消息，一定深信不疑，以为我们已完全失败。假使我此刻再瞧见他，他会用怎样的嘴脸对付我？

我将改装的衣服脱下了，打开皮包，换上我原来的西装。我在办公室中静坐着等待，约莫过了两支纸烟的时间，依旧消息沉沉。时计已过十一点半。火炉中的煤块还是熊熊然，热力却仿佛减弱了些。施桂还在外面小室中等候，但静默无声。我实在不能再耐。霍桑已经成功了没有？他虽说完全无恙，但论情势，像他这个样子，未必能出医院，当然不能够亲自去动手。我与其枯待，不如再到医院里去走一趟，见了他的面，成败如何，便知底细。我仍把手枪藏好，向施桂叮嘱了几句，又悄悄地离寓。

夜深了，马路上人车绝迹。一阵阵的寒风正在天空中施威。路旁屋子的楼窗都关闭了，也难得见一缕灯光。我把大衣的领子竖了起来，紧扣着衣纽，急步进行。到了光德路口，我才雇得一部车子，赶往自新医院去。

医院的规例，夜间不许人探病，昨夜我已经领教过。此刻若要通融进去，非得去见了何乃时院长，得到他的应许不可。我明知时候已晚，何乃时谅必早已安息，但我的事情既然很紧要，不得不去惊扰他。

何博士的住宅虽和病房分立，但在同一个围墙之内，只隔着一方草地。我进了医院的前门，向守门人说明来由，便沿着草地，向何乃时的私宅走去。草地的中央铺着黄沙，是一个网球场。我刚穿过了球场，还没有近他的屋子，猛听得枯草上有急促的脚步声音。这时我的听觉特别敏锐，估量出那脚步声是从我的背向来的。我急忙停了步，把身子一闪，回头瞧去。暗淡的电灯光中，映出一个穿白衣的人形从球场中飞奔过来。那人一看见我，忽而失声呼叫，接着旋转身子，仿佛要回身逃回去的模样。

我立即会意，便高声招呼：

"喂，你别误会！我是你们院长的朋友。"

那人果然停了脚步，但仍默不作声。我也仍站立不动。

我问道："你为什么这样子？"

那人穿的是白制服，是病房中的男工役。他仔细向我打量了一下，才放步走过来。

他问道："你干什么？"

我答道："我要见何院长。你为什么这样慌张？"

"我……我去报告院长。"

"好，我们一块儿进去。你有什么事报告？"

他已经走近我，仍继续向屋子方面进行。我跟着他走。他且走且答复我：

"院长的一个朋友在病房中死了！"

"喔，院长的朋友？"我愣一愣，"哪一号病房？"

"九号。"

"什么？"

"头等病房九号。"

"二楼九号？"我又突然站住，又拉住了那院役。

他道："是的。有个姓霍的病人刚才给人用手枪打死了！"

我大惊道："哎哟！谁打死他的？凶手呢？"

白衣人道："凶手从后窗里逃了！我们不敢动手，特地来报告院长。"

消息太惊人！我慌了！怎么办？我不再多说，也不顾院章，旋转足跟，奋命地向病房奔去。

那头等病房的窗口，靠着向东一面的草地，草地的尽处就是一带围墙，早晨我曾经瞧过。这时候我就朝着这方向奔去。因为凶手如果从窗口中逃出，他怕守门人的阻挡，大概越墙而逃，必不敢从大门里出去。我若向那围墙走去，也许还追踪得及。我用冲刺的方式绕过了病房的前部，就到达东向的草地。自然，我不能不谨慎一些，不能再冒昧轻进。因为靠围墙的里边种着一排树木，这时树叶虽已大半凋落，但内中有几株常青树，树干后面如果有什么人伏着，我在黑暗中当然也不容易瞧见。我右手紧握手枪，左手执着电筒，匍匐着不敢擅动。我抬头向那二层楼一瞧，别的窗都紧紧地关着，只有一个窗口，外面的百叶窗和内里的玻璃窗完全开着；不太明亮的灯光便从这窗口中穿射而出，照在草地上面，成一个斜方形。医院的底层还是静悄悄的没有声音，但二层楼上隐隐有些嘈杂的声浪传出来。

凶手跑了吗？会不会另有通路？或是时间上太迟了？怎么办？

我静伏了一刹那，我的眼光移往草地对向的围墙，随即伛偻了身体，一步一步地走过去。

天空虽然沉黑，我似乎本能地感觉到墙的一角有一团黑影，好像有个人蹲伏在一棵树根旁边。

这是一个人吗？还是我眼光中的幻觉？

我心中这样思忖，两只脚缓缓移动，却已越逼越近。唉，那一团黑影比先前越发清楚了，还仿佛在那里动呢！我把右手略略举起，食指按在手枪的机括上面；左手虽执着电筒，却还不敢冒险扳亮。直到我和那黑形距离约莫十步，我才站定了脚步，正预备扳亮了电筒，向那墨黑的东西仔细照一下子。

砰！……砰！

我觉得有两粒枪弹从黑暗中发出，直向我的头顶飞来。我立刻仆倒了！

医院中

那枪弹可曾打中我？没有！可是也危险极了！因为第一弹

虽没打中，第二弹却从我的呢帽顶上穿透而过。假使再低一寸或半寸，子弹就会进我的脑球；这件案子我自然也记不成了。但我为什么仆倒在地上呢？这原是一种避弹方法，我是从霍桑那里学来的。我那时早有准备，觉得那人的发枪本领不太坏，我若不仆倒，不消说第三弹必接踵而至。不过我的身体虽仆倒，我手中的枪却特别留意，仍旧可以自由开枪。这一回在时间上原只有一眨眼工夫。我刚才倒地，便看见那团蹲伏的黑形顿时直立起来，个子相当高。那人就从树干上攀缘上去，分明要借重那树做一部梯子，预备跳到墙外面去。

我依旧伏在草地上面，缓缓地移动右手，将枪口瞄准树上的黑形。那人的爬树技术似乎很高明，转瞬间已爬上了最高的一根树枝。再等一二秒钟，他的上身就可以扑到墙头上去。我仍保持着镇静，让右手的食指在枪机上扳动一下。

砰！

枪弹发出了。可是那黑形却已扑上了墙头。什么？我竟虚发了一粒子弹？

哼！那人在举起足来，想要跨出去了！

我仍竭力地镇静着，把手臂略略抬起，连续发了两枪。枪声还在空气中漾着，忽听得一声锐厉的呼声，那黑形立刻从墙头上跌落下来！

我估量他这一跌，即使我刚才不曾打中要害，至少总可以使他在树底下休息一会儿，不怕他再会从墙头上跳出去。这时候我心中最着急的，还是刚才那院役报告的一句话——霍桑已被人打死了。所以此刻凶手已被我打中，我更没有工夫细瞧，急急奔回病房中去。

我刚走到病房的门前，另一个值夜的院役和看门人都已被枪声惊动了赶来。楼上和楼下也开始喧嚣。我正怕给人阻止，忽见何乃时跟着那个报信的院役，也匆匆地进来。

他惊异地问道："包先生，你怎么也在这里？你可知道霍先生——"

我连忙点点头："是，知道的。我们快上去瞧。"

那看门的奔到何乃时的面前，惊慌道："院长，那东面围墙边有过几响枪声。"

何乃时站住了，应道："唔，我也听得。怎么办？"他用眼光瞧着我。

我答道："没有事。我们先上去！"

我跨步先登楼梯，脚步既急，未免有些声响。何乃时赶上来拉我的衣裳。

他道："轻声些！这里有许多重病的人都是惊扰不起的。我希望他们不曾听得枪声！"

我点点头，减缓些脚步，蹑着足尖上楼。楼梯头上有两三个穿绒线外褂和白裙的女护士站在一块儿战栗。病房中的喧声倒静了些。护士们看见了我们，内中一个年长的颤声报告：

"院长，约莫十分钟前，我忽听得砰的一声，以为是碎了什么东西。我从护士室走出来，那声音又继续一响，才觉得是手枪声音。我辨出那声音是从九号室中传出来的，因此放胆走到室前，伸手推门，里面有销子闩着，推不开来。我俯身从锁孔中窥看，里面电灯亮着，霍先生仍旧睡在床上，床旁边立着一个穿黑衣的人，面貌却瞧不清楚。那人一听得门钮旋动的声音，便慌忙向那开着的东窗口走去，似乎准备跳下去的样子。这时周丽英也从隔室中出来。我不敢耽搁，忙拉着伊同到楼下，告诉金火，叫他请院长上来。后来我们回到楼上，向几个惊醒的病人安慰了几句，告诉他们没有事，叫他们安心地睡。不料枪声又在下面草地上发作，我们都吓得什么似的！"

简洁的报告给予我一个经过情形的轮廓。何乃时还立定了问那护士："没有病人吵喊吗？"

"没有。有几个问我什么事，可是并没有吓得闹起来。"

周护士接口道："十号中有一个今天新来的病人，听见了枪声，掣铃叫我进去，问是什么声响。我假说打碎了两块玻璃。他也依旧睡了。"

我的耳管虽在听他们的问答，身体早已到了九号室前。我用力把门推了几推，里面果真闩着；又弯了弯腰从锁孔中瞧，里面的电灯依旧亮着，没有别人。霍桑却侧着脸安静地睡在床上，头部的绷带也没有解除。

我失声叫道："霍桑！……霍桑！……"

何乃时也跟了过来，又止住我："轻些！他怎么样？可还醒着？"

我经他一问，才觉我自己的脑子已有些昏乱。霍桑既然连受两枪，又睡得这样，我此刻哪里还叫得醒他？

我回头道："快拿一把斧头来！打开了门再说！"

何乃时的自持力也丧失了几分。他说不出话，只向一个护士挥一挥手，似乎吩咐伊去取斧。我偶然仰面一瞧，门上面有一扇气窗开着。

我又惊呼道："唉，这里有通道！"

我不再犹豫，举着手让身子向上一耸，立即攀住了门上的框子，随即把右足踏在门钮上面，拉起身子来，我的手就攀上了气窗的窗口。我先把头钻进去，正预备全身爬进去时，忽觉东向的窗口外面仿佛有什么声音。奇怪！这是什么？我的钻窗的动作停止了。

唉！我的听觉果真没有渎职！转瞬间我看见东窗槛上出现一只白手！

我忍住了我的呼吸，将右手轻轻从气窗口里移出，向下面摇了一摇，叫何乃时不要声张，乘势从衣袋中取出了手枪，重新伸进了气窗的窗口。我的脚尖仍旧踩在门钮上。

窗口上面又加添了一只手！

我就在他的手上打一枪吧？不妥当。因为他的手上即使伤了一下，他堕落下去，还能够逃走。不如等他爬上窗口，瞧瞧他的面目，再打算应付方法。我知道刚才被我从墙头上打下去的一个人，此刻绝没有能力再爬上窗来，并且也没有爬上来的理由。显见除了那行刺的凶手以外，势必另有一人。

窗口中央已经缓缓露出一顶破旧的黑呢帽子；接着那人的真面目也现出来了，浓眉黑髯，凶狞可怖，果真是匪徒中的一个。我见他用力一耸，他的身体上部已攀上了窗口，一眨眼间他的右足也已跨了进来。这人的动作非常敏捷，我不能怠慢了。不过我既居高临下，用不着慌忙。我举起了枪管，偷偷地向那人瞄着。

不一会儿，那人已经全身跨进病室，两手都空着，态度也并不慌张。我也就从容些，打算先瞧瞧他的动态。他并不抬头，只向卧床上瞅了一眼，便伸手去解他自己身上的衣钮。他穿着一件灰色短衣，仿佛像劳动的工人。他一边解衣，一边在室中打旋，我的枪管也就跟着他旋转。

"包朗，你为什么还不下来？难道还瞧不出我？"

这是霍桑的声音啊！

我心头突突地乱跳。他在哪里说话？他可是还睡在床上吗？

唉！那人把呢帽去掉了！假眉和假须也一股脑儿被拔了下来！才显出了他的本来面目！他才是真正的霍桑！

我不再留待，尽力将上身一挺，上半截身体便完全进了气窗的窗口；两只手仍攀在口上，使我的全身倒挂下来。我立刻走到霍桑身旁，紧紧地拉住他的两手：

"霍桑，这是什么一回事？"

"包朗，轻声些。你别忘记，这里是医院啊。"他回头瞧着床上睡着的一人，微微笑一笑，"唉！怪可惜的！一件美术品给人弄坏了！"

我呆木地瞧着他。他倭下了身子，顺手将那枕头上的假霍桑的头取在手中，解掉那裹扎的纱带。原来是一个蜡制的人头！霍桑丢下了绷带，把蜡像头指给我瞧：

"那人发弹的本领真不错。你瞧，那弹子不是从太阳穴里进去的吗？"他又指指枕头："这里还有一弹哩！"

那蜡头的面貌和霍桑的完全相像，不过颜色比较白嫩一些。我看见蜡像的太阳穴上果真有一个弹孔。

我问道："这东西你几时做的？我怎么从来没有看见过？"

霍桑回身走到门口，先把门上的插销拔掉了，方才回答。

他道："我定做这个东西，就在接得谢铁生的最后的电告以后。我本来打算做好了把它装在我们的寓所里，以备紧急时做一种烟幕。后来情势变化了，我叫他们送到这里来。我催了好几次，直到今天早晨，科学仪器厂里方才送来了一个头。"

何乃时和两个女护士一同走进九号室来，一见霍桑这种神气和他手中的蜡头，大家都向他呆望着出神。霍桑带着笑容，向何乃时和两个女子鞠了一个躬。

他道："老友，女士们，我很抱歉，竟使你们受这一次虚惊。但你们设医院的宗旨，在乎救人。今番你破例允许我在院中耽搁两天，又应许我种种特权，结果免除了上海社会的恐慌和危险，功德真不小，旨趣也是相同的。"

唉！事情成功了！我心花怒放，几乎要卸去了文明人的面具，舞踏欢呼起来。何乃时仍显着怀疑的状态。

他期期地问道："霍先生，今晚上的事到底怎么样？我还不明白。"

霍桑摇摇手道："话长哩。你别性急。现在我所以急急回来，因着还有一件未了的事。"他回头问周护士道："周女士，你早晨说有两个新来的病人，一个住在十号，一个住在十一号，是不是？"

周护士应道："是。因为这两号原来的病人恰巧都在今天早晨出院。"

何乃时接着说："是，这真是太凑巧，头等病房又恰剩这两间。我也担心这两个人是——"

霍桑摇摇手："老友，别不安。没有关系。……周女士，现在请你去瞧瞧，这两个新病人是不是都还在里面。"

周护士答道："十号里一个生腿疽的病人刚才曾叫我进去，分明还在。十一号里的一个是患胃气病的。让我去瞧瞧。"

霍桑目送了那女护士出去，又向何乃时道："据我意料，今天早晨进来的两个病人，至少有一个是五福党的匪徒。当早晨他们进来的时候，恰巧住在这左右隔室。我闻得内中有一个是北方口音，所患的又是寻常的胃病，就不无疑心。我为免除怀疑，不敢换病房，准备将计就计，来实行一种我预拟的举动。我一再打电话到科学仪器制造厂里去，催那定制的蜡人。据说才刚做成了一个头，肢体还没有做好。我为急用计，就叫他们单将这蜡头送来。后来我出去动手，就把这蜡头装好，以防如果有什么人进来窥探，可以掩饰一时。不料竟有人把它当作枪靶。好好的一件艺术品，竟给打了一个洞。你想可惜不可惜？"

我笑说："如果没有这代替品，那才真可惜呢！"

霍桑忽瞧着我道："包朗，你又来了，你这句话未免欠透彻。人，哪一个没有死？如果不是为一己而死，死得有意义，有价值，那有什么可惜？"他笑了一笑，又说："你也太老实了。如果我真在里面，有人从气窗口里爬进来，我还会安安稳稳地睡着不动，听凭那人开亮了电灯打我吗？"

我还没有回答，何乃时抢着发问。

他道："霍先生，你认为那开枪的凶手果真就是今天进来的那两个病人中的一个？"

霍桑道："是，我相信如此。"

"那人是从气窗口里爬进来的？"

"是。如果是早埋伏在医院里的假病人，这气窗是唯一的通路。"

周护士仓皇地回进来，报告道："十一号里的病人当真不见了！"

霍桑问道："就是操北边口音的？"

周护士道："正是。他就是从北平来的。还有十号里的一个是本地人，还睡着。"

霍桑不答，凝神想了一想，忽回身走到窗口，探头向窗外黑暗中瞭望。

我问道："霍桑，你瞧什么？"

何乃时也附和道："你认为凶手是从窗口中逃出去的？"

霍桑回过头来，应道："是啊。窗口外面有一条粗绳悬着，原是我特地设置的，那边围墙上也有一条。他大概也就利用这绳子逃了。"

那年龄较长的护士插口道："一定是的。刚才我也看见他从窗口中探头出去。"

我又缓缓地道："是的。不过他逃出去后，未免有些乏力，不能不休息一下。我料他此刻正在树底下做好梦呢！"

大家很诧异。四个人的目光同时都集注在我的面上。

何乃时领悟地问道："包先生，刚才下面草地上的几枪是你射击的？"

我点点头："是的。那家伙从这窗里逃下去后，大概听得草地上有脚声，一时不敢跳墙，就在树底下躲一躲，才给我发现。他先开枪，我自然不得不回敬他。"

霍桑笑道："包朗，很好！你竟替我发落了一个凶手，省却我一番追寻。你真有能耐，我很感激你。唔，可是你也太冒险了！你的呢帽顶上不是留着一个弹孔吗？"

我点点头，又指指窗口外的草地，答道："那凶手就倒在靠墙的树下。但伤在哪里，我还没有瞧过。"

霍桑向何乃时道："老友，这是你的职司了。我们快下去瞧一瞧。"

何乃时点头道："很好。不过我还不知道你今晚出去，到底可曾把那毛狮子捉住了没有？"

这一个问句也是我急切要知道的。谢谢何院长，他替我提了出来。

霍桑点点头，答道："捉住了！除了毛狮子以外，还有五个同党，此刻都已一块儿进了模范大监。别的事我们明天细细地谈吧。"

来日大难

十二月九日的早晨，如果有人从爱文路七十七号门前经过，一定觉得这屋子的景象和前一天傍晚的大不相同。那天天气忽而转变，满空的浓云阴霾既被夜来的大风卷了去，天空涌现出一轮红日，照耀大地，使人觉得活泼泼的晴温可爱。我们寓所的临街的窗完全开着，仿佛对于射入的阳光表示欢迎。烟雾缕缕从窗口中浮漾出去。当烟缕经过阳光的时候，青翠暧磹，幻出一种异色，望去益发明晰。同时还有抑扬的琴韵在半空中飘荡着，送入行人们的耳中。这琴韵烟缕显示出这室中人的畅怀愉快，生机盎然。

霍桑弄了一会儿提琴，从安乐椅上仰起身来。

他说："我请的几个客人还没有齐集吗？"他取出表来瞧了一瞧，又说："九点十五分了。我约他们九点钟来的，怎么这些自命为共和国的上流人物的人，连这守时刻的习惯还没有养成？"

我默默不答，但向何乃时瞧了一眼。何乃时的眼光也和我接触了一下，又移注到霍桑的脸上去。他的嘴唇张合着，好像要发话，却又忍住着不说。

霍桑烧着了第二支纸烟，向何乃时道："老友，你是一个守约的人。况且医院里还有公事，我不能为了那些失约的人们，虚废你的宝贵的时刻。你不是要听我讲述昨夜的故事吗？好，我就先说给你听。"

他吐吸几口烟，似在整理他的故事的顺序。何乃时的嘴唇闭上了。我也依旧维持静默。

霍桑说："昨天晚上九点半过后，医院中已是静寂无声。

我把那周护士打发出去了，反锁着门，又将蜡头安排好了，往被窝中塞了些东西，装作我仍旧睡在那里的样子。接着，我换好衣服，开了东窗，接了一根绳子，便熄了电灯悄悄地从窗里出去。过了草地，我借了一棵梧桐当作梯子，就爬到了围墙顶上。墙外有一条小弄，那时候并没有行人往来。我又接了另一条绳子，就轻轻地跳到地上，走出马路。转角上有一辆汽车等着，是我预先打电话雇定的。

"不到十分钟工夫，我已到了宝山路口。王桂生和手下的探伙们早已在那里等。他们中间三个人穿长衣，四个人扮作了黄包车夫，各人拖着一部车子。我们略略招呼了几句，又约定几种口号，便跳上了黄包车，一路向匪徒的所在进行。我们一共八个人。四个车夫，四个坐客，却分作三批。第一部车就是我和一个探伙，我做了车夫。等到我的车子到达距离那匪穴二三百码的模样，我就停下车来。"

"那匪穴在什么地方？"我禁不住插了一句。

霍桑吐了一口烟，答道："就在天通庵里。"

"天通庵？"

"是。你别打岔，回头再告诉你。我一个人悄悄地走近庵门，门已经关了，但里面还有火光和谈话声音。我虽然听不清楚，却都是北边口音，便知道此行不虚。这时候还早。等到探伙们陆续到时，我叫他们把车子藏去，将车肚中应用的东西拿出来；各自准备好，就在距离庵屋数十步外，平卧在路边的树根后面，暗暗地伏着。

"七个探员中，除了王桂生以外，有两个很会用枪。我就预先派一个伏近前门，另一个伏近后门；动手时如果有破门进去的必要，他们俩只需守在门外，不必一块儿进去。

"那时已十点半钟，我们都耐着性子等待。又过了半个钟头，还不见里面的人出来。忽然有轧轧的汽车声音，似乎在附近的地点停住了。接着我看见两个黑形从南面走过来，到庵门前停步，向四面瞧一瞧，就敲门进去。我仍旧不动手，只悄悄地向王桂生附耳说了一句，叫他把探伙们招呼拢来，轻轻地走近庵前。"

故事很紧张。霍桑却停一停，把纸烟灰向火炉中弹落些，随即将烟送到嘴里去吐吸几口。这不是卖关子，是应有的调整，我不能冤枉他。我和来客都静默地等他继续。

他又说："我首先上前，推推庵的前门，却闩得很紧，猛听得里面一阵子呼噪，竟使我吃了一惊；仔细一听，那是他们的欢笑声音。我知道这班匪徒眼见得盘川到手，他们的敌手又中枪失败，自然说不出的高兴。

"我仍旧伏着不动，预计等他们出来的时候，一个一个地分头擒拿，比较省力些。或者，等他们静止安睡了，我们破门进去，也可使他们措手不及。可是又等了好久，里面的人们既不出来，谈笑声浪却连续不断，我们未免心焦。

"正在那时，忽然又有一阵子欢声。笑声没有停止，呀的一声，前门开了，有一个人探头出来。我急忙把身子贴住墙壁。那人退了进去，显然没有看见我。唔，他们要动身了。我向王桂生打了一个暗号，便退到距离较远的树背后伏着。

"一刻钟又在紧张的静默中过去。来了！匪徒们当真开了庵门，一个个地从庵中走出来。他们一共有六个人，有几个手中提着皮包，预备逃走了。为首一个就是黑髯绕颊的毛狮子，第二个是一个女子。我等他们走近我们埋伏的所在，便一声高呼，立刻从树背后跳出来，擎着手枪，高声喝令："

"'慢走！要性命的举起手来！'

"为首的毛狮子把身子一蹲，预备抵抗了。我赶紧发了一枪。没有呼声。好家伙！可是我相信我的枪弹并没虚发，因为他的蹲踞姿态走了样。同时王桂生也在背后开了一枪，两个善于射击的探员也同时左右响应着，形成了前后左右大包围的局面。"

霍桑又顿一顿，再度将烟卷拿起来。何乃时的目光凝定着，我怀疑他的呼吸也失了常度。当然这是我从亲身体验上得到的猜测。一会儿，霍桑又说下去：

"我扑到毛狮子的面前，动手抓住他的手腕。他的腿上已中了枪，他还拼命挣扎，可是没有多大力。王桂生等七个人也依着预定的计划，一人一个，同时都向其余五个匪徒扑上去擒拿。

"说也奇怪，这六个匪徒，虽则各人身上都带着凶器，但在他们欢笑得意的当儿，完全没有防备。他们一时慌乱，竟都来不及抵抗。拔枪出来虚费一粒子弹的只有一个女匪；毛狮子的枪只摸出了一半，就给我拿住；其余的匪徒惊异得连枪柄都没有摸着，就把手举了起来，一个个被我们上了手铐。当初我们预料，也许有一场剧烈的恶斗，却不料如此容易。我们一行八个人竟没有一个人流血。"

"唉！好危险！"这是何乃时的评述。

我沉吟了一下，问道："你说一共捉得了六个匪徒？但据张老和说，他们本来有九个人，加上救出去的毛狮子，一共是十个人。不是还有漏网的人吗？"

霍桑道："是，但据那庵中的主持说，当匪徒们往庵中去威胁霸借的时候，一共只有六个人，昨夜已全部被捉住了。此外一个是张老和，早已进了模范大监。还有三个也许另匿别处，或已混进医院里去。所以我得手以后，急急赶回医院去，以便证实我的猜想。我那时才知道真有一个人竟准备斩草除根地将我打死，结果反而送了他自己的性命。"

我又问道："那么还有两个藏匿在哪里？"

霍桑沉吟地说："我想费一番手续，总可以一网打尽。但我希望这两个人不是重要人物。"他顿一顿，瞧瞧手表："黄大麟真是个典型的旧官僚，这样不守时刻！我正等他的报告呢。"他又连连呼了几口烟，把身子仰靠在椅子背上，似借此休歇一会儿。

何乃时舒了一口气："霍先生，你有谋，你有胆，你的责任心又这样强。你真了不得！"

霍桑放下了烟，说："老友，你也恭维我？我自己真觉得我的工作是消极的，没有多大意思。因为我所消除的是社会上既成的罪恶，而且我还不能斩草除根地使罪恶不再滋生蔓延。老朋友，老实说，这不是我真正的愿望。我的愿望是要使社会上没有罪恶！"

何乃时点头说："是的，你的见解很不错。这真像我们当医生的使命，防病更重于治病。不过根据犯罪学的原理，罪恶的形成，原因是多方面的，一部分是属于社会层面的，与环境、政治、经济、教育、风俗等都有关系；一部分是自然层面的，人的遗传、生理、心理和地理、气候等也都对此有影响。这原不是个人或少数人的能力所能改变的。"

霍桑点点头，微微叹一口气。室中便酿成一片静默。我正要发表几句，忽见霍桑突然仰起头来，仿佛听得了什么：

"不是有客人吗？快请他进来。"

室门开处，摇摆地踱进一个袍褂整齐的人来，就是严九成。

霍桑向他点点头，说："严先生，你来得迟了，请坐。其实也怪你不得。昨晚上你谅必很受惊了。"

严九成的脸上白了一阵，似乎他一想起这事，心中还有余惊。他小心地坐在一只沙发上。

他期期然说："霍先生，这件事不仅没有成功，反使你受伤劳神。我实在很抱歉！"

霍桑把烟尾丢在炉中，立起身来，走到保险箱前，开了箱门，取出一个纸包：

"严先生，你还没有明白哩。我讲给你听。这就是昨晚你交去的五万元钞票，请你收好了。"

严九成似出意料，慌忙站起来，呆瞪了两目，缩着手不敢接受。

霍桑笑道："你不必害怕。现在匪徒们差不多已全部捉住，再不会来寻你。况且他们即使衔怨报复，也应当来寻我们，绝不致和你为难。你放心收了吧。"

严九成点点头："既然如此，这注钱也应当归先生们收受，虽不足做酬劳，也可留个纪念。"他把霍桑手中的纸包推开些，拱拱手："霍先生，别客气，收了吧。"

霍桑便微微鞠一个躬，将纸包送到何乃时的面前：

"严先生既然这样慷慨，我来做一个介绍人吧。何院长，我知道你们医院的经费不大充足，尤其是对于贫而病的，没法普遍救济。这东西还是请你处置了吧。"他把纸包交给何乃时，随即回到椅子上去。

何乃时立起来接受了，说："那么我不客气了。"他向严九成鞠一个躬："严先生，我代替贫病的同胞们向你致谢。收据回头送过去。"

严九成回了一个礼，说："别客气。我很惭愧。"

主客们重新坐下了，我才提出一个问题：

"霍桑，我还要问一句。你怎么会知道那班匪徒藏匿在天通庵里？"

"汪银林报告我的。"

"唔，他又怎么会知道？"

霍桑微微一笑，忽举起他的左手扯开了些裹着的纱布，给我瞧：

"你瞧，这是什么？"

我看见他左手的腕上有一个显明新鲜的刀痕，约有半寸长，但不知道他是什么意思。

霍桑又说："这刀伤是我自己在前天傍晚割的。后来进了医院，才请这位何博士给我治好。"

我疑惑道："什么意思？你自己割的？"

严九成也愕然地张着眼睛，显得莫名其妙。只有何乃时的嘴角上微露笑容，分明他早已知道这里面的内幕。

霍桑解释道："前天早晨我一得到毛狮子逃脱的消息，便料定这班匪徒一定要来向我们寻仇。所以临走时我就打电话通知我们的老友侦探长汪银林。后来我又亲自去和他会商，叫他派几个得力的眼线，在我的屋子附近伏着，如果有什么可疑的人，应得悄悄地尾随他们，以便探得匪徒们寄迹的所在，然后再打算捕拿。

"到了傍晚时分，我们从警察厅里回来，车子进了爱文路，就有一个埋伏的眼线遥遥地给我一个暗号。我就不动声色，暗暗地取出手枪，以备万一需用。同时我叫车夫快赶几步，使你落在后面，免得连累你。果然，我在停车的当儿，朦胧中看见一个刺客从树后面跳出来。枪声一响，我便仆倒在地上，假作中枪的样子。"

我惊异地道："喔，是假戏！那第一枪没有打中你？"

他摇头道："没有。不过我早知道这班匪徒的打枪本领都非常精妙，预先戒备着。要不然，我也一定没有侥幸。"

"虽然，当我向西追赶的时候，又听得背后第二次枪声。这一枪又怎么样？"

"那一枪是我自己开的。"

"你回击那刺客？"

"不是。我怕你追赶上去，匪徒拼命奔避，反而使我准备着的眼线们失去尾随的机会。但当下我又不便发声叫你回来，所以向空中开了一枪。你果然就退回来了。"

我又怀疑地说："这样说，你实在没有中枪。但是当时我明明看见你的脸上和手上都是血——"

他忙指着他的左腕，说："这个伤瘢我不是已经给你瞧过了吗？"

"唉！原来是假戏真做！霍桑，我想不到你的表演艺术竟会有这样的成绩，我也给你瞒过！"

"我不能不瞒你。我为着要使匪徒们确信我已受伤，故而割腕出血，让血滴在水泥人行道上。假使再有人来，可以取信他们。我又不能教你和施桂看穿这把戏，以便让你们的脸上都显出些忧容，替我登一种彰明的广告。此外，我所以进医院里去，又写了一段新闻，把这消息在报纸上披露，也无非都是广告性的烟幕。我要教匪徒们确信我已经中枪受伤，让他们懈怠些，我才可以反守为攻。"

严九成半明半昧地静听着。何乃时在暗暗地点头，分明又在赞赏我的朋友的谋略。这又是我的另一种猜测。

我又问道："你进医院以后，汪银林就来报告你。是吗？"

"当夜我先打电话去问他。他已接到眼线的报告，说匪徒们藏匿在闸北天通庵中。我还不敢马上深信，准备先到天通庵去侦查一下，再打算第二步行动。可是事有凑巧，昨天早晨，你来报告我上夜的经历，我才确信眼线的报告没有错误。"

"喔，你根据什么？"

"我根据的是上海市全图。你也看见那地图，凡人往观音殿去时，必须先从天通庵经过。前天晚上党人们一定就伏在天通庵中。当警探们往观音殿去时，先从庵前经过，他们都瞧见。他们知道有人埋伏，才失约不到，一面预备了第二次警告信，等你的汽车回去时，投在你的车中。我又听得你说第二次警告信中写着改约在乐园摩星塔下，时间却仍没有改动，便料他们得了款子，必预备连夜出发。天通庵距车站不远，他们得钱以后，再乘夜车逃走，原还来得及。"

何乃时忽接嘴说："昨天我看见你打电话给王桂生，是不是你确定了匪徒的地点，就约他们当夜动手？"

霍桑应道："是。其实我还曾跟汪银林接洽过。昨夜里他也带了一队后备队在北车站戒备着。"

何乃时道："你临走时为什么不跟我说明，却悄悄地从窗口出去？你岂非故意教人吃惊吓？"

霍桑正色道："老友，你还不明白？我既已疑心病房中有匪徒混迹，假使泄漏了秘密，或是堂皇地从前门出去，万一被匪徒知道了，马上去通信报告，岂不是又要前功尽弃？"

何乃时瞧瞧手表，立起身来，微笑着鞠一个躬。

他道："好了。这一次你既给我受了一次虚惊，这样的生意，下一次请别再作弄我吧。"他又向严九成鞠躬作别："严先生，谢谢。现在已九点三刻。十点钟检察官要到医院里去检验。我不能不去照料一下。"他又向我微笑着说："包先生，你的射击真准确。昨夜我已经验看过那个高个子的假病人，你的三枪都打中，两枪都在左腿，一粒子弹却穿过了他的心脏。"

何乃时走了以后，我把我们在严九成到以前的谈话，向他复述了一遍，随后我又提起昨夜我在医院中的事情。

我说："霍桑，这里面还有一个疑点。昨夜我明明记得开了三枪，但第一枪好像没有打中，第二第三枪方才见效，因为我发了第一枪以后，那家伙还能够扑上墙去。可是何乃时怎么说尸身上有三粒子弹？"

霍桑思索了一下，才道："那也容易解释。大概你的两枪都打在他的腿部。那心口的一枪一定是他跌倒以后不能再逃自己打的。若使能把那三粒弹壳找到了，仔细验一下子，便可以证明我的分析。"

电话室中的铃声忽然响动起来，霍桑便抢着去接。他退回进来时，忽现着紧张的神色。

他向我道："包朗，'来日大难'，这句话我们真得牢记着呢！"

我惶惑地问道："什么意思？"

严九成也插口道："霍先生，你得到了什么消息？"

"消息并不使你我满意！"霍桑的答语中含着失望的情味。

我又问："这是谁的电话？黄大麟？"

霍桑道："不。电话是殷玉臣打来的。他说黄大麟已给高等法院蔡院长传了去，行动上已经失去自由，不能再到这里来了。我刚才倒错怪他失约。"

"唔，这个人颟顸渎职，应当受处分。你何必不高兴？"

霍桑缓缓回到他的座位上，摇头说："我不是为了他，为的是匪徒的口供。"

我仰起些身子："怎么？还没有口供？"

"口供是有了。殷玉臣说，有个小匪叫小猴子，神经并不太坚强，吐出了实情。不过所供的出乎你我的意料！"

"唔？"

"毛狮子跑了！"

"什么？他又越狱跑了？"我的呼吸骤然加急些。

他摇摇头："不是。殷厅长告诉我，我们昨夜里所捉到的，一个是五福党中的第二个首领金钱豹；一个女匪叫柳姑姑，是金钱豹的妻子；一个是懂文墨的叫黄毛猿；另外两个都是手下的小匪。那毛狮子在出狱以后已经跟白狐狸连夜乘火车逃走了！"

消息真太坏！我呆了一呆。严九成直立起来，浑身在发抖。

我又半疑半信地问道："当真吗？可是前天晚上我还明明看见他。"

霍桑道："不错。毛狮子和金钱豹的状貌很相像。我没有细细地瞧，所以昨晚上我也认作是他。其实是我们认错的。"

这话一发，大家自然而然地静寂起来。外面的风声似乎加紧了些。火炉中也在毕毕剥剥地响着。严九成就在惨沮不欢的气氛中离去。于是室中欢笑的空气顿时又变得凄冷。

一会儿，我又缓缓地说："我认为我们应得亲自去瞧一下子。否则，毛狮子既然逃了，金钱豹为什么再留在这里？并且又为什么两次都用毛狮子的名义？这似乎都有些费解。"

霍桑道："这也不难明白。这班匪徒素来是无法无天的。

他们既然知道我们俩和他们作对，到了上海，哪里肯轻易放过我们？他们远道而来，盘费一层，当然要就地征发。因着这层，那金钱豹一行人便都留住不去。至于他所以用毛狮子的名义，我想含有一举两得的作用，一则这名义既有现成的历史，足以使上海人惊怖，自不必另露面目；二则还可以借此移人的目光，以便毛狮子安然逃脱，半路上不致遇什么阻难。但瞧他既和白狐狸乘夜车逃了，故意再让人将脚镣丢进许巧林家去，也无非是要乱人耳目。"他叹一口气，又说："唉！莽丛遍野，刈不胜刈；猛兽四伏，猎不胜猎。包朗，我们的工作究竟是消极的，不彻底的。我只指望多团结几个同志，从各方面努力，把这社会的罪恶洗一个干净，创造一个天国的乐园！"

沾 泥 花

一个怪客

这是一件离奇紧张而又含有悲惨因素的案子，提起了足以引起我的深长的感喟。案子的发生还是在霍桑从事侦探活动的初期。那是一个严寒的冬天——我的日记中记着的日期是十二月九日，星期六上午。

西北风一连刮了几天，天空是黑沉沉的，天气已是十二分寒冷。我同我的朋友霍桑在爱文路七十七号的那间布置未久的办公室里，彼此靠着火炉，默默地坐着。炉檐上的铜瓶中插着的那枝早放的嫩黄的素心蜡梅，受了炉火的烘催，在吐出它的幽香。室中很是静谧，只有那电车叮叮声，远市的喧哗声和马路上苦力的邪许声，随着风声隐隐约约地送到我的耳朵里来。我的手里正执着一张《申报》，眼光却并不注在报上。因为我默坐久了，心里略略有些不耐烦，我不能禁止我自己的眼光不移到报纸外面去。

我的目光跳过了报纸的边缘，注射到对面的霍桑身上。他正燃着一支白金龙纸烟，可是并不吐吸，兀自低着头瞧那烟端上的烟雾一缕一缕袅袅地上升。

他忽然冷冷地说："包朗，天气这样阴沉，外边既然太寒冷，屋子里又觉得枯寂无聊！岂不要闷死人？"

他的说话近乎牢骚。当时我并不回答。因为我觉得他的话表面上虽似因着天气的阴寒，和我一样有闷懑的感觉，但主要的原因并不在此。

霍桑从苏州到上海来的动机，就因那时候上海发生了一件私铸货币的巨案，悬搁了三个多月，还不能破案。上海警察厅厅长孙雪崖慕霍桑的名，特地派人请我们俩到上海来相助。霍桑费了两个星期的心力，果真查明了那私铸机关，又捉住了三个主脑和十七个羽党。这案子被破获以后，霍桑的姓名便成了上海社会的谈话资料。孙厅长便劝霍桑留在上海，给上海人造些福。我也认为他如果要在侦探事业上谋发展，上海的环境的确比苏州更适宜。可是我们迁进了爱文路七十七号，住了三个星期，竟没有一个人登门请教，霍桑没有机会可以施展他的身手。

一会儿，我笑着答道："霍桑，我想你的闷懑并不关系天气，大概就因这几天你没事可做，不免技痒难耐，是不是？"

霍桑也笑道："你竟能猜到我的心事！你的料想的本领真进步了！"他顿一顿，吸口烟："不过要是我给你评个分数，至多只能给六十分。换句话说，你还不曾完全猜中我的心事。"

他又把纸烟送到嘴边去，一边把两只眼睛似笑非笑地盯在我的面上。我给他这样一瞧，恰像三朝的新嫁娘，一经小姑们偷瞧，有些不好意思。

我问道："那么你怀着什么样的心事？"

他的脸忽然沉下了："是的，我是耐不住空闲的。一空闲，我就感觉到我的脑子会沉滞，我的肢体会懈怠，真像一架机器搁置久了会生锈！所以你的料想确也料中了一半。"

"嗯，还有一半呢？"

"我正想找些事做——找一个对象，以便我对于上海社会尽一些心，出一些力。"

霍桑是好动不喜静的。他的责任观念又特别强。他常说人生存在社会中，一切生存的条件，都受社会的赐予，所以任何人也都得依靠所有的心智和能力，对社会尽他或伊的应尽的本分。他固然绝对痛恶封建社会中的"贵"和"贱"的阶级意识，但是他的意识中也有一种"贱民"，那就是那些只知安享坐食而不肯为他人劳一些心力的寄生分子。现在人家不来请教他，他便自动地在找工作的对象，就可见他强烈的责任观念的一斑。

我又问道："那么，你的对象是什么？你打算找些什么样的案子做？"

他道："你总也瞧见，报纸上面没有一天不登'寻人'的广告。我觉得这就是一个不能轻视的问题。"

"唔，你注意那些失踪的人吗？我看这里面除了因亏空畏罪和吞款卷逃的以外，大半都是些青年女子。如果查究她们失踪的原因，十之五六都是借着自由幌子的暧昧关系。这种勾当，你又怎能着手？"

"不，这就是我的理想中的对象。据我臆度，这些少年妇女们的失踪，不一定完全像你所假定的。我相信内中有不少是受了匪盗的诱骗。我已经略略调查过，上海有不少有组织的拐匪。这班匪徒的计划最毒辣，比任何匪盗都更可恶。他们和那些流氓恶少勾结着。恶少们用蛊惑手段，破坏了年轻无知的女子们的贞操，又榨取她们的钱；钱榨空了，再把她们卖给拐匪们，转卖到异乡去！你想上海社会有这班丧尽天良的恶匪在猖獗，我怎么可以袖手旁观？"

问题的确很严重，同时我认为要解决它也是"兹事体大"，绝不是赤手空拳所能为力的。不过我知道霍桑的目标一经确定，常会有一种"知其不可为而为之"的精神，所以我若使提出"困难"的字样，一定会遭他的反驳。

我说："拐匪的行径固然极端可恶，可是要扑灭他们，似乎也不容易——"

他突然放下了纸烟，插口道："是的，我知道。不过人们做事，应得考虑的，是应做不做，不是容易不容易。"

一个软钉子！幸亏我的措辞还算婉约，否则准会吃没趣。

我又说："那么你打算怎样着手？"

他把烟尾丢进了火炉，皱眉说："问题就在我还找不到入手的途径。前天我和警厅侦探长汪银林谈过好一会儿，也想不出具体的方案。"他站起来，站在火炉面前，一会儿，又开始在室中打旋："包朗，这几天我感到闷懑，主因就在这一点上——"他忽而停了脚步，侧着头定神倾听。他说："你可听得施桂在和什么人交谈？不是有什么人来看我吗？"

是他神经过敏吗？不。我敛神一听，果然觉得有人在前门口问答。不一会儿，我们的男仆施桂已经走进来通报。

施桂说："霍先生，外面有一个人……很奇怪……嗯，一个很奇怪的男子——"

霍桑急忙接口道："唔，一个很奇怪的男子？怎么样？"

"他要进来看你。我问他什么事，他不肯说。"

"那么让他进来好了。"

"嗯……不过……不过……"

"施桂，为什么吞吞吐吐？不过什么？"霍桑的声调有些不耐。

施桂仍吞吐地说："他……他的面貌丑黑得像鬼……

他……他的装束又非常奇怪。"

"你别管，快请他进来。"

施桂还是迟疑不决："请他进来？……他……他穿得很脏……很破呢！"

霍桑挺直些腰，冷笑道："施桂，你怎么忘了？我们都是平民！你自己也是一个平民啊！这里不是大人先生们的府第，怎么容不得褴褛人的足迹？别说废话，快请他进来！"

施桂才没有话说，悻悻地回身走出去。霍桑很兴奋。他拨一拨火炉中的煤块，又把他的一条蓝地黑星的领带扣一扣紧，把他身上的青哗叽短褂整一整，像在准备接待一个重要的客人。

我含笑说："霍桑，你的机会来哩，现在可不用再焦烦了。"

霍桑微笑道："无论是不是机会，但是这个人既然是我设了办事处后的第一个客人，我总得见他一见。"

室门开了。外面有一个男子默默地站着。

他的外表使我暗暗地吃一惊。"很奇怪"三个字是方才施桂用的形容词，我相信他用得很恰当。那人身上穿着一件褐布的狐爪皮袍，可是已是破旧污秽不堪，头上戴一顶毡帽，帽檐很宽，满积着灰沙。他的衣帽太宽大，套在他的伛偻、短小、瘦削的身上，实在使人觉得不相称。因此，只要别人一眼瞧见他的模样，就不由得称奇。他的面貌呢？更奇怪了。他的脸形是尖削的，面部枯干而黧黑，几乎有尼格罗的资格；一个端正的鼻子，配着一张特别小的嘴，两目大张，眼珠却黯黯没光。他的脸上有不少皱纹，深浅不一，但是若要从那皱纹中猜度他的年纪，又是一件劳而无功的事。因为就他的面相揣测，三十固然近似，五十也不嫌太老！那怪客的态度也有些怪。他不言不动，兀自呆木木地站着。

霍桑也现着惊奇的神色，两只敏锐的眼睛射在怪客的脸上，似乎在估量他的来由。我也静默着。三个人都不发一言地在扮演哑剧。施桂却在客人的背后看戏。主客相见竟会有这般情形，在我的经历中可算得破题儿第一遭！

人间地狱

相持的局面约莫延长到一分钟光景，这难堪的静境方始被打破。霍桑最先开口。

他说："朋友，你可是要找我？……请到里面坐。"

那人有动作了。他摇了摇头，眼睛仍直望着霍桑。

他怯怯地问道："你……你就是……"他的声音哽咽而低嘎，好像有什么东西抓住了他的喉咙。他刚说出了那三四个字，又停顿了。

霍桑接着说："是。我就是你要会见的人，叫霍桑。这位是我的好友包朗先生。请进来。"

那人又努力摇着头："不，我……我不能进来。"

"为什么？站在这里，怎么能够谈？"

"霍先生，我……我实在不能进来。我进来了怕……怕会害你们！"

"莫名其妙"是我当时的反应。这人的状态既很奇突，说话又这样诡异。他的来意究竟怎么样？

霍桑又说："你不要怕，请放胆进来。我知道你远道到这里来，一定有什么悲惨的故事。请进来。无论如何，你总得走进来谈。"

那人仍踌躇不动："霍先生，我……我……我有……有毒！"

霍桑点点头："那也不妨事。我这里有避毒的方法。你尽管进来。"他又回头向我道："包朗，请你把窗开了。"

他退了两步，移过两只椅子放近窗口，另外又移了一只给那怪客。我着手开窗。一阵冷风冲散了室中的暖气。霍桑又从书桌抽屉中取出两支老美女雪茄烟来，一支给我，一支自己烧着。他也相信雪茄有杀菌力。这时那客人已一步一瘸地走了进来，缓缓地坐在椅子上。霍桑向来客端详了一下，视线似集中在他的咽喉部分。

他忽问道："夫人，你从北方来？"

那人的眼睛睁一睁，现出很惊奇的样子。我也很惊怪。这人竟是个女人？

来人答道："唉，霍先生，你已经瞧破我了！你是从我的声音上听出来的？"

霍桑说："是。其实不但声音，就是你的容貌、身材和步行时的状态，也都告诉我了。"

妇人用右手在伊的胸口上拍了几下，自言自语地说："好险呀！我今天能够到这里，没有重新落进网里去，真是太侥幸！"伊顿一顿，定着目光作追想状："唔，对！我记得早晨上岸的时候，好像有个人跟在我的后面，怕已经看破了我的改装了吧？"伊的脸上又露出惊恐："哎哟！那冤家大概也看出我了！不然他怎么一霎眼就不见？"

霍桑急忙作安慰声道："夫人，请放心。你此刻既然到了这里，不必再怕有人害你。你定心些，把你的事情告诉我。"

伊伛偻地坐着，瞧瞧霍桑，点点头，又移过视线来瞧我。

霍桑婉声问道："夫人，尊姓？"

那妇人不安地摇摇头，低着头，答道："霍先生，我没有姓，你也别这样称呼我。我是一个没丈夫的贱妇人，受不起这样的称呼。我……我是一个……一个……唉！我……我简直算不得人！"

霍桑吐了一口烟，问道："你是一个妓女？"

妇人点头道："正是。我现在也顾不得羞耻了。霍先生，我实在不能算人！"

霍桑说："娼妓也同样是个人，你不用太自贬。你此刻不是从东三省来吗？"

妇人的眼睛又睁一睁："是的，我才从营口来。霍先生，你又怎样知道的？"

霍桑道："你的衣服装束和你的口音，都告诉我你是从那边来的。你说今天早晨才刚登岸。今天到埠的轮船，也有一只往来营口的大亨轮。那边的娼妓最多，情况又最恶劣。因此我便料你一定是从东三省来的。"

妇人连连点头道："霍先生，你说得对！我在长春的时候，早听得你在北平破过一件大案。刚才我在一爿小茶馆里歇歇脚，又听得人家在谈论你。你果真了不得！不过你说你知道那边妓女的状况最恶劣，你可知道恶劣到什么样子？"

霍桑低声道："这个我自然想象不到。但我看你这个样子，谅必你已经吃了不少苦，是不是？"

妇人忽然哽咽着答道："霍先生，你说吃苦？唉，苦这一个字，万万不够形容我所遭受的种种！"伊忽指着伊自己的左腿："这里有两个焦烂的洞，就是我初到长春的时候，不肯接客，龟奴们就用烙铁给我烙成的。"

伊偻着身子，将破皮袍揭起了，又将一条棉花钻出了碎洞的大脚管裤子卷起了些。伊的瘦瘠的小腿上果真有两个银币大的赭黑的孔洞。我只瞥了一瞥，立即把视线移开去，原因是惨不忍睹。霍桑也放下了雪茄，闭紧了嘴，脸色有些泛白。

妇人又指着两臂说："霍先生，这两条膀子上也满是针刺的焦洞。只要我一违反鸨妇的命令，就得刺上一两个。哎哟，霍先生，那些鸨妇简直比毒蛇还厉害，她们的心狠毒极了！她们只要钱，就不顾人家的命！不论刮风下雪，总要我出去接客。每晚上限定最少须接三个客，少一个就要实施刑罚。刑具是什么都有，皮鞭是最轻的一种，动不动就用烧红的铁针，在两腿上和膀子上刺！霍先生，你知道我的膀子上刺了多少焦洞？"

伊说到这里，伊的眼眶中贮满眼泪，再也按捺不住，便像雨珠般地落下来。我一阵心酸，也几乎流出泪来。伊像要解开衣纽，把手臂撩出来给我们看。我忙举手止住伊。

我说："太凄惨哩！你不用再解开来。"

妇人一面拭泪，一面带喘地接着道："唉！包先生，这还算不得惨。我记得有一天晚上，我一连接了七个客人！到了下一天，我的手和脚都不能动。我向那鸨妇哀求，求伊免我一天，伊睬也不睬。我再三恳求伊。伊忽说：'那么，你就躺在床上，我去拉客人进来！'我说：'我不但手脚不能动，实在再吃不消了！'鸨妇冷笑道：'那我不能管你！我花了两千块本钱，买了你来，多则五年，少则三年，我总得在你身上挣几倍利钱！要是你一天不接客，你早死一天，我便吃一天的亏！我怎能答应你？'

"霍先生，包先生，你们想鸨妇的心肠这般毒辣，那些被卖的妓女们还有命吗？她们也知道不论怎样壮健的女人，一进她们的门，最长寿也活不到五年。她们要挣钱，所以无论如何，绝不会有一丝一毫慈悲心！"

带哭声的故事停一停。一阵冷风卷进来，把火炉中的火舌煽得一阵子乱窜。我感到冷飕飕。霍桑把一只手紧握拳头，紧皱着双眉，望着我叹气。

他道："包朗，人世间竟有这样的地狱生活！你可能想象得到？"

我也不禁握着拳头，在椅子边上击了一下："这世界上不是还有法律吗？怎么容得这种惨无人理的鸨妇们的存在？"

那妇人又呜咽着说："包先生，你说法律？唉，你还不知道！我们本国的法律是顾不到我们妓女的生死的；即使要顾到，力量也不够。因为那边的妓院完全在异族人的势力下，鸨妇和龟奴们仗着外力，就无法无天地干，谁也不敢问一句。所以女人一进他们的牢笼，除了凭他们摆布等死以外，再没有第二条路。"

我问道："难道私逃也不能够？"

妇人又颤声道："哎哟！说起私逃，真叫人伤心！霍先生，你不是看见我步行的时候，我的右脚已经断折了吗？这就是我第一次独自私逃的纪念！后来我第二次又想逃，那不但我自己受足了惨刑，还连带地害了一个人。"

"唔，怎么一回事？"

"鸨妇的心肠是比毒蛇还毒的。伊一面虐待我，又不让我死，一面又禁止我声张，或偷偷地把苦状告诉给嫖客们听。伊养了许多凶恶的龟奴，万一嫖客们有救援妓女的意思，这些龟奴们就用武力去对付。这样，嫖客们自然不敢冒险。

"我到了长春一年光景，实在熬苦不得，就想再私逃。那里的嫖客大半是些粗人，像胡匪，驻兵和开矿采林的苦力们。

比较上流的商人已经是难得有。有一次，有一个南边的姓王的皮货商人来嫖。我忍不住，私下把苦衷告诉他。他倒是个有血性的男人，一听我的苦楚，打抱不平，便答应我想法子救我回南。我对他说：'你要救我，官法是没用的，只有私逃的一法。'他应允了，就约期偷逃。不料事情保密得不够，被鬼精灵的鸨妇侦知了。可怜那位客人竟因我的连累，活活地被龟奴们打得半死，不出一个月，听说他伤重死了！"

妇人再忍不住悲痛，双手掩住了面，放声大哭起来。我的胸口好像给一块大石镇压住，也想哭一哭，泄泄气，可是哭不出。霍桑立起来，把他手里的残烟，用力向火炉里一掷，他的足又在地板上顿一顿。

他怒声道："人世间竟有这般黑暗的地狱，还成什么世界？"

妇人且哭且应道："假使真有地狱的话，我想地狱中的苦刑，总不会比我所遭受的更厉害吧？"

霍桑叹口气，又说："照你说，女人一朝落进了这火坑，是万无生机的。那么你现在又怎么能够自由的？"

妇人用皮包骨的手背抹一抹眼泪，说："我何尝自由？我虽然逃出了那个火坑，但还逃不出死。现在我满身染了毒疮，我的命也活不了几天。我之所以能够逃出来，也是一百万分侥幸。我在地狱里度日子，已经足足两年半。我的身体本来不大健康，故而渐渐地撑不住。那鸨妇见机，便想把我转卖到营口去。她们有一种转卖的习惯——妓女如果一再图逃，或是和嫖客们有接近的情形，她们就把那妓女转卖出去，让转买的人管束得更严厉些。因此凡再三转卖的妓女，管束既然更严，受苦也更惨。我一听得转卖的消息，自知再没有命了。不料正在成交的时候，我忽然得到一个救星。这救星是我的熟嫖客，本是一个杀人劫舍的胡匪，但还有些人心。他知道我的苦楚，可怜我。他乘着他们把我移送到营口去的时候，约了几个弟兄，将我劫过去。他随即给我改装了，送我上轮船，还给我几个钱。因此我今天才得重见我的故乡！"

堕落史

哭声和故事都告一个段落。霍桑站在窗栏边，像在向窗口外吐吸新鲜空气。我仍坐着不动，我的脑子给这惨绝人寰的故事所盘踞，有些惘惘然。我还不知道这个霍桑迁到上海以后的第一个来客，除了伊的一页惨史以外，还有什么事委托我们。

一会儿，妇人又打破了静默，说："霍先生，这是我已往的惨史。不过此刻我来看你，有一件事恳求你。你们两位可觉得厌倦吗？"

霍桑回过身来，走到书桌旁边，敛神答道："不。你姑且休息一下，慢慢地说吧。只要我们的能力够得上，很愿意效劳。"

那妇人有些疲乏，声音也低得几乎听不出。霍桑亲自从热水壶中斟了一杯茶，送到那乔装的妇人面前。伊接受了茶，喝了几口，把杯子放在书桌上，让背靠着椅子背休息。霍桑重新烧了一支雪茄，坐下来。我听了这妇人的惨史，心里觉得非常愤怒，手中的雪茄也不知不觉地早已熄灭了。我定一定神，也把雪茄重新燃着。

一会儿，妇人开始说："两位先生，我今天到此地来，并不是为我自己，因为我知道我活不了多久了。我要求先生们发些慈悲，救救那些未来的可怜人。那火坑里面像我一样的人，正不知有多少，可是要救她们，事实上已办不到。现在能够做的，只有别让别的人再投进去。"

霍桑点头道："不错。你的意思怎么样？"

"我觉得女子们所以会落进火坑里去，就因这中间有一班万恶的拐匪！"

事机有凑巧。霍桑方才正谈论扑灭拐匪的事，此刻伊也说到这个题目，显然合着了他的意向。

霍桑答道："你的意思是要我设法扑灭拐匪，使拐卖的事情减少些？是不是？"

妇人说："是啊。霍先生，你可知道每一年被上海的拐匪送进火坑里去的无知的妇女们有多少？唉，真不知道有几百几千啊！这种恶匪也像鸨妇们一样地可杀。他们诱骗青年妇女，活活地害她们的性命，可是法律也顾不到。霍先生，你是一位仗义的好人，我在轮船上也听得过。刚才我在共和路明园茶馆里歇歇脚，吃些点心，听得人家在谈论你新近破过一件案子，都说你的本领了不得。我由一个年老的人指引，特地来恳求你。你得出一番力，把这些恶鬼扑杀几个，免得一般可怜人再落到苦海里去。"

霍桑答道："这是我应尽的义务，我本来有这个打算。你被卖是不是也因受了拐匪的诱惑？"

妇人道："是的。不过……不过那也不能不怪我自己。"伊又低下头去，声调也降低了。

霍桑道："那么，你当初怎样落进拐匪的圈套？"

妇人沉吟了一下，叹口气说："好，我老实说吧。我的失足，原因是没有知识。现在我的妈已经死了，可是我不能不怨伊。伊太宠我，太溺爱我。我要什么，伊没有不依我，其实是害了我。我虽然也读过好几年书，但是一知半解，实在不懂得什么。在中学校时，大家都只在装饰娱乐上考究。我也受了这个习气，仿佛进学校，学的是化妆和交际。所以我到了十九岁，还是无知无识，只欢喜在外面跑。我既没有人管束，所交接的女伴又都不大正当，因此，我的足迹便时常在戏院舞场里。就在那里，我碰见了一个流氓，一个冤家，也是一个吃人的恶鬼！我受了他的引诱，才受尽了苦，现在懊悔已来不及了！"

静一静。悲惨怨恨的空气仿佛充塞了这办公室的每一个角落。我保持着闷郁的静默。霍桑的脸很庄肃，也默默地在吐吸他的雪茄。

他问道："这个流氓可就是出卖你的拐匪？"

妇人道："是，现在想起来，他实在是个拆白，也可算是一个变相的拐匪。但他有一个漂亮的脸，圆脸蛋，高鼻梁，还有一双媚活的眼睛，外貌上是个翩翩少年，谁也看不出他的狠毒的心！我和他纠缠了一年多，他看见我的私蓄渐渐地完了，便假说他在天津谋得了一个职司，月俸很优，约我一块儿私逃。我的爸是在我三岁时就过世的。这时候我的妈也死了，家里只有一个胞兄。这件事我当然不便和他说明，即使说了，他也绝不会应许我。因此，我便悄悄地跟了那冤家上船。不料一到船上，他便把我交给两个拐匪。我的厄运就开始了！"

我不禁叹息道："好险啊！'一失足成千古恨！'"

霍桑又问道："你在船上的时候，既然已看破真相，论情还可以自救。你为什么并不声响？"

妇人道："唉，霍先生，你还不知道匪徒们的厉害。怎么容得我自救？他们一看见我，立刻把我领到一间舱里，将一种药汁，强灌在我的嘴里。我服了药，神志就昏迷起来，眼睛和耳朵虽还可以动，手和脚就完全不能动了。我在昏昏沉沉的时候，恍惚看见有一个人来查舱。那人看见我横在榻上，似乎有些怀疑。我虽开不出口，心中很希望他能够救我。我看见那买我的拐匪伸手向那查舱人的袋里塞了一下，那人便不声不响地走了。"

"以后怎么样？"

"我这样似醒非醒，不知道过了几天，等到清醒过来，我已经落进长春的火坑！"

又静一静。霍桑把雪茄灰弹落了些，瞧瞧那妇人，点点头。

他说："夫人，我要问几句话。那拐匪是个什么样子的人，你可还记得？"

妇人抬起头来，疲弱地说："拐匪有两个，一男一女。我记得那男的个子很高，浓眉毛，大麻子，还有个大蒜鼻，很可怕。那女人也比我高出半个头，粗手大脚，面孔也很怕人。"

"这两个人的姓名你可也知道？"

"我不知道。不过我记得那女人叫那男的老熊。"

"他们的年纪呢？"霍桑又追究一句。

妇人想一想，说："这个也不清楚。我看那男的总有四十多岁，女的比较年轻些。"

霍桑又立起身来，走到火炉面前，丢了雪茄尾，张着两手烤了一会儿，又沿着窗口踱来踱去，似乎在那里深思。我暗想拐匪果然极端可恶，他们一天不灭，那些无知青年妇女们的命运真是异常危险。霍桑虽有扑灭拐匪的伟大企图，但他起先正踌躇着无从下手，现在这女人所提供的也太空洞，实际上仍没有可以着手的线索。

霍桑又站住了问道："还有一点。那个引诱你的流氓叫什么？"

妇人疑迟了一下，说："他叫小金，比我大五岁，现在大概近三十岁了。"

"他住在哪里？"

"他没有一定的住所。我和他相会总是在旅馆里。"伊的头又沉下去。

"那是什么旅馆？"

"那也不一定。我记得东大，申江，大沪，我们都住过。"

霍桑点点头："刚才我听你说，好像你今天到了上海，看见过这个小金，是不是？"

伊点点头，应道："是的。我从明园茶馆出来时，好像看见他，不过一转眼就不见，也许会看错。以前他是穿西装的，刚才我看见的是穿一件棕色中装大衣，里面像是件淡色袍子。唔，也许不是。我想不会这样巧。"伊顿一顿，又发出恳挚的声音，说："霍先生，我的一生已经完了，要报复也不可能，你别为我打算。我只望你发些慈悲，救救那些像我一样的无知的妇女们！"

霍桑慢慢地答道："是。这件事非常重大，成功不成功，还不能预料。不过我因着对于社会的义务，不敢不尽力。你的身世固然很可怜，但是你的来意很可敬。现在我想你得把你的姓名告诉我——"

那妇人急急摇着手，道："霍先生，别问我吧。我不忍再牵我死掉的爸爸的头皮！我也不忍让我的哥哥因为我受羞耻！"伊把那件宽大不称体的破皮袍拢一拢，慢慢地立起来，似乎要告辞的样子。

霍桑举起一只手止住伊："你住在什么地方？"

"我的家就在本城。不过此刻我也不打算回去。我哪里再有颜面见我的哥哥？"

"那么你现在打算上哪里去？"

"我……我没有地方去……我想去看看几个同学，要是他们不肯收留我，我……我打算投黄浦——"

霍桑忙阻止地说："不，你别这么想。你既然悔悟过来了，还有半世人生。你尽可以找一个新的生活。"

妇人摇摇头，叹息道："霍先生，太晚了。现在我满身都是病，都是毒，哪里还有活命的希望？"

霍桑道："病和毒是可以医治的，你别害怕。你听我的话，现在快去医病，医好了，再做打算。好不好？"他从衣袋中取出一张名片来，在名片背上写了几个字，递给那妇人："你拿这张名片赶紧到新民路自新医院里去就医。那何院长是我的朋友，一定能够收留你。费用方面我可以帮助你。"

妇人感激得又流出泪来。伊起初还是不肯，经霍桑一再相劝，才眼泪汪汪地接受了名刺。霍桑叫施桂给伊雇了一辆车子，伊才千谢万谢地退出去。

线　索

那妇人离去以后，霍桑叫施桂拿茶杯出去消毒，又叫他用石碳酸在室中洒一洒。霍桑和我也帮同着打扫。经过了十多分钟的清洁工作，他和我重新坐下来，彼此点了一支白金龙，沉默地吸烟。窗依旧开着。风也还断断续续地钻进来。空间相当静，但那妇人的凄婉的语声好像还留在我的耳朵里。

一会儿，我说："霍桑，我看这件事你大概非干不可了吧？"

霍桑吐出了一串烟，应道："是。我起初只觉得拐匪们是社会的害物，不能听他们猖獗下去。可是他们猖獗的后果会这样厉害，我简直想象不出。现在的问题不是我们干不干，是怎样干。"

"是。刚才你认为没有入手的线索。现在你可比较有些把握？"

他皱着眉峰，说："把握还说不上。不过这女人多少给了我些线索。例如伊所举示的几个旅馆，现在还都开着——"他突然顿住了："唉！包朗，外面又有什么人来哩。"

施桂推门进来，门外有一个中年男子紧紧地跟着。那人穿一件灰布棉袍，玄色布底鞋，身材相当高，黑脸大口，方下颏，两只眼睛却像耗子似的，似乎不相称。那人不待通报，已急急地跨进门来，站住了目光灼灼地望着霍桑。

他问道："先生，你是不是姓霍？"

霍桑微微点点头："是。我就是霍桑。什么事？"

"嗯，我家老爷有一件事烦劳你，不知道你肯干不肯干？"

"什么事？你姑且说明了再说。"

"霍先生，这件事很难办。我家三小姐被拐匪拐去了！"

凑巧的机运似乎在特别眷顾我们。这早晨的先后两个来客竟和霍桑的企图形成一条线。霍桑似乎微微怔一怔。他定着目光，向来客打量了一下，又回头来瞧瞧我：

"包朗，事情岂不太凑巧？又是一件失踪案子！"他又瞧着来人道："你说你家小姐被拐匪拐去了？被拐的情形怎么样？"

那人道："前天晚上三小姐就不见了。老爷派人出去寻了一天，没有影踪。他急得没法，才叫我来请你。你如果敢担任侦探，把小姐找回来，不论你要多少钱，都行。因为我家老爷有的是钱，三小姐又是他最钟爱的。不过有一点你也得注意。"

"注意什么？"霍桑看见他停顿，怀疑地问一句。

那人扮着鬼脸，低声说："我听说那班拐匪们都是杀人不眨眼的家伙，手段狠，消息灵。你要干涉他们，跟他们为难，自然得特别小心才是。"

霍桑沉吟了一下，点头道："是，你的话很对。但是你家小姐的失踪，怎么知道确是被拐匪拐去的？有什么证据？"

"证据虽没有，但我们相信一定是被拐。"

"何以见得？"

"因为在两礼拜之前，我们东隔壁的邻居张家里也有一位小姐忽然失踪。后来他们报了警署，派侦探们去追寻，才知道已经被拐出了关口。此番三小姐的不见情形是相同的。"

"那位张小姐后来可寻到没有？"

"没有。那班警探先生大概在这件事上已经吃过些苦，有些害怕。老爷去报告他们，他们推三推四，分明不敢再担任追寻的责任。老爷没办法，特地叫我来请教你，问你肯不肯。"

霍桑沉默了。他依旧站着，回头瞧瞧炉檐上的蜡梅，又瞧瞧我。这一瞧似乎有某种含意，可惜我看不透。那个看似相当强壮的男仆也仍站在室门里面。他用眼角在偷瞧我的朋友，好像要窥测他到底答应不答应。

霍桑又向那人瞅了一眼，答道："唉！拐匪的势力竟致使警探们束手，可见他们的猖獗。可是我也没有三头六臂，论实力，还够不上那些警探。他们既然不敢担任，我又有什么办法？"

仆人接嘴道："霍先生，怎么？你也会胆小？拐匪们虽厉害，但单凭着你的大名也尽够吓倒他们了啊。你为什么这样谦虚？"

我也很觉诧异。霍桑方才既然有这个计划，又应允了那妓女的请求，定意要试一下子，这明明是个机会。怎么一听这人的几句话，他便胆小退缩？

霍桑摇摇头，微笑着答道："我的虚名并不是什么灵符，吓不退匪徒们。要是勉强去干，弄巧成拙，反而会坏事。你不是奉了你家主人的命来请我的吗？"

那人显然被这句话提醒了，急急地答道："是。我家老爷姓王，开米行的，住在提篮桥裕丰里。现在就请你跟我去走一遭。"

霍桑道："不必。你去回复你主人，我别的事太忙，不能担任这件事。"

王家的仆人说："霍先生，你真不干？"

"是。"

"那是很可惜的。我说过，老爷是不惜重赏的。"

"重酬果然爱，可是用性命去换，那岂上算？"

"那么还得请你劳步走一趟，你自己去回复我家老爷。"

"那又何必？你主人若是不相信，你不妨就把我不敢担任的情形说出来。"

奇怪！霍桑的语气很坚决，分明他决意不肯干了。他起初既然无事找事做，打算侦捕拐匪，这件失踪案子是有连带关系的，他为什么拒绝不干？他的口气好像是有些知难而退。但是他做事是从来不怕难的，数分钟前他还对我说过。这变态不是太反常吗？那么他拒绝的话果真是由衷而发吗？还是别有作用？

那仆人又道："霍先生，你真不肯干？"

霍桑点头道："是，我决意不干。"

"要是老爷自己来请你呢？"

"我不干就不干，谁来也没有用。"

斩钉截铁地表示，使王仆没法再纠缠。他谢了一声，回身走出去。霍桑陪送他出门，留我一个人在室中。

我走到壁炉前，把炉火拨了一拨，又把窗关了。疑团奔集我的心头，一时真感到怅惘。王家这件案子，本是可以顺便干的，如果得手，还可以得些资助。虽则霍桑工作的主旨本不在金钱报酬，但借此贴补些济助刚才那妓女的费用，也未为不可。他为什么决意回绝呀？刚才他正苦清闲，好容易有人来请教他，他又像自高身价般地轻易回绝了。难道他索性连侦捕拐匪的计划都打消了吗？

霍桑回进屋时，笑嘻嘻地说："包朗，你呆呆地想什么？"

我答道："就因为你。"

"因为我？你替我想侦捕拐匪的方法？"他向我瞧一瞧，嘴角上的笑容没有消逝，神气似乎很高兴。

我问道："嗯，你为什么这样高兴？"

"唔，高兴？是的。你还不知道？"

"我不知道。"我一时真摸不着头脑。

他忽偻近我些，低声说："刚才我们不是正苦没有入手的线索吗？我告诉你，此刻我已经得到了侦缉拐匪的线索了！"

这话太出我的意料。开玩笑吗？不。他的语气不像是取笑。

我忙问："霍桑，真的？你的线索从哪里来？怎么像变戏法？"

霍桑又含笑道："包朗，照理你不该说这样的话。你应得知道，我的线索就在我刚才送出去的那家伙的身上。"

"什么？你不是已经谢绝了那人的请求吗？"

"是。谢绝是一种策略。那人本身就是线索。我此刻正打算从他的身上捕匪破案！"

"奇怪！这是什么一回事？难道这个仆人就是——"

霍桑忽然用手在我的肩上拍了一下："对！那家伙就是拐匪的同党。他虽然乔装得很像，但是他的破绽逃不过我的眼。我想你也不至于完全没有觉察，是不是？"

我觉得两颊上忽然热灼起来。那人就是匪党的化身，我实在不曾想到。坦白率真是我对付朋友的信条，我并不掩饰我的弱点。

我答道："不，我实在没有觉察。我还在疑惑你为什么回绝他。你怎样瞧破他的？"

霍桑坐在火炉边，又烧他的白金龙。我也照样坐下来。

他答道："这里面并没有什么秘诀，完全是观察力强弱的问题。我告诉你。第一点引起我疑心的，就是那人的一双眼睛。眼睛是人身上最神秘微妙的器官。你只要能冷静地观察，随处留意，就能从眼睛上窥见他或伊的内心。举一个最浅显的例。譬如一个鞋匠遇见了任何人，他的目光往往会不知不觉地先注意到人家的靴鞋上去。又如成衣匠的眼睛不会错过人们时式的衣样；美术家踏进了人家的屋子也会先注意书画，也是同出一理。因此，假使同时有三个地位不同的陌生客走进了我的办公室，我相信那三个人的目光的注射点必不相同。因着注意的不同，我就可以推知他们的品性、职业和内心中含蓄的情绪，虽未必能够一一中鹄，但比漫无把握而凭空揣度总要超胜一筹。这是我在观察上所经历的一种心得。包朗，你可也有同样的经验？"

"没有。不过我也承认这种观察方法很有趣味。"

"是，不但有趣，还很实用。这是从事侦探事业的人所不可少的一种技术，也是研究任何科学不可跳越的一种步骤。"

"那个人的眼睛有什么异象？"

"刚才他一走进来，他的两只骨碌碌的鼠眼直盯在我的脸上，好似要从我的神气上揣测我的心事。可是一经我的目光回射过去，他又立刻避开，不敢和我视线相接。你想这有什么启示？那就表示他绝无诚意。他所以来见我，目的也许是刺探某种隐秘。我有了这一层启示，以后便逐步留意，于是他的其余的破绽果然一着着都给我瞧出来了。"

"其余的破绽是不是就在他的言语中？"

"是。古人说'言为心声'，这句话不但是从经验上锤炼而成的结晶，也有着坚强的心理根据。因为凡作伪行诈的人，无论他或伊怎样机巧，事前准备得怎样细密，临时又善于掩饰闪避，然而谈论起来，总不免有一二语会漏露真相。原因是杜撰虚构的事在内心中没有根底，绝不能像真确事实的先后一贯。法官们审鞫罪犯，所以要一审再审，作用就在这一点上。你想那家伙既然是王家的仆人，奉了主人的命来请我，那么他的职务只在乎请我往王家里去，本用不着多说什么。可是他一开口就问我肯干不肯干，一面还用了许多威胁夸张的话，替拐匪们虚张声势，显然是意存恫吓。因此种种，我便料定他是匪帮的党羽，是为着刺探我的口气来的。我方才正苦没有着手的线索，不料线索会送上门来。你想我怎么不高兴？"

拘　捕

霍桑的解释很合理，一说破我就真如梦乍醒。我回想那人当初的谈话和神态，确有霍桑所说的种种破绽，可是我太不经意，竟没有觉察。我委实不能宽恕我的颟顸。

我说："霍桑，你的眼光的确很敏锐，不过这个人自投罗网，究竟有什么用意，我还不明白。"

霍桑吐一口烟，答道："这也很是显明的。他一定是受了匪魁的指使，特地来探听我的口气。他们也许因为我的虚声，不禁有些顾忌，认为我如果和他们为难，对于他们的活动多少会发生些影响。因此他们不敢怠慢，急急要知道我的态度，我到底有没有和他们为难的意思。"

我仍怀疑地说："但是你的捕匪的动机产生了还只两个小时，他们的消息怎么这样子灵通，马上会知道你要和他们作对？"

他放下了烟，向我瞅一眼："包朗，你今天为什么这样颟顸？匪徒们所以疑我有作难的心，显然就因着方才那个妓女啊。你总记得伊曾说当伊登岸的时候，似乎有人尾随在伊的后面。这一定是实的。我料伊从营口私逃出来，这里的匪徒大概已经得到消息。所以营口船一到上海，船埠上势必有匪党的眼线。当伊登岸的时候，虽是乔装，却到底逃不掉匪党的眼目。后来他们一直跟伊到这里，那匪徒便胆小起来，或者就回去报告了党魁。他们明知那私逃的妓女既然到我这里，绝不会和他们没有关系，所以就派一个人来探探我的态度。那不是很可能的吗？"

"那么你方才一口回绝，并且装作害怕的样子，就是一种欲擒故纵的策略？"

"对，这家伙很狡猾，我以毒攻毒，自然也不能不戴了假面具应付他。"他丢了烟尾，瞧瞧壁炉上的小瓷钟。

我想起一件事，又问道："霍桑，你说那妓女来这里时既然有人跟随，那么伊从这里出去时，不是也会有人尾随伊的吗？"

霍桑想一想，说："唔，你想得不错。你不是怕那女子会重堕入匪党的罗网吗？"

"是，我正怕如此。匪党怕这女人泄漏他们的秘密，企图控制伊，也是很可能的事。"

"我想自新医院的地点并不太偏僻，匪党虽然凶狠，总不敢白昼劫人。"

"虽然，我总有些替伊担忧。他们不会在路上劫持伊吗？"

霍桑皱皱眉，点头道："那么打个电话去问问。何乃时院长你也是认识的。"

我立即走到电话室去。电话线接通了，接电话的恰巧就是何乃时。据说那妓女已经安抵医院，现在正在抽血化验，我才放心些。回到办公室里，我看见霍桑正拿出了两支勃朗林手枪，在拂拭枪的机括。

他先开口道："包朗，这件事很吃重，你得助我一臂。"

我应道："那当然。你要我帮助你侦查拐匪？"

"不是侦查。我们说不定立刻要出去破巢捕匪哩！"

"喔，这么快？刚才你说那仆人是一个线索，你还不曾有什么行动，怎么就能够动手捕匪？"

"我的行动一直在进行中，你不知道罢了。现在我正在等关于匪徒的巢穴的情报。"

"奇怪。谁来报告你？"

"施桂。"

"他？他怎么会……"

霍桑又瞧瞧那小钟，说："你可记得那冒充王家仆人的匪徒临走时，我曾送他到门口吗？那时我便偷偷地暗示施桂，叫他尾随那人。他已经去了一个多钟头，谅必就要回来报告了。"

我领悟地答道："唉！你真机敏。但施桂对于这样紧要的任务担任得了吗？"

霍桑沉吟了一下，说："施桂虽不见得怎样精细，但他跟我相处好久，现在也有相当的侦探智识。他在上月里的那件假币案上，替我出力的地方也不少，你也眼见的。"

我不回答，暗忖施桂这人，忠诚有余，机警不足。现在霍桑差他去尾随那狡猾的匪党，怕不一定能够胜任。霍桑的目光凝注在我的面上，似乎已瞧破了我的疑惑。

他说："是的，包朗，你的见解很近情，我也知道叫施桂去干这种事，不是他的所长。不过我派他出去，也是出于迫不得已。因为匪党是突如其来的，人又很机警。若是你和我去跟他，容易为他注意，反而不美。因此我不得不权且利用施桂。"

我点点头："我希望他能安然成功。"

砰！前门开了。

接着施桂急步跨进门来。他的神气很紧张，手中拿着一顶黑呢帽，额角上有些汗。

他喘息着报告道："霍先生，我已经查明那人的地点了。"

霍桑大喜道："唉！在哪里？"

"他住在德仁路十九号一座洋房里。不过他从这里出去以后，并不直接往那里去，反乘了三路电车往西去。随后他又换了两路电车，兜了一个大圈子，才到他的寓所。因此我耽搁了不少时候。"

霍桑点点头："好。时机不可失。包朗，你快预备。我去打一个电话，即刻就要动身。"

我答应了，一边穿上外衣，一边向施桂说："那家伙绕圈子走，可见他的仔细。你跟在他的后面，没有被他觉察吗？"

施桂抹抹汗，很得意地说："没有，没有。"他挥挥手中的西式黑呢帽："这顶帽子给我不少帮助。我在电车里时，改装过两次，一次我把我的棉马甲脱下来，单穿着棉袍；一次我又将棉袍子卸下，捆作一个包，身上只穿着短装。这样一变再变，他自然不会注意我。"

我笑道："施桂，你真进步了。你说他住在德仁路十九号洋房里，你也瞧清楚？"

施桂道："那怎么不清楚？我看见他走进了洋房之后，特地从那门口走过，瞧明白那洋房的号数。后来我又在路角上站了一站，不看见他出来，才赶紧乘电车回来。不过那人究竟犯了什么法，我还不知道。包先生，你可能说给我听听？"

我低声道："他是一个拐匪。那十九号洋房大概就是拐匪们的窟穴。我们现在就要去拘捕他们。"

霍桑已回屋来，那件黑色的厚呢大衣已经穿在身上。

他问我道："你准备好没有？"

我点了点头，也问道："你打电话给哪一个？"

"我打给汪银林。他不在。我又通知孙雪崖局长，请他帮助。他已经答应了，应许我立即打电话通知那一区的警署，就近派警士去照料。我们走吧。"

我应了一声。霍桑把放在桌子上的两把手枪拿起来，一把给我，一把顺手纳在他自己的外衣袋里。

他又低声问施桂道："我们去捕匪。假使能够成功，你这一次的功劳真不小。现在你小心看着门，别离开。"

"是，我懂得。"施桂的声调也透露出他的内心中的兴奋。

我一出门口，天气骤然变异，冷风扑面，我不觉打了一个寒噤。我把外衣的领子竖了起来，又把纽子完全扣住。门口停着一辆汽车。霍桑先跳上去，我也随后跨上。霍桑向司机说明了虹口德仁路，车夫便立即开驶。

我说："霍桑，这件事机会真好。要是一举成功，那也算不得怎样费力。"

霍桑道："是。不过你也不能太乐观。"

"唔，为什么？"

"太乐观了，处事会轻忽。轻忽就是失败的前门！"

我沉默了一下，又问："那么我想我们此去能不能着手成功？"

霍桑道："这又怎能预料？但施桂既然得到了那人的下落，无论那里是不是匪党的总机关，我们多少总可以得到些端倪。"他把外衣拢紧了些，身子靠着车座："要是顺利的话，匪党们真在那里，那么至少，一场恶斗总免不掉。你得小心些。"

"恶斗倒不怕，我只怕施桂欠致密，漏了什么迹象，已经给匪党看破了。"

他突然坐直了，问道："喔？方才你和施桂说些什么？"

我把彼此的问答复述了一遍。霍桑低头想了一想，忽而摇摇头：

"唉！这样说，事情有些危险了。"

"什么危险？"

霍桑解释道："大凡尾随的时候，最忌的是停顿站立。即使万不得已，必须停立片刻，那停立的地点也得谨慎选择，才不致惹人家的注意。据你说，施桂看见那人进了洋房，还在路角上站立一会儿。这尽够坏事了！而且他站的地方不是树荫屋侧，却在岔路口上，那更要不得。……唉！你虑得不错，他的踪迹也许已经被匪党瞧破了！唔，那岂不危险？"

我沉吟道："他们或者还来不及准备，也说不定。"

霍桑快快地答道："唔，我也但愿如此。这就是我们唯一的希望了。"他似乎性急不耐，探头向车窗外瞧一瞧："是丰兆路了。包朗，我们此行的成败，五分钟内便可以确定了！"

他的脸沉下了，紧闭着嘴唇，眼光仍注射在车窗外面。我也有些不能自持，心房突突地乱跳。此番要是不能够一举擒匪，不但空费心机，而且白白地惊动了警署里的人员，霍桑面上也有些过不去。

汽车仍像射矢般地驶着，又掠过了几条马路。一刹那间汽车便陡地停了。霍桑先跳下去，把手招一招，有一个警士赶过来招呼。霍桑向他附耳说了一句，随向他演个手势，似乎问他已经捕得了拐匪没有。

警士点点头，高声答道："霍先生，他们正想逃，给我们阻住了。现在十九号的前后门都有人守着。"

对　骂

报告真使人兴奋！我不由得心花怒放。我一骨碌从汽车上跳下来，奔到霍桑面前。霍桑一言不发，但把手挥一挥，招呼那警士先走。警士果在前引导，我们俩在后面随着，急急地向洋房前进。

那是一宅青灰砖砌的两层楼洋房，面积并不大。洋房的面前有两个警察站着，门外还停着一辆载货物的大卡车。我走近一看，门牌果真是十九号。那引导的警士向守门的同伴说了几句，便先走上石阶，引我们进去。我把右手放在大衣袋里，手指按住了枪机。万一匪徒们抗拒，我便可从袋中发枪，使他们措手不及。霍桑也有同样的准备，比我先进门去。我一进门，看见右边的室门口也有一个警士站着，像是个巡长。

霍桑问道："怎么样？"

巡长答道："在里面。他们并不抵抗，所以我们也没动手，只把他们拘留在这餐室里。"他随手将餐室的门推开了。

我一眼望进去，看见室中一共有五个人，傍着一只长方的餐桌坐着，大家都静悄悄。这五人中四个都穿着短衣，面貌很粗豪，只有一个年纪在四十左右的人，穿了一件旧黑绸的羊皮袍子，光头，还戴一副眼镜。空气很宁静，不像有恶斗的可能。我的戒备松懈些。

霍桑问那守在餐室门口的巡长道："就是这五个人？"

巡长答道："是。我们奉了局长的命令赶到这里，他们正在这里收拾家具，像准备逃走。"他指一指两个年轻的短衣人："那时这两个人在楼上。我们把他们叫下楼来，叫他们一起坐在这里，等先生你来发落。"

"可曾问过他们？"

"约略问过几句。"

"说些什么？"

"他们不肯说——自然，不吃苦，哪里会招认？"

霍桑不再问，一步跨进餐室，我也跟他进去。室内的器具都是西式。中央有一张亚克的长方餐桌，桌的四周有七八张餐椅，都是用上等柚木制的。靠壁有沙发。壁角列一只碗碟橱，镂刻也很精致，不过橱是空的。墙壁上面也有画镜电灯，位置井井有条。霍桑站住了正在向那五个人端详，跟在后面的巡长高声发问：

"喂，你们这班拐匪，还有多少同党？快老实说！"

四个短装的人都立起来，变了颜色，面面相觑，可是谁都没有一句答话。只有那个穿长袍的光头比较的略为镇定些。他走前一步，向霍桑点点头，颤着声音回答：

"先生，我们不是拐匪，也没有同党。我们是来搬家具的。刚才我说过了，可是也说不明白。"

这人说话的对象分明是霍桑。霍桑的神色陡地变异了。他向我瞧了一眼，摇摇头，似暗示我这件事失败了。

他问道："你是谁？这房子是拐匪的巢穴，你们到这里来，和拐匪有什么关系？"

那光头慌着说："先生，我叫吴兆梓。我们是劳工路源太木器铺里的，和他们没有丝毫关系，也不知道他们是拐匪。他们在上月初到我们铺里租家具，预付了三个月租钱。半个钟头前那租户忽然来提取押金，把家具退租了。因此我们便赶来把家具搬回去。"

霍桑很失望似的摇了摇头，向旁立的巡长道："你姑且把他的话记下来。"他又向穿长袍的道："那租户叫什么？"

那人道："他自己说姓伍，叫禄年，前清时做过道员。"

"他既然租你们的家具，总是有保人的。"

"他没有保人。他租家具，预付八百元押租。有了押租，就不要保人。这也是我们木器铺的章程。"

霍桑又向那人仔细瞧了一瞧，自言自语地叹道："完了，完了！"

他开了碗碟橱的抽屉，看一看，空的，又回身奔上楼去。

我觉得非常难过。霍桑利用了一个机缘，查到了拐匪的巢穴。不料拐匪们消息灵通，竟已闻风先遁。造成这结果的，一定是施桂的粗忽。现在拐匪逃了，剩下这几个不相干的人，又有什么用？我先前正庆幸着机会太好。可是机会最神秘，近乎飘忽无定。现在第一步着手便扑一个空！机运之神显然又悄悄地溜走了！

那五个被软禁的人还呆呆地站着。他们苍黑的面上都显着半青半白，样子也瑟缩可怜。那巡长的目光偶然触及他们，他们益发栗栗危惧。照理，他们既没有犯法，理直气壮，原用不着畏惧。他们现在这样子，明明是恐防无辜地被连累。从这一点上可以想见平日警士们对于民众的权威。民众们的身体自由也太没有保障了。

霍桑走下楼来，神气上依然懊丧。

我问他道："楼上有没有什么证据和线索？"

霍桑把手扬一扬："没有。除了这几张废纸以外，寻不出一些东西。"

我看见他手中拿着的是几张旧报、破纸和发票，果然都是没用的废物。

霍桑指着木器铺里的五个人，向巡长道："你们姑且把他们带回警署去，一面往劳工路去调查一下。如果他所说的话不虚，就把他们放了，别难为他们。"

巡长答应了。霍桑就引我走出来。

他说："包朗，第一步我们已经失败了。不过我决不失望。现在我要准备第二步计划，有些接洽的事必须立刻进行。你乘了汽车先回去。"他点一点头，便步行向东去。

我回到寓所时，已过正午，腹中有些饥饿。我把汽车退了，进了寓所，就叫司炊的苏妈摆上饭来，一个人先自进食。施桂走进来，问我结果怎样。我把我和霍桑经历的事情告诉他。他也深恨他自己的粗忽失策。饭罢以后，我随手取了一张《申报》，靠在炉边披阅。报纸上寻人的广告触目都是，又引起了我的旧感。

这班万恶的拐匪一日不除，社会上便一日不能安宁。霍桑此番如果能够把匪党扑灭，虽不一定能在一时间使匪党绝迹，然而杀一儆百，至少可以使他们敛迹一些。不幸第一步就遭失败，未免使人有些扫兴。现在霍桑虽然再接再厉，正在做第二步的计划，但是线索中断了，是否再有着手的机会，眼前正不能预料。

我丢下报纸，烧了一支烟，默坐着闲想，想来想去，终觉前途不能乐观。瓷钟上已是两点半钟，霍桑还不回来。烟烧尽了，我闭目养神，脑海里面忽而幻想涌现，仿佛见霍桑失败回来，身上受了伤，神气也非常沮丧。我不觉冷汗满额，浑身战栗起来。我急急张开眼睛，站起来，索性走近窗口，开了窗，呼吸几口新鲜空气，竭力铲除我的脑中所存的幻想。

铃铃铃！……铃铃铃！………

电话铃响了。我赶到电话室去，拿起听筒，耳朵中接触一种生疏的声音，口音是本地人，是男子。

"喂，你是霍桑？"声音很粗暴。

我权且答应着："是。你是谁？"

"我叫伍禄年。……喂，你听着。你得小心些！"

对方是个拐匪！是我们的敌方！可是我抓握不着啊！

"嗯，小心什么事？"

"你最近在上海吃着了甜头，好像有些不安分！你想泰山头上动土，找到你老子头上来吗？"

"你是个丧尽天良的拐匪！我非扑灭你们不可！"

"好，你嘴硬！我看你哭的日子就在眼前！我告诉你，跟我们作对的那些饭桶侦探，吃卫生丸的前后已经有三个！不过他们顾面子，不肯在报纸上公开出来。你要是知趣些，马上离开上海，我给你三个钟头，不能多一分钟——"

"呸！别做梦！你在哪里？你敢告诉我，我马上来收拾你！"

我当然不愿做村妪式的对骂，可是实在耐不住，除了在空气中泄泄气以外，又没有第二个办法。对方也不甘示弱，而且口吻更粗恶：

"猪猡！你不受抬举吗？好，看你有三头六臂！看你有铜皮铁骨！猪猡！"

电话断了。我的怒火几乎要冒出来。这拐匪简直放肆已极！

他胆敢向我们警告，而且这样无礼。我在电话中叫不应以后，马上将听筒挂一挂，又拿起来：

"喂！……喂！……"

没有回音。话筒再挂一挂，又拿起来：

"喂！……喂！对不起。我要请你查一查，刚才打过来的是几号？……喂！……"

听筒中一阵咕咕声。回音还是没有。

"喂！……喂！……"

回音来了，是个女子接线生：

"喂，几号？"

"唔，对不起，请你查一查，刚才打到这里来的是哪里？"

"嗯……是南京路九十七号公用电话。"

咯噔！电话线再度脱断了。我恨极，把话筒挂上了，恼恨地走出电话室。

暗　杀

我回进办公室中，怀着一肚子闷气，吃了一阵恶骂，却抓握他不着地没法对付。这一班拐匪真是无法无天。我们刚才动手，他们却反客为主，竟然下命令来驱逐我们！施桂走到办公室门口站一站，像要进来问什么话。他分明已经听得了这一次警告性的电话，脸上也怒气冲冲的。可是他到底不曾开口，随即走开了。

我走到窗口，开一扇窗，又回身开了烟罐，取出一支纸烟，擦火烧着，靠火炉旁边坐下来，默默地考虑这严重的问题。这伍禄年明明是这拐匪的主脑人物，他竟敢这样子放肆，我们若不斩草除根，把他们尽数扑灭，这还成什么世界？我们又还有什么颜面留在上海？他们破坏了法纲，做了伤天害理的事，却仍怙恶不悛，反来恐吓侮辱我们。这真所谓"此而可忍孰不可忍"。我想到这里，乱喷着烟雾，怒火像在胸膛中烧灼，有些按捺不住，恨不得立刻把拐匪们擒住了，一个一个判他们一个无期徒刑！

我靠着那安乐椅的温软的皮垫，默默地吸了两支烟。冷风吹进来，使我的神经镇静了些，我的怒气也平息了许多。我重新回想匪党的警告。说也稀奇，我的观念竟与先前的绝对不同，好像前后变了两个人。原来先前我因为受辱，脑海中充满的是血。我的意识被复仇的观念所霸占，丧失了我的理智，已没有机会想到利和害。这时候愤怒既平，理智的功用恢复了，利害二字就同时渗入我的意识。

匪徒们如此猖獗，固然可恶，我们当然不能不警戒他们，但是怎样警戒和用什么样的方法最可能，最有效，也不得不连带想到。他们是一班无恶不作的匪徒，党羽既多，消息又特别灵通，但看方才我们扑空的一回事，已可见一斑。这伍某既敢明目张胆地警告我们，也可显示他们有恃无恐。那么我们如果和他们对抗，情势上确很严重危险。我们若能一举成功，把这首领伍禄年擒住了，或是能破获他们的巢穴，一则为社会除害，二则为我们自己吐气，固然是一件满意可庆的事。然而万一失败，我们又将怎么样？我们和这班匪党显然不能两立，我们若不能保持攻势，他们自然会来反攻。他刚才说的恫吓说话，或者竟会实行。照此想来，我们已骑上了虎背，一成一败，二者必居其一，实在不能不使我悬悬不定。

我虽然竭力振作，很愿向成功一方面着想，但一想到失败方面和失败后的结局，不由得毛发都耸竖起来。霍桑从事侦探生活以来，已经盛名四布。此番他移居上海，原想百尺竿头更进一步，为社会谋些幸福。假使他果真失败，当然再不能够留在上海。他一离上海，他的志愿一定会受阻碍，他一生的英名也就不啻完全宣告破产！不但如此，那时候霍桑的性命如何，我的情形又怎样，也使我不忍设想。

一个多钟头的考虑，除了形成了我的势不两立的决心以外，其他还是一个谜。天气似乎转冷了些。风从窗口里进来也加了些劲。炉檐上铜瓶中的蜡梅堕落了两朵。炉火的热力像减弱了，我的精神也像委顿了些。

我从安乐椅上立起来，关了窗，重新从烟罐中取了一支烟吸着，缓缓在室中踱步。直到五点敲过，天色渐渐暗了，烟灰盆中积得满满的，我才见霍桑气喘喘地回来。他的双眉紧蹙着，面色不愉快。我把警告的电话暂时搁一搁。

我问道："霍桑，你耽搁了这许久工夫，干些什么？"

他卸下了那黑呢大衣，在炉边坐下来，悻悻地答道："我在警局里等待了半天，仍没有会见汪银林。"

"那个圆脸阔肩，操着上海口音，歪戴着帽子的矮胖子？"

"是。这个人的外貌虽还不脱'包探'的典型，但是他在伪币案上给我的印象，他的习气还浅，人也比较负责可靠。因此我要和他商量商量。他是有实力的人，要办这件事，非借重他不可。可是我等了好久，他还没有回来。"

"你和我从德仁路分手以后，一直在警局里？"

"不是。我后来又往源太木器铺里去问明了情由，就打电话给孙厅长，把那吴兆梓一行五个人放了。我又兜了一个圈子，四面去调查了一下。"

"调查什么？"

"你知道，我们此番扑了一个空，反而打草惊蛇，把已得的线索从中截断了，真是大不幸事。现在要继续进行，那就不得不再寻一个相当的线索。"

"有结果没有？"

"具体的线索还没有，但着手的方法，我已经有些把握。"

"我很希望你立即有条线索，我们马上就动手，要不然也许就来不及。"

霍桑仰起目光来瞧我，似乎莫名其妙：

"嗯，什么意思？"

"那个拐匪的首领伍禄年刚才打过电话来警告你，限你在三个钟头之内离开上海。我冒了你的名，吃了他一阵子毒骂。"

我随即把接电话的经过说了一遍。他敛神地倾听，随即低头不语。他的外表上虽还镇定，但像有一种严重的神气从他的眼睛里流露出来。

他瞧瞧炉檐上的瓷钟，问道："电话是几点钟来的？"

我道："约莫已经有两个钟头。"

霍桑的嘴角牵一牵："那么，离他们的限时只有一个钟头了。我们即使立刻动身，在这一个钟头内，收拾行李也来不及了。"

我问："你想这姓伍的话只是吓吓你，还是真会实行？"

霍桑沉吟地说："我不知道。唔，也许不单是恫吓。"他的目光转一转，右手握着拳头，在自己左掌中击一下。他突然立起来："包朗，我得立刻再去见见汪银林，不能迟搁到明天了。"他说完了，略一点头，便又匆匆地穿上外衣走出去。

天色已越发暗下来，室中更觉得阴暗冷峭。我叫施桂把外面的百叶窗也关上了，开了电灯，又在火炉里添了些煤，一面吩咐苏妈预备晚饭，等霍桑回来同食。

我的思潮又起落不定。霍桑一听见警告的话，马上重新出去，可见他不敢怠慢。他还计算警告的限时，他显然也相信他们不单在口头上恐吓，也许当真会实行。局势的确很严重。

我在办公室中枯坐了一会儿，瞧瞧时计，霍桑已去了一个钟头。窗外风声加强了，呼呼得像猛虎怒吼。匪帮的哀的美敦书已经到限了。他们真会有什么举动不会？古人有个"如坐针毡"的形容词，这时用它描绘我的处境，可算恰到好处。这样我又挨过了一刻钟的光景，丝毫没有动静。霍桑也仍没有归来。

铃铃铃地响了一阵，施桂忽带着惊惶的脸色进来报告，说有电话要霍桑会话。我就走进去接应。我心中有一个疑影，立刻得到了验证。

电话中有个男人厉声问道："你是霍桑？"

声音果真不生疏，还是那个拐匪！

我应道："是。你是伍禄年？"

"对！我问你，你还不走？我给你的限时已经过了，你到底识相不识相？"

"你别再做梦！我老实告诉你。此刻我已经准备好了罗网，马上就要将你们一个一个地送进监牢里去！你等着吧！"

"好！嘿嘿嘿！"

一阵冷笑声，电话线便断掉了。这一次没有形成对骂的局面。我正待走出电话室，电话铃忽又响。我重新握起听筒，是霍桑从警署里打来的。他叫我赶快收拾行装，预备乘十一点钟的宁沪夜车。别的话没有半句，电话线也突然断了。

太奇怪！他真要离开上海吗？这不是他不敢违背匪徒的命令，预备偃旗息鼓吗？我刚才回答那匪，我的口气还很硬。现在怎么样？唉！我们这样子一走，霍桑的名声必然会一败涂地，以后又怎样做人？

我在万分懊丧之余，又不敢不依霍桑的话。我上楼去把箱子打开来，将应用的东西收集在一起，等他回来了装箱。

施桂忧愁地走进来，问道："包先生，你们……你们真要走？"

我点点头："是。"

他早也了解了这回事，我用不着再解释。

他又问："你们上哪里去？"

我答道："我不知道。"

"不回来吗？"

"也说不定。"

他摇头叹气地退出去。苏妈又进卧室来唤吃夜饭。

我摇摇头："不吃了。你收拾好吧。"

我回进办公室，情境真凄绝。约莫过了半个钟头工夫，我听得一部汽车停在门口。我知道霍桑回来了，立刻迎出门去。我刚到门口，从门口灯光中看见霍桑已跨下车来。

他喘息着问道："包朗，你都预备好了没有——"

砰！……

枪声一响。我蹲一蹲，又站直起来，跨下石阶。

砰！……

枪声再响。我不再蹲下去，看见一缕火光从汽车后面穿出来。我正待奔过去追捕，一声"哎哟"唤住了我。喊叫的是我背后的施桂；喊叫的原因是汽车旁边的一种景状。

霍桑已经跌倒在石阶下面！

假鸳鸯

十二月十日，星期日的晚上，在由宁开沪的二等夜车中，有两位客人很惹人注目。

这两位客人是一男一女，都操着北方口音。男的年约三十，身材很高，面方额阔，皮肤非常白皙，但一大半是雪花霜的成绩，他原来的皮色显然是苍黑的。他的眼睛上虽带着淡墨色的眼镜，却仍掩不住那英锐的神气。他身上穿着新潮时式的青灰云锦缎灰鼠袍，玄色铁机缎的曲襟马甲；下身淡蓝胡桃绉扎脚管裤，扎带是同质料，带端拖垂着；足上浅梁缎鞋，白丝袜；头上戴一顶淡灰色西式呢帽，角度并不正。总之他的装束很入时，不过时式得过了分，很像上海的拆白少年。那女子说不上怎样美貌，年纪比较男的略小一些，身材也相当高，这也是一个缺憾。伊的腕上有一副金钏，手指上戴着两三只金戒指；伊的衣服也十分华丽，一件茄花色的夹顾袍，罩着一件纯毛黄色花呢大衣，颈项间围着一条白丝围巾；一双天然脚上穿的是半高跟的黄皮鞋。可是质料式样虽都好，穿在伊的身上，似乎有些不大称配。就伊的外貌看，像是一个拼命学时髦的女子，但时髦的装束一加到伊的身上，终不免会走样，近乎"东施效颦"。这样的女子在上海市上本是随处可以碰见的。不过伊的男伴太漂亮了，既不像夫妻，又不像朋友，不伦不类，才不免惹人家的注意。车厢中的乘客们虽在对他们窃窃私议，仿佛疑心他们是"野鸳鸯"，或"假夫妇"；他们的姿态倒相当老练，只做不听见，仍旧自顾自地说说笑笑，得意非凡。

火车到达上海北站，他们俩提了皮包并肩下车。皮包上贴满了各地旅馆的标签——天津，南京，苏州的都有。他们出了车站，便雇一部汽车，直到新新旅馆去。他们在新新旅馆过了一夜，到第二天早晨，又提了行李，雇了两部黄包车，移到西新桥申江旅馆里去。申江旅馆的规模比新新旅馆小一些，房价当然也比较便宜。

那男子提着皮包先走进去。女的曳着不大习惯的半高跟鞋，扭捏地跟在后面。一个尖下巴茶房走过来迎接。男的便操着北平土语说话：

"要个小房间。有安静些的没有？"

"有！"

那茶房急忙答应着，弯着腰接过了皮包，预备引导。

男子又吩咐道："我们从新新旅馆搬来。外面有两部黄包车，付一付车钱。"

"是。"

尖下巴茶房又答应着。他向账房里说了一句，回身引导这一男一女上楼。他们选定了一间小房间。

那男的又向茶房说："我们从北平来，在天津，南京住了三个月，昨天才从苏州到上海。我们在新新旅馆里过了一夜，不舒服，开销也太大。现在搬到这里来，要是合意的话，我们是预备常住的。你得好好地伺候，赏钱不会少给你。"

"是。先生，我叫炳松。你有事尽管使唤。"

那茶房满面堆着笑容，巴结着这位显然有油水可揩的新主顾。他随即拿出一本旅客签名簿来。那男子依旧像在新新旅馆里一样，签了赵金寿三个字。

这赵金寿是个什么人？我为什么这样子细细地记述？还有那被手枪打倒的霍桑又怎么样了？这种种疑问大概都占据着读者们的意识，我应得来几句说明吧？

那位拆白模样的赵金寿不是别人，就是我的老友霍桑；还有那位学时髦的北平女子也就是区区的化身！

奇怪吗？我们为什么这样装扮？理由再简单没有。上一天晚上霍桑回寓的时候，有人从暗中发枪打他。他本是个绝顶敏捷的人。他的脚一跨下汽车，正在和我招呼，他的眼角里瞥见一个黑形从汽车后面闪出来。所以第一枪响时，他早就把身子蹲下；等到第二弹从他背后飞来，他立刻扑倒在地上。凶手虽连发两弹，看见霍桑倒下去，以为目的已达，实际上两枪都没有中。霍桑除了他的黑呢外衣上沾了些灰泥以外，连汗毛都不曾伤一根。当时我奔到他旁边去救助，只瞧见一个黑影跃上了一辆摩托自行车，飞也似的向黑暗中逃跑。我明知这凶手就是匪帮，当然想借了汽车追上去。但霍桑立即阻止我的行动，不许我追赶。

我们回到屋中，霍桑不发一言，但吩咐施桂赶紧收拾行李，并指定把东西放在某一只皮包内。那辆汽车仍等在门外。他自己在办公室中拣取应用的东西。

我问道："霍桑，我们除了遵守他们的命令以外，难道没有别的法子了吗？"

霍桑附着我的耳朵道："我们马上离开这里，就是一个法子啊。"

"这法子的内容怎么样？"

"对不起，你耐一下子。此刻不是解释的时候。"

"那么我们现在还没有完全失败吗？"

"失败？不！恰正相反！"

"霍桑，什么意思？跟失败相反的是胜利啊。"

"对，我们所企图的就是胜利！"

"我们果真能够胜利？"我简直不敢相信。

他一边关拢一只抽屉，一边坚定地说："当然，一定胜利！我希望你别妄自丧气！最后的胜利一定是属于我们的！"

这番说话足够刺激我的颓唐的神经。我的心里安慰了许多，精神也顿然振作。霍桑开了铁箱，拿出了一大沓钞票，又亲自上楼去帮施桂收拾行李。一会儿施桂把一只贴满了各地旅馆名笺的大皮包提下来。霍桑向施桂叮嘱了几句，我们就悄悄地从爱文路寓里出来，一直登上火车，乘夜车回苏州。

我们就在苏州城外新闻旅馆里歇下。次朝起来，霍桑先发出了一封信，然后再把进行的计划说给我听。

他那天下午调查的结果，探得某某几个旅馆都是拐匪的接洽机关。他们派人一直驻在那里，专等待拆白恶少们勾引了妇女进去，卖给他们。这一着他早先本已听那乔装的妓女提起过，后来他在德仁路十九号里，从废纸中寻着了几张旅馆发票，又有了印证。他和汪银林会面以后，就调查所得，更确切地探明了几家。他预计要得到拐匪的线索，除了亲自往旅馆里去和拐匪接近，没有别的办法。汪银林认为拐匪们狡猾异常，必须谨慎从事，方可免第二次失败。他才想出乔装的计划，叫我装作待卖的女子。

当那天早晨霍桑在新闻旅馆中把这计划告诉我时，我对于乔装女子的事还不肯立即应承。

他正色说："包朗，你不是应允帮助我的吗？你对于那一班可怜的妇女明明很同情，此刻怎么退缩起来？"

我答道："我不是退缩。同情是衷心的，但你要我装扮女子，我怎么干得了？"

"我们为社会服务，一方面既然决心要铲除恶匪，一方面又企图挽救那未来的可怜人，又怎能顾忌什么？"

"我不是顾忌。我不曾演过新剧，怎么会扮得像？"

"你放心，我会导演。"

"你不能请一个真的女子合作吗？"我还不敢应允。

他反问道："请一个女子？哪里去请？要找一个有热忱，同情我们，而且又机警勇敢的女子，你想一时间办得到吗？"

我依旧犹豫："虽然，我所装扮的又是个私奔的荡妇，我又何以为情？"

霍桑忽大声道："唉！我不怕降贬我的人格，去乔装一个万恶的拆白流氓，你却还顾虑到这层！"

我低下了头，回答不出。

他拍拍我的肩，低声说："包朗，你已经明了这件事的局势，这一个主角实在非你莫属。你看在我们的神圣义务的分上，来一次'勉为其难'吧。"

我踌躇道："扮女子是犯法的——"

他马上阻住我："你犯法，目的就在于维持法律。谁知道了谁也要敬佩你呢。"

那时我为义务所迫，无可推诿，不得不勉强允诺。可是女子的态度、声音、笑貌和彼此间的称呼，我都没有经验。幸亏霍桑实践他的导演的诺言，尽力地教我。教了半天，我才慢慢地娴熟起来。那天下午霍桑又出去购了几套衣服，兑了些金货首饰，装扮定当，我们才一同乘夜车重回上海。

我们从新新旅馆移到申江旅馆以后，假夫妇的生活居然渐渐地熟习了，过了两天，还没有露出什么破绽。

我装扮的第一天，一步一顿，未免有些含羞；到第二天便略为自然一些，那个尖下巴的炳松有时向我偷瞧，我居然也敢回他一眼。

霍桑私下告诉我，这申江旅馆就是拐匪接洽的机关之一；我们须随处谨慎，不动声色，还须耐着性子，等他们上钩。我知道我们的任务相当重要，这假把戏虽十二分难受，可是事实上不能不忍受几日。我们日间在旅馆里躺卧，夜间则往戏院舞场酒馆和游戏场去乱逛。幸而当此冬天，整日地伏在一间斗大的小房间里，还勉强可以过去，假使在盛夏天气，那准会闷出病来。有一点我得特别提示，无论出门不出，那条白丝围巾始终不离我的头颈。

两天过去了，没有动静。只有隔房的一位山东客人，又黑又肥，而且面上胡须剌剌地可怕。他一见了我，把一双贼眼盯在我的面上，似乎不怀好意。我心里非常气恨，恨不得上去将那副贼眼挖出来，儆戒他一下。可是这怎么可以呢？我只得低下了头，不睬他。

十二月十二日，吃过了午饭，霍桑唤炳松去买一张《申报》。他关上了房门，读了一会儿报，忽然立起身来，笑嘻嘻地走到我的面前。

他指着一行本埠新闻，低声向我道："瞧，这里有一段有关系的新闻。"

通　信

那新闻前面有一行三号字的标题："大侦探被刺。"

下面记着：

> 私家侦探霍桑，当大前天九日晚上回寓时，忽然有人行刺。刺客连发两枪，第一枪打中霍桑的左背，霍君登时倒地；第二枪幸而没有命中。当时他的挚友包朗君奔出救助，那凶手便乘摩托自行车逃去。霍君的伤口不幸发炎，伤势很重，现正在某医院医治，侦探职务不得不暂时停止。行刺的缘由如何和刺客为谁，警署方面正在侦查中，尚没有确实的消息。……

我也低声说："这新闻像在诅咒你。"

霍桑嘻一嘻："那是我自己送去登的。"

我想一想，答道："莫非前天早晨你在苏州发出的一封信，就是投寄这一段新闻？"

霍桑点点头。

我问道："你登这段新闻一定有作用，是不是？"

霍桑道："是，不过也没有什么特殊用意。我只希望这消息一传出去，匪徒们也许会放心松懈一些，不致处处严备。如果这样，我就有隙可乘。"

"虽然，这新闻传播到社会上去，对你的名誉不是也会产生影响吗？"

"这倒不消忧得。你知道事情的成败在最后一着。现在的消息虽恶，将来最后的胜利终归我们，那不但不足损害我的名誉，也许反足以引起社会上的同情。"

霍桑又取起报纸，他的眼光又注射到报上，很留意地继续读那新闻。霍桑的话固然不错，只要最后的胜利果能得到，眼前的挫折当然不成问题。不过照现势看来，我们对胜利的把握尚在可知不可知之间，他的自信不会有些过早吗？

霍桑忽又低低地惊怪道："这广告不是他登的吗？……唔，难道他果真有了什么信息？"他的眼光专心地注射在报上，似乎在究索字行中的秘密。

我忙问道："什么广告？"

霍桑指着一节，答道："在这里，你自己瞧吧。"

我接过报一看，有一行很简短的广告：

项君：庸琪有信，据云有销路，请速归。珊白。

我读了一遍，又读一遍，仍索解不出。

我说道："像是一种商业通信。"

霍桑点点头："对，很像。"

"你以为它和你有关系？"

"是。"

"就关系这拐匪案的？"

霍桑又点点头。

我又说："那么，这项某是谁？具名珊的又是——"

霍桑忽然轻轻地笑一笑："你不认识项某？他正在和你谈话呢。"

我诧异道："是你？你几时取这个化名——"我忍住了，脑中有一个想法："唉！不错，那项字就是从你的姓名上切出来的，是不是？"

"你猜着了。……唔，你在音韵学上用过些功，究竟还没有忘掉反切。但那广告中的意义，你可也瞧清楚了没有？"

"那句意似乎还不难明白。但那具名'珊'字的究竟是谁？"

"你不认识他？再切一切就明白了。"

我低头想一下："唔，这珊字也是用姓名切成的？"

霍桑点头："是。再进一步，便不难中鹄。"

我忙道："是施桂？"

霍桑又低声笑道："包朗，你的解谜本领进步了。你瞧他的通信里含有什么用意？"

"据字面着想，似乎有一个唤作庸琪的人，有什么消息报告你。'销路'两个字，一定是线索的意思。那消息也许可以做你的破案的线索，所以施桂盼望你回去，以便和那人接洽。"

"正是，正是。"

"从这一节看，前晚临走的时候，我们应留驻在那里，你当时还没有确定？"

"不，早已确定了。我和汪银林商议之后，就决定到这里来。"

"那么，你为什么不把我们的地址告诉施桂？否则，也可免得叫他在报纸上通信，容易招人家的注意和猜疑。"

他摇摇头："唔，你这话未免不计利害。你想我若把我们的踪迹说明了，使他直接通信到这里来，我们的机密不是有给匪徒窥破的危险吗？因此，我临行时叮嘱施桂，如果有什么要紧消息，可在《申报》上登一节广告，我再设法和他接洽。"

解释很满意。我停一顿，又提出一个问句：

"你现在可要想法子和他接洽？"

"是，我正在这里打算。"

"你用什么方法去接洽？悄悄地回去？还是打电话——"

"不！都不行。我若使自己回去，一样很危险。白天打电话也不大安全。我应当另寻别法。不过……"他蹙拢了眉毛，顿一顿，"不过我对于这节通信有些怀疑。"

"疑什么？这通信不是施桂所登，或者是有人冒名假托的？"

"不是。施桂不懂得反切，是我指示他的，别的人不能假冒。不过他的通信上说，那妓女有消息，得到了什么线索——"

我插口道："什么妓女？"

霍桑道："你还不知道？这不是反切了。这是施桂的聪敏，发明了谐声。不过我觉得还冒险。"

"喔，那'庸琪'二字就是营口妓女的营妓二字的谐声？"

"对，你想这不是太显露吗？他明明说那妓女有消息给他，他已得到了什么线索。但据我推想，妓女既然进了医院，哪里还有什么线索？因为他所说的线索必是指匪徒说的。但是医院方面我另有埋伏，有消息应当从别条路来，伊不会给我消息。难道伊已经离开医院了吗？那也不会。因为我叮嘱何院长，不得我许可，不能让伊出来。因此之故，我不能不有些怀疑。"

我沉吟地说："也许那匪徒知道妓女进了医院，为刺探起

见，特地派人假装着患病，混进医院里去。妓女瞧破了，特地
报告你，盼望你去擒贼破案。"

"我说过了，如果如此，别方面也得有情报。……唔，无
论如何，我得去查一个明白。"

这样又过一天，更没有别的消息。我和霍桑依然过那假夫
妇生活。我的一切举止行动，虽然一天纯熟一天，但偶然有什
么谈论，总须鬼鬼祟祟地低声下气，实在很难受。

到了第三天，十三日早晨，我问霍桑可有什么端倪，这旅
馆里面到底有没有匪徒。

他仍安闲地答道："耐心些。机会是应得静候的，万万不
能操切。我们若能安心守待，机会少不得会来寻我们。"

议论近乎空泛敷衍，我不能满意。机会会来寻我们？这机
会几时才会来？一个月？两个月？我怎能够耐心守下去？我自
然很纳闷，可是也没法可想，只得听霍桑作主。

那天傍晚发生一件小小的事情。霍桑取了我手上的一只手
钏和几件首饰，叫旅馆的茶房炳松出去典质。我知道这是有作
用的，分明要模仿那些拆白的举动，使匪徒们信而上钩，并且
想利用那尖下巴家伙。

那天晚上我们到了新舞台后，霍桑悄悄地溜出去，让我一
个人留着。到了散戏前半个钟头，他又从外面溜进来，悄悄地
附着我的耳朵说话：

"施桂的通信，我已经设法探明白了。"

这句话的吸引力当然大，我的烦懑的情绪立刻得到松散。

我低声道："他怎么说？到底有没有线索？"

霍桑摇头道："哪里会有什么线索？这无非是匪徒的诈计。"

"是什么一回事？"

"我和施桂通过电话。他说，那妓女从自新医院里打电话到寓里，说有匪徒混迹在医院里，所以叫我去接洽捕匪。我又溜到医院里去问那妓女。伊自从进了医院之后，终日躺在床上，非但没有打过电话给施桂，也从不曾和外边的人接触过一次。汪银林派在那里的探员，也不曾看见有形迹可疑的人进医院去。可见这电话明明是匪徒们的诡计。"

"匪徒假冒了妓女打电话，又有什么用意？"

"我想他们大概因为不知道我在什么地方，未免有些怀疑和担忧，所以想探探我的迹踪。"

"那么施桂可会漏出秘密。"

"没有。这方面他还聪敏。他告诉那女人，我受了伤在医院里，医院的地址不明，他也无从通知我。"

入 彀

十四日的傍晚，霍桑忽然又高兴地告诉我，据他的观察，这旅馆里面确有匪徒寄迹。他们组织很严密，和旅馆轮船都有联络。现在时机还未成熟，这拐匪还不敢和他接近。这一天晚上，霍桑又取了另一只手镯和几件皮袄，悄悄地给炳松去当。得钱之后，他赏了炳松十块钱，又照样同我出去挥霍滥用。

这样过了几天，已是十二月十六日星期六，典质的东西一天减少一天，霍桑的经济也显得一天穷迫一天。那一天晚上那匪徒果然就投进了霍桑的罗网。

有一个匪徒来和霍桑接洽，居间的果真是那尖下巴。霍桑起先还若即若离，不敢一口应承。那匪徒就用金钱的势力诱惑霍桑。霍桑便将计就计，慢慢地和他接近。到了十八日的午后，事情更进步了。霍桑从外面进来，他的神气格外兴奋，两只眼睛奕奕地有光。

我低声问道："怎么样了？有进步没有？"

霍桑点点头，含笑道："你有了主顾了！"

"那好极！我正盼望早一天得到主顾，早一天可以丢去这假面！"

"你别心急。我们最后的成功，也许就在早晚之间了。"

"这么快？事情进行到怎样程度？"

"据那匪徒告诉我，有一位富翁正想娶一个小星。我倘使肯将你嫁给那人，就可以得到一注现款。这自然是谎话。他们的真目的，只在于把妇女送进火坑里去，才可以多得代价。"

"你怎样应付他？"

"我起初只是含糊答应着。他一再怂恿我，我才向他开价。"

"多少？"

"一千元。"

我笑道："我只值一千元？"

"他还嫌太贵呢！"他牵牵嘴角。

"那么他可会还价？"

"他只肯给五百元。我不答应，非八百不可，所以此刻还没有回音。"

"不会弄僵吗？"

"不会。他们既然寻得了一块肉，哪里肯轻易放过？"

"虽然，你若是故意抬价，他们也许出不起，岂不要耽误大局？"

"八百元并非高价，你不必过虑。我所以抬价也有用意：一则，要使他深信不疑，才不致半途发生阻碍；二则，我抬价大了，这个接洽的匪徒——他显然是个小角色——不敢自专，我才能因势利用。"

我道："你现在打算怎样进行？"

霍桑道："论理，我此刻得到了匪帮的引线，尽可以直截痛快从他身上捕匪破案，但就现势而论，我们正不必操切从事。他们愿意出价，我们不妨将计就计，等钱到手之后，再捕拿不迟。你总知道，他们的钱个个是由人家的血肉化成的，若能用来做些善举，自然比放在他们的袋中好。"

"唉！你还打算做一注买卖！"

"是。我们这种行为，就法律的眼光看，也是一种骗局，但就伦理上说，我们的良心并无不安。"

我想了一想，又道："你设这个骗局，应得格外谨慎才是。否则机关一露，不但骗不成功，怕会前功尽弃。"

霍桑点点头："自然。我因着前一次的失败，此番已处处小心。现在匪徒既已入了我的彀，我绝不会再让他们脱钩。"

"但愿如此。我因着这案子时时刻刻在提心吊胆。"

"你尽安心。只等他们的论价的回音一到，我们就要动手。"

我又问道："那么动手的方法你可曾准备妥当——"

霍桑陡地摇摇手，敛神倾听，似觉得房外有人经过。我立即住口。他向我点点头，开了房门，缓缓地踱到外边去。我跟着他悄悄地走到门口，探头张望了一下。有一个人经过我们的房门外面，慢慢地走进隔房里去。那就是那个山东口音的黑面大汉。这厮面目可憎，又时常向我偷瞧。莫非霍桑所接洽的拐匪就是这个人？

我把房门关上，重新耐着性子坐下，静待霍桑的消息。直到晚饭时候，霍桑才走进房来。他起初毫无表示，先和我一同吃了晚饭。饭罢了，茶房炳松进来收拾碗碟。霍桑才故意振着喉咙和我说话：

"我们在这里玩得腻了。我打算换一个码头，舒散一下。丽珠，你的意思怎么样？"

丽珠是我的假名。我知道言中有意，便也假意接应。

我答道："是，我也觉得很闷。小赵，你想往哪里去？"

"汉口我有不少朋友，或者可以找些事做。这样子费用也可以不消忧得。"

"那很好。你想几时走？"

"就是今夜里，怎么样？"

我的心房微微一跳。时机成熟了吧？我装作惊怪的样子。

我问道："为什么这样子急促？"

霍桑柔声道："不为别的，因为今晚上有一只轮船开往汉口。那船上我恰巧有几个熟人。出门有熟人招呼，一切都可以便利些。"

霍桑信口撒谎，竟能如此熟流，恰肖一个拆白党的口吻。我不禁暗暗地发笑。我故意低沉了头。炳松端了碗盘要走出去。

霍桑催问道："丽珠，你同意不同意？"

我应道："既然如此，凭你好了。"

霍桑装出很高兴的模样，立刻唤住了那刚要出房的茶房，叫他赶快算账。我等那尖下巴答应着出去以后，向霍桑瞅一眼。他关了门，附耳告诉我：

"代价谈妥了。"

"多少？"

"六百五十元。他已先给了二百五十元定洋，其余四百元，叫我把你送到船上之后人钱两交。所以你还得走一遭哩。"

"真要上轮船？"

"自然。今晚上有一只往来大连的大顺外国轮船，要在十二点开。我早料他们今晚就要成交，就因着他们要乘那只轮船。他约我今晚十点钟在大顺船三号舱里成交。现在九点快到，我们应快些预备。"

"预备动身，还是预备捕匪？"

霍桑忽伸手在我的肩上轻轻拍一下："兼而有之。你带一把手枪，以备意外不测。捕匪的一切手续，我都已准备妥当。"

搏　斗

那晚九点一刻，我们从申江旅馆里动身，雇了一辆马车，一直往怡和码头上船。我在马车里时，想乘机问问霍桑，那接洽的匪徒可就是那隔房的山东客人，并且上船后怎样动手捕匪，也得预先商议一下。不料我正想开口，霍桑忽用他的肘尖在我的肋下抵一下，似乎叫我不要作声。我向他瞧瞧。他把嘴唇向车夫的背后撅一撅，暗示这车夫也许是拐匪的同党。我只得抱着疑团，闭口无言。

我默想我们上船之后，用怎样的方法捕匪，实是一个重大问题。那时候那不平等的治外法权还压制着我们的国家。无耻的奸徒就依赖外力做护身符，干出种种不法的勾当，欺凌和残害自己同胞。我们一切落后，航海权也都给外人控制着。凡旅客一经登了外国轮船，船主便有保护的权力。若没有正式的拘票，断不能擅自捕拿罪犯。霍桑虽说一切手续都已准备好，这一着他也想到没有？他和我分离的时候不多，准备上能周密吗？

马车到了船埠，霍桑先下车付了车费，一手提着皮包，一手扶我上船。船梯上很热闹。有些人见了我们，停足注目。忽然有一个人和霍桑擦肩而过。霍桑毫不在意，但把扶我的一只手，伸进他自己的衣袋里去摸了一摸，径自上船。

我们上了甲板，霍桑向一个茶房问三号舱在哪里。那茶房向霍桑和我端详了一下，方才回答。

他冷冷地道："三号舱有人定去了。你姓什么？"

霍桑应道："我叫赵金寿。方才有一个姓费的朋友，约我到三号舱里来。"

茶房点点头："对了，定舱的本是姓费。跟我来。"

他回身引导，一直领到三号舱里。那是头等舱，容积相当宽大，两边有上下层四只榻，中间还有一只小方桌。但是舱中却空无一人。茶房退出去。霍桑放下皮包，坐下来。

我瞧瞧手表，已经十点钟了。时候已到，为什么不见人来？会有什么意外的变端吗？我又联想到匪徒如果来了，我们又怎样下手？这辈恶匪平日既然横行不法，当然也不会安然就缚。他们船上的同党有多少？我们两个人抵敌得住吗？我猜想刚才在船梯上和霍桑擦肩而过的人，大概是他埋伏的助手，但我不便问。霍桑仍很镇静。他果真从衣袋中摸出一张纸，偷偷地看一看，他的嘴角牵一牵，随即一眼不霎地瞧着舱门，似乎在等待匪徒进来。

十点半钟了，还不见动静。

我不免有些惊骇。真会有什么变端吗？我虽没有开口，我面上的神色不觉已流露出来，霍桑一回头，似已觉察了我心中的意念，立即摇摇头，暗示我不必忧虑。

手表上已指十点四十八分。舱中还只有我们两个人！

漏了风声吗？怎么办？

正在这个当儿，舱门的门钮陡地转动了一下。接着舱门开处，走进三个人来。

那为首一个身材短小，穿一件灰哔叽的棉袍，一进门便向霍桑点了点头，又返身向第二人低声说了几句。第二人是个四十五六的黑麻子，大蒜鼻，身材相当高，穿着一件深色条纹花呢的羊皮袍子，上面罩着直贡呢马褂。我瞧他的神气，似乎地位比同来的两个人高些。末后一个穿灰布棉袍子，戴一顶鸭舌帽，黑脸大口，个子也很高，好似曾经相识。定神一想，我记起了他的特别标志——一双不相称的鼠目。那人就是那天冒充了王仆，到我们寓所里探听口气的家伙。现在我们已经改了装，他还能认识我们吗？我在一瞥之间，把这三个人约略观察了一下，却不见我期望中的黑髭大汉。我随即低沉了头，一手放近腰旁，以备决裂时可以立刻取枪。

霍桑开口说："费先生，我们等候好久了。刚才我已向内人说明白，我还有件要紧事，今晚上来不及走了，只得烦劳你们，先将内人带到汉口。我耽搁一两天就来。路上一切费心照顾。"

那短小身材的很婉和地应道："可以，可以，那是顺便的。你拜托了熊老板，尽管放心。……这位就是嫂夫人？"

三个人的目光同时都注射在我的面上。我仍低垂了头，心中暗自思忖："此刻你们还瞧不清楚哩！等一会儿你们也许可以认识我的真面目！"

霍桑立起来，走到那小身材的姓费的面前，彼此附耳交谈。我听不出他们说些什么，但已明了在申江旅馆中接洽的一定就是他。那穿花呢皮袍的人从衣袋里摸出一卷钞票，交给霍桑。霍桑接手了，不慌不忙地一一检点。

他抬起头来，低声道："这里是三百，怎么少一百？"

那麻子冷冷地答道："算了！别不知足哩。大家放个交情吧。"

耗子眼睛的说："你将就些吧。"

霍桑一边把钞票叠起来，一边说："那么我留一百元的交情在你处？"

麻子说："对。你不是要托我照顾你的老婆吗？"

短小的家伙拍拍霍桑的背："好了，别多说，你上岸吧。"

那假王仆霎一霎鼠目，也说："朋友，走吧。我们后会有期。这叫作一遭生两遭熟。哈哈！朋友，上岸吧！"

霍桑答道："急什么？要走你们也得一起走！"

三个人交换了一下闪电般的眼光。

霍桑慢吞吞把钞票叠好了，笑道："你们真精明！不过这个数目也可以算聊胜于无。"他忽而提高了喉咙叫我："包朗，你记着这个数目，一共是五百五十元，不是六百五十元。明天你还得备一封信，连着这笔款子，送交民众义务学校去。"

局势已发展到了顶点。霍桑还是好整以暇，笑嘻嘻地把纸币放入袋中。穿袍褂的麻子怔一怔，他的嘴张开了。我知道时机已到，即刻就要决裂，抬起头来，一手伸入衣袋里，握住了枪柄。那个姓费的匪徒听了霍桑的话，似乎还莫名其妙。鼠目的比较机警，立即露出惊怪状来。

霍桑的放纳纸币的手抽出来时，乘势在衣囊中取出三副铁铐，往桌子上一丢，锵然地响一响。我的手枪也同时出了袋。

三个人都顿时变了色，有些不知所措。霍桑把假发和眼镜一起丢了，显出了他本来的面目。他的脸儿一沉，胸膛一挺，便厉声呵斥：

"你们这班匪徒！干得好事！你们丧尽了天良，不知坑死了多少可怜的妇女！今天你们罪恶贯盈的日子到了！"

那冒充王仆的人张大了小眼，惊呼道："唉！你是霍桑！"

霍桑也拔出了枪，应道："岂敢！我们曾有一面之缘，你的记忆力倒还不弱。"

麻子的手有动作了！他要摸手枪！

"别动！"

我喝一声，站起来，把枪口对着他。

舱门口有个头探一探，立即退出去。我知道是同党，想回头喝住他。霍桑似乎摇一摇头。姓费的想出舱去。

霍桑急忙走到舱房门口，关上了门，把背贴在门上。

他说："喂，大家安静些，坐一坐！"他走近那鼠目人："听见没有？坐下！"

他用左手一推，假王仆服帖地坐在小榻上。那接洽的费先生煞白了脸，自动地坐下，在颤着。独有那穿花呢皮袍的熊老板还站着，睁着一双怪眼，瞧瞧霍桑，又瞧瞧我，模样还很镇静。他露着牙齿，显出一种苦笑。

他说："霍桑，你的确有胆量！但你也得小心一些，摸清头路。你这样子装腔作势，只能吓吓没见过世面的乡下人，你想吓我们不成？"

霍桑冷冷地笑道："当然，我并不想吓你。这原不是吓吓的事。"

麻子说："你还打算做真戏？"

霍桑道："你想我此刻不能够捕拿你们吗？"

麻子的鼻子里哼了一哼："你既然知道了，我也用不着多说。你把那桌上的劳什子收拾好了，快些上岸吧。"

霍桑冷笑道："这劳什子我既然拿了出来，还是你替我带回去吧。我告诉你，我来捕拿你们，早已领到了正式拘票。在这里，要瞧一瞧吗？"

那人还硬着嘴道："拘票？有什么用？我看你还不知道。拘票的权力只限于岸上，一到甲板上面，便成了废纸！你识相些，还是快走！"

霍桑已从袋里摸出一张先前看过一看的纸，骂道："冷血的东西！你还想依赖外力吗？你自己瞧吧，这拘票上已经有船主签的字。"

麻子呆一呆，脸色泛白了。我的眼角里瞥见那灰布棉袍的鼠目人突然伸手抽出一支黑钢手枪，霍地立起来。可是霍桑的动作更快些。他的身子一蹲，飞起右腿，踢一脚。

咯噔！

王仆的手枪落了地。霍桑马上抢过来。

他向我道："包朗，你把这三个人照顾着。他们如果不安分，你尽管开枪！"他将拘票重新纳入袋中。

我移转枪口向三个人对着。鸭舌帽颓丧地重新坐下去。

那穿皮袍的麻子显然已心慌。他的手想活动，可是终不敢提出来。那接洽人更惊慌，同样不敢擅动。霍桑把拾的枪挟在右肋下，一转身已到了舱门口。他的左手握住了门钮，像要拉开来。

咚！……咚！……咚！……

舱门上有声音。有人进来了。霍桑立即放掉了门钮，退开些。他的右肋下的一支枪立即回到了左手中，两支枪暗暗地对着舱门。我分任另一职务，防三个人有什么异动。

舱门开，一个黑衣女人像熟悉这里似的首先跨进。伊的年纪超过四十，满脸涂着脂粉，但是掩不住伊的粗眼阔嘴的丑相，跟在后面的是另一个紫衣女子，年轻而姣好，却有些羞怯的样子。奇怪！走错了舱吗？我的疑惑立刻得到解释。紧随在后面的还有第三个人，是个男子。他有个圆脸，黑眉毛罩住了一双美目，鼻梁也高直，身上穿着一件棕色马裤呢的大衣，里面是一件淡雪青色的大花绸灰鼠袍。三个人一进来，两个女人呆住了。那殿后的男子正在关舱门，也察觉了空气的不和谐。

他诧异地说："老熊，怎么？"

他说话的对象是那穿条纹花呢袍和黑直贡呢马褂的麻子，但麻子不理睬，理睬的是费先生：

"小金，你——"

霍桑立即向那新来的男人说："唉，巧极！小金，今夜你又有一注交易？"

机运又眷顾我们了！我记起了那天那妓女所描摹的面貌和衣服。这个男子分明就是诱卖那人的流氓！他显然又带了一个俘虏——第二个美貌而穿紫呢大衣的少女——来交货。首先进来的一个女人大概是女拐匪。

小金回头说："你是谁？干什么？"

霍桑答道："坐下来！你马上会知道。我要找你，没处找，谁知你会自投进来。快坐下！"

霍桑的枪口扬一扬，小金明哲保身地服从了。那女匪嘤了一声，也倒在小榻上。那被骗的女人在发抖。伊向一群人瞧来瞧去，像要哭出来。霍桑又走到舱门口，拉开了门，探出头去，呼啸一声——似乎他预先约了助手，此刻便发信号招呼他们。呼啸声音一连发了三次，霍桑就回身进来。正在这时，我猛见那被叫作老熊的略一俯身，忽从他的皮袍底下摸出一件亮闪闪的东西。

砰！……

这是老熊放的枪，目标是霍桑。

砰！……砰！……

回敬的有两枪——一枪是我，一枪是霍桑。老熊倒下去。

"哎哟！"

紫衣女子骇叫了。小金忽也举起一把小刀，向着霍桑想猛刺。

砰！……

我瞧得很清楚，他的刀将要下刺时，我又扳动枪机，发射了一枪。子弹打中他的腿部。他惨呼一声，身子一晃，顿时横下去，和那正在呻吟的老熊去做伴。姓费的和假王仆都慑服了，不敢再暴动。只有那黑衣裙的女匪不知利害，忽然想夺门而逃。霍桑又飞起右腿踢倒了伊。

连续的枪声引起了舱外的纷扰，惊呼声和脚声都有，不少人拥到舱门口。又有三个男人走进舱来。我瞧他们的神气，便知道都是警署侦探。

霍桑指挥他们道："你们先把这两个男人铐起来。"

侦探们拿了小桌上的桔具，先将短小身材的姓费的和鼠目方颏的假王仆都锁住了。

霍桑又指着地上的两男一女，说："这两个男人虽有些伤，但不厉害。你们把他们一起送到警署去。这女人也是同党，别放松。"他又回头瞧那靠舱壁发抖的紫衣女子："这女子险些进火坑。你们好好地照顾伊。"他提起先前带来的皮包，向我道："包朗，这一件案子现在总算已告一个小段落。我们可以上岸回去哩。"

"再回头已百年身!"

十二月十九日的早晨,我在爱文路七十七号寓里起身得很迟。我因着连日蜷伏在小旅馆里,空气既沉闷,又戴了一个荡妇的假面具,一举一动都不自然,实在觉得难受。不但如此,我又因为第一次失败的影响,心中怀着鬼胎,忧成虑败,梦魂都不能安宁。直到十八日晚上,霍桑果真捕获了四个拐匪和一个拆白,又救了一个被拐的少女,大功告成了,假面得去,我才自由。所以我回寓之后一枕便睡,非常酣熟,直到红日满窗,我才渐渐地苏醒。

那时霍桑的床上空着,似乎已先我而醒。我梳洗既毕,就下楼去寻他,照例要他解释侦查的经过。他自个儿坐在办公室的火炉旁边,衔着纸烟在吐吸。小瓷钟在滴答滴答地响。嫩黄的蜡梅萎落了一大半,好几朵干黑的花尸留在炉檐上,施桂还没有收拾掉。室中的空气很宁静。

霍桑含笑道:"包朗,早。昨晚上可曾安眠?"

我应道:"安适得很。你怎么样?……嗯,我瞧你的神色,好像没有睡好。是吗?"

"是,昨晚我没有睡好,但希望今夜里可以好好地睡。"

"为什么?昨晚上你不是已经得到了最后胜利吗?"

"不,你还不知道。昨晚的成功只是部分的,还不能算最后的胜利。"

"你还有更大的计划?"

"是,计划早已决定了。我正在等成功的消息。"

我惊疑地问道："这又是一种怎样的计划？"

霍桑吐了几口烟，方始说："昨晚我们捕得的五个人，除了小金不算，那中枪的老熊虽也是一个首领，但不是主脑，我看只是个小首领罢了。我们费心费力，若是只捕得三男一女，实在算不得什么。因此，我定计的时候，早就想捕那匪帮的魁头，消灭他们的整个组织，然后斩草除根，在救济方面才可以收获相当的效果。"

"这计划还没有成功？"

"照我的计划，昨晚上或者就可以把那魁头一并逮捕。因此我回寓以后，等候电话报告，不料等到半夜后三点钟，还没有消息。"

"会不会有什么变端？"

"我想不会。"他的神气上有些疑滞。

我又问："那么你的计划的大纲怎么样？"

他顿一顿，才说："我布置了好几条伏线，目的在侦得匪首的主要窟穴，以便一网打尽。第一线是自新医院。我料想那妓女进医院去，匪帮一定会知道，所以早就派人守伺着。施桂接得的假电话，证实了我的料想，我知道他们要探知我的踪迹。前天十七日下午，果真有一个匪徒到医院里去，假托亲戚的名义，要探问一个叫李琇瑾——这也许就是那妓女的真姓名——的患花柳毒的女人。医院方面拒绝他。他没有成功，反而供给了一条线路，但那个探员欠灵敏，也没有查明匪窟。第二条线就在旅馆里。昨天我故意抬价，就要他提供一条线路。我想这条线不致再会中断。"

"你说他是谁？"

"就是那矮子费永福——这当然是假名。我知道姓费的是个小喽啰，只担任奔走接线的工作，没有决定价格的全权。我一抬价，他不得不去见老板，那自然就可以形成一条线路。此外……"他又疑迟地停住了。

"你可是还有第三条伏线？"

他点点头："是。那是一条临时的线。你可记得昨晚上那熊麻子第一次想摸枪，给你喝住之后，有个人探头进舱门里来吗？这显然也是个匪徒。他听得了舱中的声音，又看见你拿着枪，一定会赶回去报告主脑。轮船上早已有不少探员。所以我相信这报信的人也会供给线索。"

我停一停，又问："你布置了这些伏线，给你执行的人是谁？是不是汪银林？"

霍桑吐出一串烟，应道："总指挥自然是他，此外还有大批探员。这件案子规模相当大，警署方面自然不能不总动员。连孙厅长也忙得很。"

"不过你本人不大自由，你用什么方法和汪银林接洽？可是用电话——"

他丢了烟尾，摇摇头："电话？那怎么行？岂不太危险？不，汪银林是在我的身边的。不然签拘票是临时的，又得叫船主签字，急迫中怎么来得及？"

"喔，汪探长在你身边？"

"是啊。你不知道？"

我一时答不出，不觉涨红了脸。霍桑突然从椅子上仰起身来，引耳向外面倾听。他霍地立起来。

他作惊喜声道："这不是汪银林的声音吗？"

他忙着拉开办公室的门，一个躯干阔大的短胖子踱进来。他和我打了一个招呼，便把两手拱一拱，操着带些山东口音的上海话说话。

他道："霍先生，恭喜！恭喜！那位大首领王老胡子已经被拿住了。"

霍桑高兴地说："那很好！银林兄，此番你的功劳真不小！我给你道喜。"他伸出右手来，和来客紧紧地握一下。

汪银林答道："霍先生，哪里话？这件事的成功，完全是你一个人的计划。我们不过听命奔走罢了。"他又回身向我笑一笑。"这案子若要论功，包先生的功绩也不小。……嘿嘿嘿！我说句笑话。包先生，你在旅馆里的表演真不坏！"

我又红一红脸。我和他打了一个照面，才恍然觉察了。原来申江旅馆里隔房的那位黑脸大汉就是汪银林。

我也笑道："银林兄，你化装的功夫真奇妙！老实说，在旅馆里时，虽在隔室，我竟辨不出你。"

"喔，真的？其实说到化妆，我怎么及得上你们俩？"

汪探长在一阵笑声之后坐下来。霍桑开了抽屉，拿出一支雪茄来，递给汪银林。霍桑和我也坐下了烧纸烟。

汪银林说："霍先生，这班拐匪真厉害，组织很严密，首脑有两个。大首领就是王老胡子。他做过什么营长，真姓名叫王振，化名可不少了——伍禄年，章桐，吕熙声——我也记不清。他今年六十岁，老婆有四个，身体很结实，也和老熊一样高。老熊是副首领，专任出门护送和出卖女人的事。王老胡子坐镇上海，一切计划都由他决定。他手下的小匪真不少，分派在七八个旅馆里，真厉害！"

霍桑说："那么你们昨夜里一共捉住了几个？"

银林说："十九个。连你们在船上捉住的四个算在内，一共是二十三，十七个是男的，六个是女的。"

我惊异地说："了不得！上海社会有这许多恶匪在横行，无知的妇女们多么危险啊！"

霍桑舒口气，问道："银林兄，昨夜的事剧烈吗？有没有伤人？"

银林说："还好。王老胡子吃了我一枪，子弹打在小腹上，不会死。他也开过三枪，打伤了一个弟兄杨坤林，也不碍事。匪窟里的其他匪徒都没有动手。我们搜到了五支枪，一百十八颗子弹，七个银行存折，一共有十七万。你想规模大不大？"

霍桑点点头，叹口气，又默默地吸烟。

我乘机问道："那个老熊伤得怎么样？会死吗？"

汪银林说："他中了两枪，一枪在大腿，一枪在脚踝。他也像王胡子一样，死也不开口，说话的是他的姘妇阿四姐，就是昨夜你们在船上捉住的。伊也是个重要角色，陪送出卖的事，伊是跟老熊联手的。"

"小金伤得厉害吗？"

"他伤在腿骨上，也许已断了。他是个拆白党，也是拐匪们的老主顾。阿四姐说，他接线的女人前后一共有八个，也是个坏东西。"

我叹一口气。少年人不做正经事，却做这种丧良心害女人的勾当，真是可叹又可恨。现在他落了网，那可怜的营口妓女也可出口气。

我又问道："那个昨夜被小金拐到船上去的女人，你已经问过口供没有？"

汪银林弹去些雪茄灰，应道："问过了。伊姓朱，住在小白栅。我们已经去通知。伊还是个千金小姐呢！"

一声叹息又冲破我的喉关。女子们的意志怎么这样子薄弱呢？

汪银林在经我要求以后，说明他捕匪的经过。

他说第一个线索是从自新医院方面来的，可惜探伙麻子长庆跟随那匪徒到了华德路华德里口，匪徒就不见了。银林又派人守在华德里，也没有发展。第二个线索是申江旅馆中接洽的费永福。他因着霍桑的抬价，果然到兆丰路一○八号去和王老胡子商量。银林知道了匪帮的总机关，就调集了干练的警官和警士，准备在当天半夜亲自去掩捕；结果经过了一场恶斗，捉住了八个男匪和三个女匪。王老胡子就是在这里被捉住的。

另有一个探目王桂生，带了一伙助手守在轮船上。在十一点钟左右，他看见一个拐匪往三号舱门里探一探，马上惊慌地上岸去。他觉得有异，立即跟他去，跟到了华德路华德里九号，才发现另一个匪窟。王桂生马上带了武装警士冲进去，在对方毫无抵抗的情形下，也捉住了六个男匪和两个女匪，内中一个叫小牛的也是重要分子，到我们寓前射击的就是他。

我不禁欢呼道："银林兄，这一次成功，你们真替上海社会造福不浅！实在是应当庆贺的！"

银林道："哪里话？若没有你们两位，我们怎能成什么事？"他立起来，预备辞出。他又说："霍先生，那王老胡子犯案已不少，本来是个悬赏缉捕的恶匪，此次给捉住了，孙厅长非常惊喜。过一天他还要亲自来谢你呢。"

霍桑谦逊了几句，才拿出一支从匪徒手中夺得的手枪，交给了汪银林，送他出去。我等他回进办公室的时候，又含笑向他称贺："霍桑，你果真得到最后的胜利了！明天各报上登载出来，你的身价一定要增加十倍。这实在是可喜的事！"

霍桑坐下来，忽然沉下了脸儿，答道："包朗，你怎么说这样的话？我们干这件案子，目的可是在个人的虚声？"

我有些不好意思，答道："这固然算不得目的。但是西方人说，名誉是人的第二生命。一个人对于个人的荣誉似乎也不应过于淡漠。"

霍桑叹息道："唉！包朗，我们为社会出一些力，原是应尽的天职。现在既不能彻底地使社会达到安宁的境域，哪里能顾到个人的荣誉？"

我道："你在短时间中，设下了巧计，捕获了二十三个拐匪，一个流氓，又从虎口中抢救了一个少女，难道还不满意？"

霍桑道："消灭了一个匪徒，暂时也许可以收杀一儆百之效。但是这不是彻底的，不是根本的办法。"他站起来，严肃地说："假使我们民族不挣脱枷锁，一切都受掣肘。例如政治不能上轨，教育不能普及和改进，人民的生计也没法改善。那么社会上一般无知的妇女们，和那些利用外力谋个人私利的恶棍也就不能够绝迹。那就不能保证不再有二十三个，或二百三十个拐匪接踵而起！所以我们这一次的成功只是消极的，表面的。若说彻底，相去还很远，正待每一个人拼命努力呢！"

我在同情之下叹息了一声。问题确很严重。根本大计在乎恢复国家的自由，进而图谋整个社会的改造。现在我们所做的确只是部分的治标功夫。

十二月二十日下午，霍桑从自新医院里回来。我看见他垂头丧气地走进门来，不觉又吃一惊。

我问道："霍桑，你得到了什么消息？"

霍桑坐下来，答道："我见过何乃时，又见过那个妓女。伊的确叫李琇瑾，住在西仓桥。伊听说小金已经落网，很高兴。但何乃时告诉我，伊的毒性太深，怕医不好，不能救。"

我长叹道："可怜！这女子正像一朵堕溷沾泥的花，幸而流进了清波中，却已萎弱无力，太晚了！'再回头已百年身'，真叫人寒心啊！"

霍桑瞧着火炉，喃喃地说："我觉得这女子的忏悔值得重视，所以很希望伊有一个新的生命。"他叹口气："这女子的堕落并不单单是伊本身的罪，实在是社会的罪——例如有养无'教'的家庭，徒具虚名的学校，满布陷阱的环境和那万恶的拆白拐匪，都是使伊堕落的因素。要是伊真不能救，那简直可以说伊是给社会谋死的！"

我没有话说。沉寂中我但听得窗外的寒风呼啦呼啦地吹着，一声声震人的耳根，正像也在那里同情地叹息。

难兄难弟

母子俩

大凡秉性好动的人最怕没有事做，每逢空闲的时候，既不肯安于静默，又不愿把不正当的扑克麻雀之类作为消遣永昼的方法，那时受到一种枯窘无聊的感觉的袭击，正是比什么还要难受。霍桑是个好动的人。凡熟稔他的人，都知道他好事怕闲。然而近几年来，他的声名一天隆似一天，委托他探案的人竟也一天一天地增加。起初人们逢到了职业侦探们所解决不了的疑案，方才来请霍桑，后来却无论失狗盗衣的琐细小事，也都来登门求教。所以这时候霍桑受了事务繁多的影响，又换了一个局面，不愁太闲，却苦太忙。因此，他常谆谆地叮嘱我，如果他不在寓所的时候，有人拿琐屑的小事来委托他，尽可以替他严词拒绝，免得他被事务束缚住，弄得身不由己。我依从了他的意旨，每天差不多总要替他回绝一两件琐案。虽然如此，求教的人还是像潮涌般地推不开去。

在那一年乍暖乍寒的暮春时节，霍桑忽打定主意，悄悄地约我到无锡去游玩，一则借此避避烦嚣，二则也可以散散他久困的脑筋。我们动身时本没有通知什么人，原是采取秘密方式的。不料我们到达无锡的第二天，那当地的《锡报》上面忽已登了一节新闻出来。

那新闻道：

私家侦探霍桑和他的挚友包朗，我们大概都已闻名过了，用不着再来介绍。他们俩昨天乘了早车来锡，现寓通运桥新旅社十九号。据闻他们这一次来锡，负着某项重要使命，从事侦查，故而行色匆匆，并且很秘密。

我读了这节新闻，不觉好笑起来，同时对于当地的新闻记者也深感"佩服"。

我向霍桑道："你瞧，这位主笔先生的'无风生波'的技巧真不差啊。我们明明只为着游春避嚣来的，他却加上什么'重要使命'，什么'秘密''侦查'等词句，真够得上耸人听闻。我不知道他们根据着什么。我真佩服他们的大胆。"

霍桑笑着说："这有什么稀罕？他的根据就是那个'据闻'两个字，本来没有丝毫的责任。"

"虽然，他们怎么会知道我们的行踪，这却不能不算是他们的消息灵敏。"

"那也并不难解。我们到这里来，虽是悄悄地没有告诉人，但究竟并不曾故意秘密。火车上既然难保没有人瞧见我们，我们在旅馆簿上也签着真姓实名，自然容易被访员们知道了。"

我点点头："不错，这一节新闻，对于我们的游兴，你想会不会产生什么影响？"

霍桑皱了皱眉："无论如何，我们只需抱着避嚣不干事的宗旨，他们也奈何我们不得。你不必多顾虑。"

于是我们就决意安心游玩。

那天一清早，我们爬上了惠山，穿岭逾峰，一直从三茅峰石门下来，足力虽略觉疲乏，又出了一身汗，然而山花烂漫，新翠掩映，风景无穷，我们的眼福却也饱享。我们归寓之后，感到疲劳后的愉快，吃过晚饭，就都上床，准备下一天再游梅园。到了第三天清早，霍桑忽破晓出去，呼吸新鲜空气。我却因上一天疲乏的缘故还懵懂未醒。一个旅馆侍役走进来说，有电话等霍桑回话。我不知道是谁，姑且跟他出去听听。那是个陌生男子的声音。

我问道："你们哪里？什么事？"

那人道："我们是光复门里圆通路七号黄公馆。昨天晚上我家主人失去了一只爱而近金表，情节非常奇怪，听得先生你刚巧在这里，特地来相请。请你到这里来侦探一下。"

唔，那节新闻果真发生影响了。我不假思索，立即回绝：

"请你回复你主人，我们正有别的要事，不能够应命。对不起。"

我回绝以后刚回到房里，还没坐定，不料第二次电话又到。我本想不理会它，又觉得有些不安，可是走去一接，果然又是来做成霍桑生意的。这一次却更加可笑，据说老北门外酱园街九十八号计姓家里走失了一位少主，走失的原因，那小主人昨夜里往朋友家去叉麻雀，竟一夜没有回来。我几乎笑出来。霍桑不知交了什么红运，人家叉麻雀不归，竟也要来请他去寻，莫怪他的生意要推拒不开哩。当然，我也照例回绝了，托言即日就要回上海去。我暗想这样接一连二地来缠绕不清，我可没有这耐心，有些应接不暇。我就吩咐侍役，以后若有电话来找我们，不论哪一个，一概回绝，只说我们已回上海去了，省得费口舌。

这时已是七点半钟，我回到十九号里，再不能睡，就即刻盥洗穿衣。我等了一会儿，还不见霍桑回寓。早晨的户外运动本是霍桑例行的早课，但他今天出去，何以这么长久？莫非他到惠山顶上去呼吸新鲜空气？八点钟缺十分钟时，那个少年侍役又走进房来。我看看他的神色，好似又来通报。

我问道："是不是又有什么电话来找我们？我已经对你说过了，你尽可以直接回绝，为什么又来通报？"

侍役迟疑道："先生，不，不是电话。有一个年轻的男人领着一个老太婆一定要看霍先生。"

"你为什么不把他们挡住？"

"我已挡过他们，可是挡不住。他们说和霍先生认识的。他们已经上楼来哩。"

奇怪，霍桑在这里怎么会有熟识的老妇？大概是他们说谎吧？我正自疑讶，忽见房门给推开了，一个少年扶着一个老妇，不待允许，已经轻轻地闯了进来。那侍役倒很见机，便一溜烟地退了出去，那少年就顺手关了门。

那老妇有五十多岁，穿一件玄布薄棉袄，手中提着一只竹篮。那少年还只有二十左右，穿一件灰布夹袍很整洁，面貌也相当清秀。这一老一少显然是母子。我瞧这老妇面容枯黄，目光直视，满现着惊恐的状态，显见他们绝不是为着寻常的问候来的。他们俩站住向我瞧了一会儿，那老妇就走近些低声发问：

"先生，你……你就是胡先生？"

我莫名其妙，摇摇头不答。

那少年忙从旁纠正伊："妈，不是胡先生，我对你说是姓霍——是霍先生。"接着他回头来瞧我："先生，你可就是报上登载的霍桑先生？"

唔，《锡报》上的义务广告真有效力，他们也是读报而来的，可是连姓名都没有弄清楚，当然不会是霍桑的相识。

我含糊应道："是的。你们有什么事？"

老妇颤着声音说："唉，胡先生……唔，霍先生，你可知道我们家里出了命案？"

这问句似乎有些突兀，我实在不知道怎样回答，但顺了伊的口气应了一句：

"唔，出了命案？"

"是啊，这种杀人的勾当，我活了五十六岁，从来没有看见过！这一次竟让我亲眼看到！哎哟，怕人哪！说出来也教人心惊！"

伊的口中说着，两只手在做莫名其妙的手势，身体也不住地战栗，仿佛要跌倒的样子。我估量情势，一时似乎不容易请他们出去，索性移过一把椅子给老妇：

"既然如此，你姑且坐下来讲。"

老妇坐下了又低着声音说："霍先生，这件事太可怕，你老人家非帮忙不可！我……我还要请先生别声张。因为我们母子俩最怕事，假使你在外面张扬开去，弄出事来我们可担当不起！"

我暗想事情既然是一件命案，怎么又要教人家守秘？真是莫名其妙。

老妇继续道："霍先生，你到底能应许我不能？若是不许，我说了出来说不定会反而坏事。那我……我实在太害怕！"

我忙道："那么请你不必说出来吧。我不能答应你。"

老妇眼睛里的光彩，从恐怖变成失望。伊的唇吻张合了一下，才发出声音：

"霍先生，你不答应？哎哟，我不是空走一遭吗？"伊又回头去怨伊的儿子："我早说是不行的！这样的事，出在我们穷人家里，谁肯相助？你偏偏说有什么仗义的先生们，一定可以帮助我们。现在怎么样？鞋子没穿落了样，我不是上了你的当？"

那儿子一半着急一半恳求地向我说："霍先生，我叫王仁宝。我在学校里的时候，早听得先生的大名，还有一位包朗先生，也是一个救急救难的人。现在这件不幸的事发生在我们家里，我们既不敢把它隐秘起来，又不敢去报官请验，恐怕被连累吃官司。我知道先生们恰巧在这里，才陪着妈来恳求。霍先生，你答应了吧！"

我开始左右为难起来。霍桑本和我约定，抱着一切不干主义，专程舒散休息，别的事都已回绝了，这一件事当然也不能例外。可是我听他们的口气，似乎他们真有一件非常为难的事情，来意非常恳切。他们又是平民阶级，像是无路可走，才来找我们。我若使坚决地拒绝了，显然违反了我们一向同情和服务劳苦大众的素志，自觉也有些不近情。我应许了吧？可是我是冒充的霍桑，做不得主。我如果答应了，霍桑却不同意，又怎么样？

我正在左思右想，忽听得房外有些声音，又看见室门的门钮缓缓地在转动。

我立即高声答道："好吧，你们既然有这样一件危急的事，论情理我们如果有力可尽，当然不应当袖手旁观。但你们要见的霍桑先生，此刻实在不在这里。我是他的朋友，不能代替他应承。你们请等一等。这一件事到底能答应你们不能，他一回来便可以决定。"

惨杀的故事

我这几句说话，表面上虽是回答那母子二人，其实我明明知道霍桑已在门外，故意要教他听见，以便这可否的选择让他自己去决定。室门果然开了，霍桑从容地踱进来，瞧着我笑了一笑，反身将房门关上。

他说："包朗，你替我接了一件案子？很好。"

那母子俩听了我的话，又看见霍桑走进来，便都立起身来注视着他。那少年向霍桑鞠了一个躬，预备重申来意。

霍桑忽向他点了点头，先说："好，我的朋友既然容许你们进来，我当然也不得不答应你们的请求。请坐下来，把这件谋杀案的情由详细些说给我们听，我们也许可以效力。"

少年高兴地说："霍先生，谢谢，你真好。……妈，坐啊。"

老妇的脸上露出了希望，嘴里喃喃地似在念阿弥陀佛，一边缓缓地坐下来。我在坐下时，咀嚼霍桑的答话，分明仍把责任归在我的身上。

霍桑突然问道："我看那个被害的人不像是你们的骨肉至亲？是不是？"

我才知道霍桑已经在门外窃听多时，不必我再替他介绍。他显然也有意接受这件事，可是我要教他负责，他却不肯放过我，也要我承担些破例的处分。我并不分辩，只向他会心地笑了一笑。

老妇带着感激和惊异的声调，应道："霍先生，你真是仙人！对，那个给杀死的人，实在不是我们的亲戚，是我们的房客。"

霍桑点点头："唔。我瞧你们的神色，只有惊恐，没有悲戚。好，现在请从头讲。你们住在哪里？家里是不是有房屋出租？"

老妇答道："是的。我们住在后贝巷里，家里有一小间余屋，有时租给人家，略略贴补些家用。因为自从当家的死了，这几年全靠我的十个指头。今年我家仁宝虽然进了面粉厂去，当一个写号码的小伙计，也能挣几个钱来。可是家用开销也一天一天地大起来，还是不够开销——"

霍桑扬一扬手，接口道："唔，因此你们不能不将余屋分租给人家，是吗？"

那仁宝似乎感觉到他母亲的啰唆会引起人家的厌烦，便插了一句：

"妈，我来说给这两位先生听，行吗？"

老妇向伊的儿子眨了一个白眼，自顾自说："霍先生，你说得对。我把屋子租给两个客人，原想略略赚几个钱，所以一听得他们肯先付存租，保人一层，我就并不计较。可是谁知道他们俩竟干出这种事来！要是给警察们追究起来，租户没有保人，我不是也要吃官司？"

霍桑婉声说道："不错。但我们不是警察，你姑且不用顾虑这一层。你不是说租给两个客人吗？那两个人是男人还是女人？或是一男一女？"

老妇道："都是男人——唉！没有家眷的光棍男人，本来不是好路道！我真是该死！"伊用手拍着自己的头。

霍桑摇摇手说："王太太，你不用懊悔，但把实在的情形说出来。这两个男人究竟怎么样？"

王老妇咽了一口气，才说："初来的两天他们还算安分，后来他们终是白天伏着，夜间出去，不免教人生疑，他们说是做生意的，可是我不知道他们做的是什么买卖。到了最近几天晚上，我常听得拍桌子的声音，似乎他们俩在那里吵嘴，可是我们听不出因着什么事。因为他们俩有时候谈话声音虽然很高，但等到我们走下楼去，想要偷听几句，他们便会寂静无声。"

"唔，他们的谈话大概是有秘密性的。"霍桑在老妇用伊的手背抹口涎的时候应了一句。

"对！可是他们越是这样秘密，我们越觉得可疑。仁宝也曾和我商量过，这两个人住在我们家里有些不妥，不如回绝了他们，免得惹出什么意外的祸端。我虽然觉得仁宝的话不错，可是如果依言回绝，他们的存租当然要加倍还他们的。我一时糊涂，竟舍不得还钱，才养成了这一个祸根！哎哟！我真是该死！"

霍桑又譬解说："这也怪不得你。你也是因着经济所迫，不比那些一味贪钱的人。但他们的存租一共付了几个月？"

"两个月，十块钱。"

"十块钱？你不是说出租的只有一小间余屋吗？一小间屋，就此地的房价而论，竟租五元一月，不是太贵些？"

老妇张大了眼睛答道："霍先生，你真细心！其实他们出五元租金，不单是租屋子，连榻桌器具一并在内的，也不算太贵。"

霍桑点点头："那么他们大概是没有行李的？"

老妇忽而愣了一愣，板着脸，颤声道："哎哟，说起行李，又提起我的心事！因为……因为他们只有那一只可怕的皮……皮箱……"伊的身体忽然簌簌地颤动，两只手掩住了脸，顿住了说不下去。

霍桑皱着眉毛，低下了头，似乎觉得老妇说了一大串话，还没有说出案中的要点，有些不耐。我也有同样的感想。

那王仁宝接着说："两位先生，请原谅。我妈因为看见了昨晚的惨状，受惊太厉害，精神上失了常度，所以说话也没有伦次。现在我来把昨夜的事情说给先生们听。"

霍桑抬起头来，应道："好，请说下去。"

仁宝说："昨夜十点钟时，我们都已睡了。到了十一点钟左右，妈忽然轻轻地叫醒我，告诉我楼下的两个房客出了事。伊说起先伊又听得拍桌子，接着又有一种惨呼声音，伊的毛发都竖起来，一定有些蹊跷。我听了伊的话，坐起来静听，却没有一些声响，以为也许是妈误听了，或是伊日有所虑，夜间便发生幻觉，实际上并没有这样的事。但妈却坚持说不误，一定要我下楼去瞧瞧。

"我没法，只得悄悄地下楼，在黑暗中摸索。我摸到了那小间的外面的厨房里，仍旧丝毫没有动静。他们的房间与厨房只隔着一层板壁，如果有什么声响，我当然可以听见。这时里面不但声息全无，连火光都没有漏出一丝来。我才确定一定是妈误听，他们俩明明早已睡了。那时我为小心起见，还贴着板缝瞧一瞧，里面的灯光果然已熄。我正想回身上楼，忽然有一种东西触动我的官觉，竟使我站住了不动！"

王仁宝停顿了，脸上泛出一层灰白，呆视着霍桑和我，一时说不下去。我听得出神，不知道他所说的"一种东西"是什么东西，触动官觉又是哪一种官觉，心中有些不耐。

霍桑也瞧着他接口道："那时候既然声息全无，室中又黑暗没光，你的听觉视觉当然都失了效用。那么你所以站住不动，大概是受了你的嗅觉的影响。是吗？"

仁宝仍瞧着霍桑的脸，点头道："正是！那时候有一股血腥气直冲我的鼻管，不由使我停步！"

"唔，以后怎么样？"

"那时我料想小室中一定有人流血。谁杀死谁？那被杀的人是否已死？凶手是否还在室中？我当然都不知道。但据情势推测，室中声息既寂，又没有灯光，似乎被害的已死，凶手也早已逃走了。我能进去瞧一瞧吗？那时我实在没有那种胆力！"

仁宝的母亲忽又舞手挥臂地插口说："哎哟！真会吓坏人哪！"

霍桑忙摇摇手："王太太，你再休息一下，别打岔。"他显然也听得出神。他又向少年说："那么你到底不曾进去瞧？"

那少年应道："那时我正踌躇不决，忽听得有呀的一声，似乎有人开门——"

霍桑忽挑眉道："开哪一扇门？你家的前门？"

仁宝道："不是，就是那间出租的小室的门。那小室虽是附属在我家屋子里，但在后贝巷里另有一扇侧门，可以自由出入。那时我听得的声音就是从那扇通外面小巷的侧门上发出来的。"

"唔，你听得门响以后怎么样？"

"我知道了室中还有人在，便忍住了呼吸，匿伏着不动。过了一会儿，我又听得开门声音，似乎那人为小心起见，开了侧门，瞧瞧外面有没有人觉察。接着我又听得擦火柴的声音，小室中便突然亮起来。我从板缝中瞧见那个拿了火柴点灯的人就是钱二，地上还直僵僵地躺着一个，猩红的血流在一边。这被害的人自然就是赵大——"

霍桑忽插口道："慢！这一个叫钱二，一个叫赵大？可就是你家的两个租户？"

仁宝应道："正是。"

霍桑略略沉吟，点点头："你说下去。"

"那时钱二点亮了灯，又站住了静听一会儿。他似乎还不放心，走到门口，把门开了，重新探头出去张望。接着他仍旧关上了门，又仰头向楼上听了一听，然后才偻着身子瞧地上的死尸。我看见他的嘴唇角上忽然露出一种狞笑。他的目光从死尸上抬起来，在室中打了一个圈子，分明在打算怎么样安置那个死友。他的视线忽而落在床边的一只红皮箱上。于是他立起身来，开了箱子，把箱中的衣物一并拿出来丢在床上，随即俯身下去，拾起了那把涂满了血的凶刀。"

王仁宝又突然停顿一下，他的脸色也有显著的变异。他的老母又在喃喃有词地发神经性的呓语，但并不曾打岔。我已给这惨怖的事所吸引，很不愿这停顿延长下去。

霍桑仍宁静地说："钱二就动手肢解尸体。是吗？"

少年的眼球突出了，答道："是啊！他先把尸衣解掉了，就着手肢解那个尸体，唉，景象真可怖！但我仍忍着鼻息，用眼光盯在板缝中，瞧那一幕可怖的惨剧。我正自出神，忽觉得有一只手按在我的肩膊上面——"

我不觉替他一惊，插口道："谁的手？难道有什么——"

霍桑忙止住我道："包朗，你怎么这样粗心？你不记得这位王老太说过，伊曾目睹这幕惨状的吗？这时候伊谅来也下楼来了。"

仁宝一面瞧着霍桑，一面连连地点头。

老妇挥挥手，接口说："是啊。我看见仁宝下楼了好久，还不上来，才知道我料的不错，下面一定出了什么乱子。等到我走下了楼，隔着板缝一瞧……唉！那一段一段的……哎哟！"伊的面色又白如死灰，上下两层的牙齿在互相战搏着，两只手也像拘挛似的动着。伊再不能说下去。

仁宝忙接续道："那时候我妈看见了钱二将那割断的鲜血

淋淋的尸体一段一段地装进皮箱里去，不由得浑身发抖，几乎
喊出来。我也吃惊不小，暗忖如果我妈不能自持，震动了板
壁，或是伊真个失声喊出来了，我们俩的性命难保没有危险。
因为那时候钱二凶刀在手，万一有人撞破他的秘密，他为自卫
起见，势必要杀害我们。如果如此，我们母子俩在黑夜恐怖的
当儿，走投无路，只有束手听死。因此我竭力抱持我妈，一手
按住伊的嘴，防伊喊出来。我扶着伊慢慢地一步一步上楼，又
强制我妈睡下来，预备等天明后再作打算。"

红漆皮箱

　　一幕惨怖的景状在母子俩交替的叙述之下，不但逼真动
人，几乎将我的全神都吸收到那现实境界里去。王仁宝略一
停顿，脸色越发难看。他的母亲仍在坐不安定地发愣。

　　我乘机问道："你们上楼之后，楼下的动静，可还听得到？"

　　仁宝摇头答道："不，我们上楼以后，楼下并没有什么
特别的声响。我怕我妈受惊骇叫，也不敢舍了伊再下楼去，
所以钱二以后的举动怎么样，我不知道。但有一件事我敢确
信，就是我们上夜中窥探的事，钱二始终没有觉察。"

　　"你怎么能够这样确信？"

　　"别的莫说，但瞧今天早晨，他仍旧好端端地留在室中，
就是一个明确的证据。"

　　霍桑忽然仰起头来："怎么？钱二直到今天早晨还没有
逃走？"

　　仁宝应道："是啊。他刚才见了我，还向我说'早'哩。"

　　霍桑垂下了目光，自言自语地说："唔，照此说来，他果

真没有知道你已经觉察他的秘密。你又怎样对付他？"

仁宝道："那时我觉得很奇怪，但仍照例回了他一声'早'，昨夜的事情，当然绝对不会说破。"

"你们出来的时候，他还没有走吗？"

那老妇忽又插口应道："没有。我出门的时候，还听得他在小室中踱来踱去。我料他今天还要照常躲一天呢。"

霍桑立起来，蹙着眉峰说："你们若早些说明，就不该耽搁这许多时候。"他又回头瞧我："包朗，这件事既然如此紧急，我们不如忍一忍饥，先去走一趟。"

我们"枵腹从公"，这并不是第一次。这时凶人未逃，正是千钧一发的时机，自然不可轻易放过。我的同意的答语也是多余的。五分钟后，彼此已准备妥当，就一同走出旅馆。

后贝巷距离不远，霍桑决定步行，便教仁宝领路。仁宝向他的母亲取了一个钥匙，就在前面引导。王老太的步子比较迟缓，落在后面跟着。约莫走了十分钟，转了几个弯就走进那条幽静狭小的后贝巷。

霍桑轻轻向我说："这件事如果顺手，我想至多一个小时便可了结。那时我们回寓进了早餐之后，再游梅园，还算不得迟。"

我道："你预计这一件事可以了结得这样迅速？"

"如果那所说的钱二至今还没有逃脱，这案子当然可以立刻结束。"

"你想钱二现在还在？"

"据情势而论，他既然迟至今天早晨还没有走，似乎别有所谋，不打算急急逃避，这时当然还照常伏在屋子里。"他皱紧了眉毛，补充说，"要是他们母子俩在今天早晨，不自觉地露出了什么迹象，引起了他的怀疑，那可保不住。"

仁宝忽立定了回头过来，指着小巷口转角上的一所屋子，低声说："这就是我们家的前门，我们都从这里进出。那小间的侧门还在转弯的巷里。"

霍桑点点头，也低声说："你先去悄悄地开了前门，我们进去先隔着板壁瞧瞧动静再说。"

仁宝答应了，踏着轻慢的步子，走近去开门。我看见门上贴一张褪色的红纸，写着"王寓"二字。王老太提着空竹篮，也蹒跚着追到了，拉拉我的衣角，做着指点的姿势。我点点头表示领会，同时摇摇手，警告伊不要声张。

门开了，我们便小心地跟着进去。到了一个厨房里面，王仁宝一手指着一排灰暗的板壁，一手拉住了他的母亲，似防伊声张或有什么异动。其实伊倒是非常知趣的。霍桑点点头，绝不作声，踮着脚尖，轻轻走到间隔的板壁旁边。我也跟在后面。那里本有一扇板门，这时已钉断不通。我和霍桑忍着气息，贴在板壁的隙缝上偷窥。小室中有一个靠街的小窗，装着木直棱，光线虽不很充足，但室中简单的器物还瞧得见。

靠壁有一张小木床，花夏布的帐子垂落着。床旁设一只桌子和两只方凳，桌子上放着一盏美孚油灯和茶壶茶杯。另有一只靠背椅上，搁着一只大号旧式的颜色黝黯的红漆皮箱。这箱子会放在椅上，位置显然失常，可见就是所说的藏尸体的器具。室中也寂静无声，并不见那钱二。

仁宝低声道："他大概睡在床上。瞧，帐子还下着哩。"

霍桑摇摇头，作失望声道："不，他已走了。帐子虽下着，床前没有鞋子，当然不会有人。"他的声调已不再拘束。他又道："我们姑且到侧门前去瞧瞧。"

我们三个人退出来，转弯走进那小巷。仁宝仍走在前面。

他忽道："唉，他果真出去了！瞧，门上锁着一把锁。他们出外去吃饭的时候总是这个样子。"

霍桑问道："天天如此吗？"

仁宝应道："是的。每天如此。……我想他此刻也许是出去吃点心，少停或者就要回来的。"

霍桑不答，走近去看看门上的锁，又望一望隔壁的一所空屋。他低头想一想，又向手表上瞧了一瞧。

他说："现在已经八点一刻。他如果打算逃走，早班车来不及，尽可以趁八点二十四分的第二班车，我们此刻已追不着。"

我建议说："那么我们不如暂缓进去，只在前面的屋子里等一下，瞧他究竟回来不回来。"

这建议得到了霍桑的同意，我们就重新走进仁宝家里。仁宝的母亲等在门口，张着眼睛等消息。仁宝在伊的耳朵中说了一句，就关上了门，大家悄悄地守伏在一间客堂模样的屋子里。我和霍桑在两只不大平稳的方凳上坐下来。霍桑又叫仁宝到厨房的板缝中瞧着，如果钱二回来，立即报告我们。我正在欣赏方桌上小木龛里面的一个泥塑观音，霍桑却乘这空儿，又和那老妇低声谈话。

他说："你儿子说今天早晨还见过钱二，你可也曾看见他？"

王老妇道："我虽没有见他的面，但他和仁宝彼此说'早'的声音，我也听见的。"

"仁宝见他之后，有过什么举动？"

"他一看见钱二，便上楼去和我商量怎样对付他。起先仁宝想到警察局里去报告。我不答应。因为我知道有些警察老爷跟以前衙门里的衙役差不了多少。像我们这样没势力没面子的人家，一经他们踏了进门，不管曲直，总要晦气！我赔累不起——"

霍桑止住她说："唔，我知道你们没有报告。以后怎么样？"

王老婆子说："可是我们又不敢隐藏着不说，只怕万一事情闹穿了，我们更担当不住。后来仁宝才说起你们两位先生，说你们怎样精明，怎样仗义，并且刚巧在此地，不如把这件事情拿去请求你们出一些力，免得我们被累。先生，回头你们见了钱二，最好想一个法子，悄悄地了结了，别张扬开去——"

霍桑又剪住伊："好，这一层你放心，我们决不拖累你们。现在我问你。你们商量好以后，可是就一同出外到我们的旅馆里去？"

老妇摇头道："不。我们防他疑心，分开着走的。"

"唔，谁先走？"

"仁宝先出门，假说照常往厂里去。我随后提了竹篮，假作买小菜，也锁了门出去。到了黄泥桥，我等仁宝打电话到厂中去请了假，才会集了一块儿走。"

"仁宝出门时，钱二看见没有？"

"我不知道，大概没有。"

"你呢？"

老妇摇头道："也没有。先生，他不会疑心。"

"喔，你怎么知道？"

"因为我们一先一后地出外，差不多天天如此，并没有什么可疑，我临走的时候，还听得钱二在房间里踱着。"

霍桑点点头，自言自语地说："如果如此，他起初既没有逃走的意思，今天你们又没有使他生疑的机会，眼前似乎更没有逃走的必要。"

我接口说："对，他也许还要回来。"

仁宝忽然进客堂来。

我忙问道："钱二回来了？"

那少年摇头道："没有。我怕他一时不会回来，我们倒反而坐失时机。"

霍桑立起来："你这话不错。我们就进去察勘一下。"

仁宝问道："你可能开锁？我们却没有钥匙。"

霍桑道："我们不必惊动小巷中的门，只需把厨房里隔断的板壁拆通一块就行。这样，他如果回来也不致露什么迹象，不会惊走他。"

仁宝赞同了，我们一同走入厨房。仁宝依言去拆板壁，霍桑也帮着动手。我立于旁观地位，脑思一空暇，便悬想未来的景状。那小室中的红皮箱里，既然藏着一段段碎断的肢体，这景象一定难堪。我生平也曾耳闻过，已觉得惨不忍目。假使在黑夜中瞧见了这种惨状，当然要产生恐怖的意念。那么上夜里那位老太太不曾被吓得疯狂，还算大幸。

板壁拆通了，霍桑首先挨身进去。我和仁宝跟在后面，我的目的只在那只椅子上的皮箱，所以一直走到箱前。霍桑却在向四面瞧着。他先到床前，把帐子揭起来。床上果真没有人。一条紫色花布的薄棉被，两个没枕套的枕，一条白布薄棉的衬褥，却没铺罩的单被。被已翻乱了，分明夜来有人睡过。霍桑又偻下身子，探头向床底下窥视，接着他伸手从床底下拿出一只光亮而尺寸不大的黑皮鞋。他看了一看，重新放在原处，才走近箱子旁来。他又偻下些，向那箱子嗅着。

他低声问仁宝说："你们昨夜所看见藏尸首的箱子就是这一只？"

仁宝点头道："正是。他们的行李，除了床上的两条被褥以外，只有这一只箱子。"

霍桑定着眼睛，似乎有些诧异："这箱子上锁着的锁，你以前也曾瞧见过？"

仁宝道："见过的，也是他们带来的东西。"

霍桑从衣袋中摸出一根铅丝，略略弯了一弯，投入箱上的那把旧式铜锁的锁孔里去，可是开了一会儿，竟开不开。他低头下去，将锁仔细瞧了一瞧，重新将铅丝弯成一个小环，又如法投入，才把锁开了。

他瞧着锁，点头道："这倒是一把白铜好锁。"他便将箱盖揭开来。

我的眼光忙注射到箱中，意识中已经涌现出一幅血污淋漓残骸断肢的惨景，也许还有腥臭的气味冲冒出来。

可是并不！箱盖开了，只见一条白色的旧毛巾覆在上面。霍桑一手把毛巾揭去，下面也不过是些杂乱的棉夹衣服，并不见有尸体！

奇怪！据这母子说，这箱中明明藏着死尸，现在死尸往哪里去了？并且不但没有尸首，也不见有血污的迹象。这里面究竟有什么玄秘？我的目光早已注射到仁宝的面上。他也是一样惊诧，张着两只大眼，呆瞪瞪地盯在箱子里面，似乎还想寻出什么断尸。

我问他道："你说的死尸在哪里？"

仁宝呆呆地答道："奇怪！太奇怪！我……我明明瞧见他放在这只箱子里的。"

"是不是这一只箱子？或是还有别一只？"

"我看见他放在一只红漆的皮箱里。这不是红漆皮箱吗？

况且我已经说过，他们所有的行李，只有这一只皮箱，哪里有第二只？"

我想了一想，又说："这箱子如果藏过断割而带血的尸骸，即使尸骸移去了，也应留些痕迹。怎么这里面连血迹都不见一点？你莫非昨夜做了一个噩梦，并没有这一回事？"

我和仁宝问答时，霍桑正在忙着把箱中的衣物一件一件拣出来，那只是些袜子衬衣和几件薄棉短袄。内中有一件是没领的西装衬衫，似乎有些不称。还有一件深青色绉纱夹袍，一件灰色哗叽夹袍，但都已敝旧。此外更没有值钱的东西。一会儿露出了箱底，霍桑俯头下去嗅了一嗅，忽而回头来代替仁宝回答：

"这变端确是出人意料的，但杀人的惨剧，昨夜里确曾实演过一次。包朗，这倒没有疑惑。"

太秘密了

霍桑的脸色很庄重。这说话当然不是凭空而发。仁宝在暗暗点头，又回头来瞧我，但不说话。

我问道："霍桑，你有什么根据？"

霍桑用手指一指地上，答道："瞧，地上不是还有抹拭未净的血迹吗？"

我顺着他的指尖瞧那铺地的砖块，果然有许多黑色痕斑。当时我的目光专注在皮箱上面，故而不曾留意到地面。霍桑却目光如炬，无微不至。

霍桑继续说："这箱子也确实曾藏过血尸的，不过，随后又移了出来。我想这个人很细心，放尸时预先用东西衬着，故而没有血液染开来。"

我问道："你凭着什么才知道这箱子里藏过死尸？"

霍桑说："这箱子里的衣服没有一件放得齐整，有一只补过的袜子还遗留在床上。可见他先前曾将箱中的衣物腾出来过，后来又匆忙地放进去的。"他又指着箱底上的几个水晕："这就是从衬垫物中漏出来的血水。你只嗅一嗅，就可以知道。"

我依言把头凑到箱底嗅一下，果然还血腥触鼻。

仁宝低低地说："这真是奇怪！钱二为什么还要把尸骸带回去？难道那副割断的骸骨还值什么钱？"

霍桑道："这话太没有理由。他将尸首移出，绝不是为着要把他带回去，无非打算灭迹。"

我也怀疑道："他既然逃了，为什么再多费手脚移尸灭迹？"

霍桑道："那人逃了没有是另一个问题。若说移尸，当然是不会没有理由的。"

"你的见解怎么样？"

"我看有两层理由：第一，他要把这一件事秘密到底，所以收拾干净，不使它露一丝迹象。如果像你所说，逃了就算，不必费事移尸，那么尸骸留在这里，迟早终要被发觉，他到底逃不掉；第二，他不但要秘密到底，也许还要勾留在这里，有什么别的打算。所以他急急移尸灭迹，免得尸臭外散，破露他的机密。"

我略停一停，又问："照你说，那么那尸体现在已藏到哪里去？"

霍桑正俯着身体，似在椅子旁边拾取什么东西。

他仰起来答道："这一间小室面积不大，我已经瞧过，并不见有挖掘的迹象。我想他已将尸首移往外边去了。"他回头指一指床："床上的垫褥上缺一条单被。那显然是起先用它垫箱底，后来又用它包尸骸。还有枕头套也不见了，那大概是做了抹血的抹布。"他又指指壁角的盥洗面盆和一只水桶："水已用尽了，不剩一滴。这也是一个曾经洗抹的明证。"他停住了，略一沉吟："好了。眼前所急的不在那死尸，却在那个活人。我们应得先把这钱二寻到了才好。"

我说："你不是说他也许要留在这里吗？如果如此，他自然要回来的。"

霍桑道："唔，是的，他也许还要回来。因为他昨夜既然不会逃走，又把死尸移开去了，当然不会就这样丢弃了走——"

仁宝忽插嘴道："这些东西值不得几个钱，我怕他不致舍不得。"

霍桑道："我所说的他不肯丢弃了走，不是指金钱的价值，是指秘密的价值。"

仁宝问道："那么我们现在只静坐着等他回来？"

霍桑摇头道："这也不是。据情势而论，他虽似必要回来，可是世界上的事往往有出于情理的，我们当然不能守株待兔。现在第一步我们应寻究他们的来历；来历明白了才可以着手侦缉。"

我接口道："对。现在你打算怎么样查究？"

霍桑回头向仁宝道："我要问你几句话。你对于他们俩的姓名籍贯和他们所从来的地方可都知道？"

仁宝说："他们的口音混杂，我听不出是什么地方人，他们也从来不曾提起过。若说姓名，杀人的叫钱二，被杀的叫赵大，我方才已经说过了。"

霍桑道："这不是他们的真姓名，是他们假托的。"

仁宝疑讶道："假托的？但他们租屋的租契上面，明明写着赵大和钱二。"

霍桑的眼珠转了一转："喔，他们还写过租契？快给我瞧瞧。"

仁宝道："租契我妈执管着。我去拿。"他忙回身从拆破的板壁中退出去。

我乘机问霍桑道："你怎么知道他们的姓名是假托的？"

霍桑摸摸下颏，说："我并不实在知道。这只是我的猜想。"

"有根据没有？"

"猜想当然不是凭空发生的。"他微微一笑，"如果凭空着想，那就叫作'虚想''幻想'，也就不成其为猜想。"

我也笑道："唔，你倒是一个名词专家。好，我承认措辞失当。你的推想的根据是什么？"

霍桑突然住口，忽瞧着那关着的通小巷的侧门，倾耳细听。难道是钱二回来了？不。一个行路人的脚声从外面经过。一会儿又寂静无声。

他才说："这两个姓名假造得太简单，并且太笨拙。你也应当看得出。"

"唔，很抱歉。"

"你想他们的姓，一个姓赵，一个姓钱，不是百家姓上最先的两个字？再看他们的名，更是滑稽。那赵字居先，钱字居次，就成了姓赵的叫赵大，姓钱的叫钱二。"

我也开始觉得这两个姓名果真有些别致。

我又问："你根据的就是这一点？"

霍桑答道："还有。我瞧他们的举动处处都带着秘密色彩。你瞧箱子里面不见一张名片和一个字迹，可见他们在尽力掩饰他们的真相。还有一节，你瞧这有什么作用？"他指示着皮箱外面的一个贴过纸票的痕迹。

我瞧了一瞧，说："这痕迹像是火车上贴过行李票的，但已给磨擦掉。"

"是，这真是行李票的痕迹，但不是磨擦掉的，是故意揭去的。"

"他们所以如此，目的在不让人家知道他们从什么地方来，是不是？"

"是啊。行李票上是注明出发和所到的地名的，如果留在上面，他们的来历便可以让人家一望而知。现在他们故意揭去，也可见他们的周密。"

我瞧着皮箱说："假使他们果真是故意揭去的——"

霍桑突然旋转来向我瞧了一瞧，剪住我说："什么？假使？难道你对于我说的'故意'的见解还有什么怀疑？你瞧，这里还有一个痕迹，是故意的还是偶然的？"

箱子的前面另有一个方形白色的痕迹，似乎用什么利器将红漆刮去了些，才露出牛皮的本色。这痕迹当然是故意弄成的，但一时不知道有什么用意。

霍桑说："你总也看见过，旧式的皮箱上面，都印着皮箱店的店名。这个刮去的痕迹，显然就是店名的印记。"

我答道："唔，是的。他们把皮箱店的牌号都刮去了，当真抱着极端的秘密态度。"

霍桑忽举起一只手，又在静听，好似外面又有人经过。

一会儿，他才说："那牌号的印记上面，往往附着地名。他们既然要秘密，就不得不一并把它刮去。"

我点头说："不错，他们两个真是十二分精细的家伙。"

霍桑笑道:"那么我料他们俩的姓名出于假托,现在你总也可以相信了。"

我也笑一笑:"霍桑,我不是不相信你,只因我一时不能够理会,便像骨鲠在喉,急急要求解释。"

这时王仁宝已领着他的母亲进来。那老妇手中执着一张纸,眼珠向着皮箱乱转,脸上还带着恐怖。

我安慰伊说:"你不用害怕。这里已没有死尸。"

老妇颤声道:"我听得仁宝也这样说。但这到底是怎么一回事?昨夜里我明明瞧见那可怕的东西……"伊的唇色忽又变成灰白,两足又不住地颤动。

霍桑走到伊的面前,低声说:"王太太,你安静些。这是他们的租契吗?"他从伊的手里取过那一张纸。

我走近去瞧。那是一张前面印有红花的契据纸,纸上的字迹很拙劣。

霍桑略看一看,说:"他们的具名果然是赵大钱二。……唔,关于他们的来由仍没有一些发现。"

我说:"既然是假名,当然没有用处。"

霍桑道:"假名不必说。我本想从字迹上测度他们的教育程度和身份,可是这字也是测字先生的大笔。你瞧,字体很俗劣,文句不通,误字倒不少。"

我同意说:"对,这果然很像测字摊上的法书。其实他们处处秘密,这租契上自然也不会留什么迹象。"

霍桑把租契折好了,又侧耳向外面听了一听,说:"这里很气闷,我们到那边去谈。"

我们都从破板壁中走出,回到了那客堂里坐定。霍桑又向仁宝的母亲问话。

他说："王太太，这租契可是你教他们写的？"

王老太点点头。

霍桑又问："他们写这租契是不是当着你的面写的？"

老妇摇头道："不是。他们过了一天才交给我。"

霍桑向我瞧瞧，示意他的料想没有错。他问道："他们住在你家几天了？"

伊扳着手指算了一会儿，答道："他们是十九日那天来的，今天是二十八日，已经住了九天。"

"他们来租屋，可有人介绍？"

"没有。仁宝在前门上贴了一张召租，他们自己寻来的。"

霍桑道："那么不但保人，连居间的中人也没有了。是吗？"

老妇不答，但向霍桑瞅了一眼，两只手又没处安放似的挥动着，似乎防他责备。

霍桑仍婉声说："他们在十九日进屋，但几时付租金成交的？"

王老太答道："十九日早晨成交的。他们走进来看了屋子，一说就成。我还说他们俩很爽快。那天下午，他们就叫一个火车站上的挑夫把铺盖皮箱搬进来。到了第二天傍晚，他们才把租契给我。"

霍桑沉吟了一下，瞧着我说："这可见他们到了无锡，直接就来这里，并不曾住过旅馆。"

我应道："他们所以不住旅馆，大概也是为着秘密起见。"

霍桑点点头，又回头问那老妇："在这九天之中，可有什么朋友们来访问他们？"

"没有，从来不见有一个人来过。"

"他们也常出去吗？"

"出去的，大概总在晚上。"

"两个人一块儿出去的，还是各人单独走的？"

"那并不一定。有时候同出，有时候也各走各路，但还是同出的次数多些。"

"他们常往什么地方去，你们可也知道？"

霍桑把眼光移到仁宝身上，表示这问句不是专对一人。仁宝和他的母亲都摇摇头。

霍桑补充说："我不是要你们指出一定的所在。譬如他们是不是常往茶楼酒肆，或是吃饭的某一家饭铺。你们若使知道，对于这事也许有些帮助。"

仁宝道："这也不一定。他们出外去吃点心或吃饭的时候，有时虽也对我们说明，但往哪里去吃，却从来不曾提起过。我们本来不提防，也不曾跟他们去过。"

霍桑低头想了一想，又提出一个疑问："他们总应该有信件来往吧。这几天中你们可瞧见过？"

仁宝瞧着他的老母，说："妈，我白天要往厂里去。你在家里可曾看见他们有什么信件？"

老妇张着眼睛，兀自摇头："我没有看见过。"

霍桑进逼一句道："果真没有？"

老妇确定地说："真的，我一天到晚在家里，如果有什么信差来敲门，我一定听得见。"

霍桑吁出了一口气，挺一挺腰，缓缓地站起来。

他向我道："包朗，我真想不到！他们俩竟这样子周密，不留丝毫线索。太秘密了！我看这钱二既然迟迟地不归，大概不再会回来。我们真无从着手哩！"

推　测

霍桑的初意，以为一小时中就可以了结这件凶案，预备结束后再到梅园、鼋头渚和羊山等处去玩。可是这算盘打得太如意了些。现在凶手既然不知去向，尸骸又没有着落，甚至连凶手和被害人的姓名来历都没有头绪！

霍桑低一低头，继续说："包朗，世界上的事，真是往往有出于情理的。我方才听说那钱二昨晚上犯了凶案，直到今晨还没有逃，便料他这时也不会走开，因此我们在一小时中便可以结案。这原不是凭空的猜想。因为他如果要逃，昨夜虽或来不及，今天破晓尽可以逃了。他既然不逃，势必要再逗留一会儿，也许有什么别的勾当。你想，这样的推想总也算不得虚幻。不料事实上竟并不如此！那钱二本是昼伏夜出的，此刻却偏偏一去不回。他们的房间中又没有可以着手的线索。你想，谁想得到？"

他的牢骚中充溢着懊丧和失望，脸上也罩上一重暗影。我也感到不安，找出了一句慰藉的话。

我说："这件事如此幻秘，真出人意料。可是我们本是为着游散来的——"

霍桑忽然张大了眼睛，睁睁地向我注视着："包朗，你的意思怎么样？莫非说我们就此撒手不干？不！这不行。我们的本意固然是游憩，定意一切不干，但刚才既然同情了这位患难的王太太，破例地应允伊了，那就不应有始无终。况且畏难而退缩，在我的往史中还不曾有过。不！你别做这样的打算！"他的说话似乎太认真，又像动了些感情。

我含笑说："霍桑，你别误会。我并不是畏难而退。原因是我们的目的本是游散，你又千叮万嘱地叫我不要多事。方才我接受了这一件事，看来不是短时间内所能了结，只怕打断了你的游兴，因此怪怨及我。现在你既然自动愿意彻底地干一干，我自然也愿意奉陪。"

霍桑又向我瞧着，嘴角上也露出些笑容："包朗，这是你的报复？还是想卸责任？"

我又笑着应道："如果你一定要我负责，我也决不逃避。你放心。"

"那么着手的第一着，也许就要借重你的大名。"

"怎么？要借用我的名字？"我有些莫名其妙。

霍桑挥挥手，又坐下来说："你姑且别问，我们先就观察所得，把全案整理一下，再着手进行。"

我同意说："好。你说。"

"我们知道有两个人乘火车到无锡来，他们的目的，此刻还不能知道，但一定有什么不可告人的秘密勾当——"

老妇插口道："他们说是来做生意的，因着旅馆里费用太大，所以来租屋住。"

霍桑道："这是他们自己说的话，当然算不得数。"

仁宝也表示说："他们也许果真是来做生意的，不过那生意是违法私密的，因而便鬼鬼祟祟。"

霍桑道："话虽可能，但这里既然没有一些迹象，似乎不像为经营而来。"

我也插嘴说："果真不是为秘密经商吗？霍桑，你可是已有确据？"

霍桑含糊说："确据还难说，这只是我的推想。"

"什么样的推想？你说说看。"

"若说秘密经商，大概不出两种，或是鸦片毒物，或是军火。如果如此，他们的行李中多少应当存留一些。"

我辩道："也许商品已经销完了，因着分利不均，内中有个人因贪心不足，想要独吞，才起谋害之意。"

霍桑沉吟说："这推想看似很有意思，但如果仔细分析，至少有三四个矛盾点。"

"唔？"

"第一，若是分利不均，应当在得利结算以后，彼此才会起讧。但据王太太说，他们在近几天晚上，夜夜都有奋拳拍桌的声音，似乎他们决裂已不止一次。第二，一个人因觊觎财物而起意谋害，大半采取出其不意向对方下毒手的手法，比较有效。那么事前也绝不致起讧。第三，箱子中即使没有存货，也应当留些臭味和痕迹。可是现在却丝毫没有。第四，他们的行李本来不多，又不便夹带。再进一步，他们在这里住了九天，又没登门接洽的人。这种种都和经商的见解似乎冲突。你以为如何？"

我一时找不出反驳的理由，只说："你的观察固然很近情理，但你方才自己说过，世间的事往往有出于情理的。我们似乎还不能随便断定。"

霍桑应道："原是啊，我说他们不是为经商而来，本是眼前的假定，并不曾确定。"

我又问道："那么你想他们究竟为着什么事来的？会不会有政治意味？"

霍桑摇头道："我不知道。我只能假定他们有某种不可告人的秘密勾当，这勾当究竟是什么性质，眼前我实在没有把握。"

"那么他们俩为什么竟发生谋杀？你可有什么见解？"

"这问题是跟先前的问题有连带关系的。我们既不知他们所干的事是什么性质，自然更不容易知道他们因什么缘故互相残杀。譬如我们若使确知他们的目的，是贩卖私货，那么你所说的分利不均或是贪心独得，便可以成为一种推想。现在既然茫无头绪，任何推想都不能成立。不但如此，其中还有一个矛盾的疑点，真教人索解得。"他忽然顿住了不说下去。

我问道："霍桑，什么疑点？"

他忙改换语调说："唉，现在不必多说空话。眼前的步骤，我们应得把这逃走的人追回来。"

我道："这步骤不错。可是逃走的人的踪迹既这样秘密，我们又不知道他们的姓名来历，往哪里去寻？"我说到这里，不禁把目光注射到王仁宝身上："这件事现在弄得这样棘手，都是你失着。假使你昨晚上一发现凶案，便悄悄地去报告我们，或是报告了近处的警局，把凶人当场拿住，那就不致这样多费周折。"

仁宝变了面色，期期然答道："先生，你……你得原谅我。昨晚上妈受惊太厉害，我实在不敢离开伊。我如果出外去报告，妈也许会叫起来。那时不但会使凶手逃走，妈的性命也有危险。因此——"

霍桑忽插话道："昨晚上的情势实在如此，我们也怪不得你。现在你定定神，切实地回答我几句话，以便我们可以追究他们的来历。"

仁宝连连点头道："好，好，我所知道的事情，一定据实奉答。"

霍桑道："你先把两个人的状貌说给我听听。"

王仁宝道："可以。现在我只能仍旧把他们叫作赵大钱二，因为我只知道他们有这两个名字——"

那老妇忽插嘴说："那赵大还有一个名字呢。"

霍桑的眼光一闪，忙旋转头去问道："喔，还有一个名字？叫什么？"

老妇道："叫作荣邦。"

仁宝张大眼睛瞧着他的母亲，似乎很诧异。

霍桑大喜道："王太太，你怎么知道的？"

伊回答说："有一天傍晚，我站在自己的门口。钱二从外面回来，经过我的门口。他向我笑一笑，问我说：'荣邦回来了没有……'说了这半句，他忙着改口：'嗯，赵大哥可已经回来？'我回答他没有。他点一点头，便匆匆地转身回去。"

霍桑道："以后你可曾再听得他第二次叫过？"

伊摇头道："没有。我只听得他叫过一次。"

仁宝醒悟似的说："唔，怪不得我不知道。我可不曾听得过。"

老妇道："我起先并不在意，此刻听你说起，才想起来。"

霍桑向我点点头："很侥幸，我们得到了一个真名。"

他又问那老妇："他们平时在此怎样称呼的？你可曾听得？"

老妇道："他们称呼大哥二弟。"

仁宝道："对，我也听得这样称呼，故而很相信是他们的真名。"

霍桑点头道："好，你就把他们叫作赵大钱二好了。"

仁宝应道："好，那被杀的赵大身体很瘦削，高度大约有——"

霍桑忽插口道："是不是略略比你高些？"

仁宝诧异道："正是。霍先生，你怎么会知道？"

霍桑微微一笑："这很容易明白。我看见皮箱中有一件深青色绉纱夹袍，腰身很细，长度却有三尺八九寸，显见是一个瘦而高的人穿的。你的身材和包先生相等。包先生穿本国服装的时候，长衫只有三尺七寸。因此我知道赵大比你高一些。"

仁宝问道："你已经把那件长夹袍量过了？"

霍桑点点头："是，我用手指量过那件夹袍。你说下去。"

仁宝继续道："赵大不但身体较高，年纪约莫有三十，也似乎比钱二大些。他的脸形带些长方，鼻子旁边略有些细麻，近视眼，戴一副金丝眼镜，头发很稀少。他平日穿一件灰布棉袍子，玄色呢的马褂，常戴一顶黑呢帽——"

那王老太似乎耐不住伊的儿子的唠叨，插口道："赵大已经给杀死了，何必说得这样子仔细？现在要追寻的是钱二，你把钱二说得详细一些。"

霍桑微微皱一皱眉，但不加批评。他向那少年努一努嘴，示意叫他说下去。

仁宝又说："钱二是一个矮胖子，身体很结实粗壮，穿一件玄色的厚呢袍，不穿马褂。他的面貌很凶恶，头发浓黑，剪成平顶式，脸形是圆的，比赵大的黑些。"

霍桑道："钱二可也戴眼镜？"

仁宝摇头道："他不戴眼镜。他的眼睛骨碌碌，真可怕。"

霍桑问："可还有没有可以特别注意的地方？"

王仁宝低一低头："没有，我说不出。"他略略沉吟，又接着说："唔，我看他像是一个有大气力的人，穿一双黄皮皮鞋，走路时落脚很重，并且很快。所以两个人斗起来，赵大自然要遭他的毒手。"

霍桑沉吟地说："这样说，钱二是偏向活跃的，赵大却比较沉静些。"

王仁宝连连应道："对，对。我也觉得如此。"

霍桑又问："你看他们俩都像是上等人？"

"不错，都像上等人。"

"像哪一界人？"

"他们像是商人，不过不像老式的商人。"

霍桑又换一个题目："他们都吸纸烟吗？"

仁宝迟疑道："我没有看见过。"

霍桑摸摸下颏："方才我在椅子边拾得一个烟尾，似乎他们中间有一个是吸烟的。"

仁宝回头问他的母亲："妈，你见过他们吸烟没有？"

老妇道："他们如果在房里面吸烟，我们是瞧不见的。"

霍桑点点头，又问那老妇："王太太，还有一句话。你在家里，也许多听得些他们的说话声音。你听他们的口音，可听得出是什么地方的人？"

老妇想了一想，又向伊的儿子瞧了一眼："仁宝，他们的口音，不是和小桥头的那个李裁缝差不多吗？"

仁宝咬紧嘴唇，踌躇了一下，点点头："是，的确有些像。他们好像是上海人。"

霍桑张大些眼睛："你说是上海人？"

仁宝疑讶地说："是啊。我早说他们的口音混杂，不容易说定——"

霍桑忽摇头作坚决声道："不！我想他们是嘉定人！"

火车站的探问

霍桑的答语真是出我意料。我不知道他凭着什么根据，竟敢一口断定他们是嘉定人。因为他们所遗留的东西只是些寻常衣服，并无片纸只字，连行李票和箱上的牌号都一齐刮去了，绝不留丝毫痕迹。霍桑又从哪里得到了确证，才敢下这断语？

老妇摇手说："不是，不是。李裁缝不是上海人，也不是嘉定人。"

霍桑的脸上不由得红了一阵："喔，不是？我料错了？那么李裁缝是什么地方人？"

老妇道："他是南翔人。"

霍桑听了这句，面色恢复了原状，又笑了一笑，似乎很得意。我默想南翔和嘉定距离不远，口音确是差不多，我也曾到过那里，听过他们的声音，简直分别不出。霍桑这一笑显然是自庆他没有料错。

他并不辩正，又问道："那么这两个人可曾和你所说的李裁缝会过面？"

老妇道："没有。李裁缝还是上月半送衣裳来过一次，好久没有到这里来了。"

霍桑低头想了一想，便立起来向我说："包朗，现在已经略略有些头绪，我们应得赶紧进行。"

我道："好，怎么样？可要报警察？"

"不必。报警察没有用。我们姑且假定那假名的钱二从这里出去以后，乘了八点二十四分的火车逃回他的本乡去。你知道到嘉定去，应得从沪宁线的南翔站下车，所以他一定是乘火车走的。现在我们应当追踪而往，即使钱二没有逃回，我们也应往那地方去探听他们的真相和已往的历史。"

"对，这是第一步应有的手续。"

"那么第一着就要烦劳你。"

我诧异道："怎么？你要叫我一个人去探听？"

霍桑笑道："你别着急。我已经说过，只要借重你的大名就行。"

"我的名字有什么用？"

霍桑瞧着我，笑嘻嘻地说："你不是有一个表兄在嘉定吗？"

我一听这句话才了解他的意旨："正是。我的表兄周义轩，现在还在嘉定开一爿酱园。你要我出名写一封信，教他替我们探访吗？"

霍桑应道："是的。此刻我们还要寻觅尸体，一时不能够离开这里，不如先烦劳你的表兄一下。"

我迟疑道："可是他是一个商人，对于这种侦探的任务怕不能胜任。"

"这倒不必忧虑。那里地域不大，县城里有几个人，差不多大家都知道，探听起来比较商埠都会容易得多。我们写得仔细些，试一试再说。万一无效，我们再亲自到那里去不迟。"

"好。你起稿子，我来具名好了。"

霍桑点点头，从衣袋中取出纸笔来起稿，一会儿，稿已草就，就授给我瞧：

"你读一遍。可妥当？"

那信稿道：

义轩表兄

现在要烦劳你一件事，请你替我们探访两个人。他们似乎是贵县教育界里的，一个是瘦长子，头发稀少，长方脸，戴近视眼镜，略有细麻，年纪在三十左右，穿灰布棉袍和玄呢马褂，戴黑呢帽；还有一个年纪略轻，身体较矮胖，脸圆而黑，厚发剪平顶式，穿黄皮鞋和呢袍子。两个人的姓名我们都不知道，只知那瘦长的一个似乎唤作'荣邦'。他们在本月十九日来无锡。那矮胖的在今晨失踪，不知是否回乡。请你悄悄地设法调查，如果有什么头绪，或关于他们的往史行为，请严守秘密，立刻回信为要。

> 表弟包朗上　三月二十八日

我念完了，说："再详细没有。我们的旅馆地址也得写明。"

霍桑道："那自然。这信要快递的。请你签一个名。"我依言签了。他又道："第二步，我们应当调查钱二到底离开了无锡没有。这任务你可也能担任？"

这任务可不容易。在这繁盛的无锡城内，要寻这么一个不知谁何的人，正像大海捞针。我不知从哪里着手。霍桑已看出了我的疑滞，便拍拍我的肩：

"包朗，你不用疑惑。我教你着手的方法。我料这人如果逃走，一定仍旧乘火车逃；并且他乘的火车也大概是第二班八点二十四分的车。那么距离现在还不久，你到车站上去探问一下，也许有什么机缘可以调查出来。"

"可以，不过保不住一定可以查出。"

"唔，谁要你保？并且谁能够保？现在你只需尽你的力，有没有不成问题。如果没有，我们再想别法。"他瞧一瞧手表，"此刻已九点十九分。再隔四十分钟，就要开第二班南京车。你不如即刻就去，趁这空闲的当儿，车站上的职员们也许可以和你谈几句话。"

我点头道："好。但你自己要干什么？"

霍桑用手指一指，答道："那一间小室我还要进去收拾一下。我还要往附近去探听探听，然后回旅馆。你离了车站可以一直回寓，我等你回来吃点心。"

我答应了，就别了王仁宝母子，走出后贝巷口，雇了一辆黄包车，一直往火车站进行。

我们在无意中遇了这一件凶案，像一条飞扬的游丝粘在手上，一时竟不能摆脱。现在我们费了一清早功夫，挨着饥饿，所得到的还只在可信不可信之间。例如霍桑料想那人是嘉定人，不知他是根据什么，是否确定，也正难说。即使属实，现在那人逃了，如果不往嘉定，逃到了别处去，我们又怎样着手？此外这两个人究竟因着什么缘故，竟至忍心残杀，自然最困人脑筋。而且那钱二行凶杀了人，何以不立即就逃？那肢解的尸首又怎么忽然不见？这种种都是不可思议的谜团。我记得霍桑还说其中有一个疑点不可索解。这疑点又是什么？

波澜似的疑问在我的脑海中层层推进，虽终究没有结论，这一段黄包车的行程却结束了。

我到了车站，便下车付车钱，打算怎么样完成我的任务。我想车站上的卖票人是个重要人物，无论谁何，都要经过他的手，问题就在人数太多，他是否能够注意这一个特殊人物。

这时虽没有到开车的时刻，车站上早已攒集了许多乘客。我走到卖票房前，看见一个少年职员模样的人坐在门里面吸烟。我把我的灰色呢帽掀了一掀，向他打了一个招呼。他向我上下打量一下，便也点头作答。那时候流行着一种畸形的风气，穿了西装跟这一班少年职员们招呼，无形中会比较的便宜些。

我问他道："对不起。请问方才八点二十四分的一班上海车，卖票的是哪一位？"

那人反问道："头二等，还是三等？"

这一问我倒没有预料到，使我呆了一呆。

我答道："卖三等票的。"

"就是我。有什么事？"

"我要请教一句。方才有没有一个买票的客人，是个剪平顶式头发，黑脸的矮胖子？"

那少年又向我瞧了一瞧，摇头道："我没有注意。卖票的时候，乘客太拥挤，我没有工夫向他们细瞧。"

"他穿一件黑呢袍子，脚上是黄皮鞋。"

"我们从月洞中瞧出去，只看见他们的鼻子以下和胸口以上的部位，别的都瞧不见。"

问句撞了壁，答话倒是实情。怎么办？在焦急中我又提示了一点：

"他的神气很焦急。"

那卖票员微微一笑："买车票的人，谁都是急得要命似的。对不起。"

僵！怎么办？

我又提示一句："喔，我想起来了。他是买南翔票的。到南翔去的人大概不多，你可还记得？"

少年站起来向票柜上瞧了一瞧，说："南翔票卖了十六张。我也记不清楚。"他定着目光追想了一下："我不记得有这样的人。……没有。……唔，你可问问站上的铁路警察。"他说时忽向一个从门口走过的穿制服的人招招手："友松，这位先生要问你几句话。"

那穿制服的果然应声走近。我向先前的卖票员谢了一声，回头把所问的话向那路警重新说了一遍。

路警低头想了一想，说："我没有看见这样的人。"

我说："那人的举止一定是很急促的，态度上也许有些可疑。你可曾觉察？"

路警道："上车的客人差不多十个中有九个是躁急不耐的。若说形迹可疑，我倒听见钰卿说过，有一个穿黑袍子的人，等车的时候，站在车站的黑角里，遮遮掩掩，很惹人注意。"

"是不是一个矮胖的人？"

"唔，怕是的。"

我的心开始狂跳："不是穿黑呢袍子和黄皮鞋的吗？"

路警迟疑道："这个我不仔细。那个人是钰卿瞧见的。"

我问："你自己没有瞧见？钰卿是谁？"

"钰卿姓李，和我当同样的职司。昨晚上他当夜班，今天早晨他对我说——"

我忙插口道："喔，你所说的可疑的人，是在今天早晨瞧见的，还是昨天晚上瞧见的？"

路警道："不是今天。他看见那个人昨夜乘夜车走的。现在钰卿睡着，可要叫醒他问一问？"

我知道我吃了个空心汤团，忙答道："谢谢你，不必叫他。我要查问的那个人，今天早晨还有人瞧见，绝不会乘昨天夜车走的。再会。"

我不再做无结果的查问，但据卖票员说，南翔客不多，那钱二大概还没有离开无锡。

觅 尸

我回到新旅社十九号时，霍桑果然已经先回，正伏在窗前，拿着放大镜察验什么东西。

他一见我，仰面问道："怎么样？有些端倪没有？"

我应道："那人大概还没有离开无锡。"

霍桑很高兴："果真？我也料他如此。你可曾访得什么确证？"

我把车站上探问的情形说了一遍。房门开了，一个侍役送两碗脆鳝面进来。霍桑将桌上摊开的无锡地图折好，叫我一同吃面。

原来霍桑预料到我回寓的时间，先叫好了点心。他料南京车快要开，车站人员不能多招呼我，我不能不回来。人在饥饿时胃口往往加强，何况是异地的风味，我吃得津津有味。我们吃完了面，彼此烧着一支纸烟。我记起回寓时看见他正在察验什么东西。

我问道："霍桑，你回来多少时候？忙些什么？"

霍桑缓缓说："你走了之后，我把那小房里的皮箱等物重新整理好，又将板壁恢复了原状，就也从王家出来。我寄了快信，往附近兜了一个圈子，调查了几家饭铺和茶楼，随即乘车回来。"

"可曾探得什么？"

"没有……不过也不能说完全落空。"

"唔，你说说看。"

霍桑吐出了一口袅袅烟雾，才说："他们俩的举止真是处处秘密的。据我调查的结果，他们始终没有上过附近的茶楼。

吃饭的饭铺也是东换西换，并不指定一所。"

"你可曾探出几家？"

"我在泗堡桥两端探得三家饭铺，他们都曾光降过两三次。"

"得到什么关节没有？"我的期望提高了。

霍桑又吐了一口烟："我只知道他们是很节俭的，吃饭时破费不多，又知道他们的确是嘉定人。"

"唔，你起先料想的有了印证？"

"有一个鸿福楼饭铺里的侍役说，听他们的口音，也像是南翔嘉定一带人。"

我先时怀着的疑团又被触动了："霍桑，我正要问你。你料那两个人是嘉定人，到底有什么根据？"

霍桑缓缓道："根据自然有的，否则便不成其为推想。"

"可是箱子里面有什么信函地址？"

"箱子里面你也瞧见的，哪里有什么可以发现他们籍贯的东西？"

"那么那些衣裳上面有没有——"

霍桑忽笑道："唉，包朗，你别弄错。我们是中国人啊！假使我们是西洋侦探，探得了这些衣服，当然就可以从那制衣铺的招牌或是洗衣铺的记号上面，追究他们的来历，用不着这样麻烦。但你总知道中国人的衣服是没有成衣匠的名号的。莫说衣服，就是帽子里面虽有牌号，可是——"

我忙摇手止住他："好，好，你何必小题大做？你到底从什么东西上发现的，爽快些说明了吧。"

霍桑道："我的根据不在箱内，却在箱外。"

我想了一阵，疑讶道："箱外？可是在他们的被褥上？"

霍桑又笑一笑："你别想入非非。告诉你，我的根据就是箱子外面的锁。"

我一时还不明白："锁上有他们的籍贯？"

霍桑解释道："我们中国的锁，大半都是铜质的。锁的机关的好歹大不相同，价格也因而有别。凡机关灵巧而价贵的锁，锁上都铸着锁铺的铺名。那一把锁，你不记得我第一次开不开吗？那机关确是很灵巧的。我开锁之后，仔细一瞧，锁簧的头上不但有铺名的印记，还有地名。那铸着的一个小印是'嘉定源昌'四个字。'源昌'是锁铺的名号，上面横列着的'嘉定'两个小字，当然就是那铜器铺开设在嘉定的标记。因为嘉定并不是以制锁著名的，未必有锁在外埠销售，显见这锁是当地人所购，同时就证明了这锁的所有人的籍贯。"

我点点头说："这一着我倒没有留意。"

霍桑瞧着我道："何止这一着？譬如我问你，你家里的中国锁，有几把是有印记的，有几把是没有的，你也留意过吗？"

我笑道："这个问句太难答了。我虽不知道有几把锁上有印记，但锁上的印记，我确实见过的。……霍桑，你当初的断语，可是就根据这一点？"

霍桑点点头，自顾自吐吸着。

我道："这似乎太冒险，幸而被你料中。"

"太冒险？怎么？"

"锁究竟是普通的东西，旅行的人也可以在那地方购买。你竟料定锁铺的地名就是他们的本乡，岂不是太主观些？"

霍桑放下了纸烟，笑道："你说得很有理由，可惜还略欠精细些。你还记得那箱子外面被刮去的印记吗？那印记必是箱铺的招牌和地名。他们所以要刮去，也一定因为箱铺的地名就是他们的本乡，否则又何必多此一举？这就可知那箱子是他们在本乡购的。箱子既然如此，锁是有连带关系的，不消说更有同时在他们的本乡购备的可能。我凭着这个旁证成立关于他们的籍贯的假定，难道还算冒险？"

我不答，默默地吸烟。霍桑好像打开了话匣，滔滔地继续发挥他的理论：

"我已经说过，嘉定是一个小县，并没有精造铜锁的名声，上海市上也不见有嘉定锁的销售行。这可见那锁并不像你所说的普通。那么除了本乡人购备以外，难道说有什么外乡人特地到嘉定去购一把锁，更觉通情理吗？"

我不答辩，静听他分析下去。

"还有一点。他们俩是乘火车来的。嘉定是在南翔附近。南翔站在沪宁线上算得上一个重要的小站，几乎每班车都停靠。这也是一个小小的旁证。"

我不禁连连点头，笑道："霍桑，你不但思虑入微，就是你的口才，也尽够得上大律师的资格。"一句勉强的诙谐掩饰了我的窘态。我急忙移转话题："霍桑，我还有一个疑团。你在给义轩的信上，假定他们俩是教育界里的人物。这有什么根据？"

霍桑喷出了一串烟雾，说："这并不难知。他们俩像是上流人，衣饰却很朴素，箱子里的衣物又证明他们是清寒文人。我在那件绉纱夹袍上又发现了袖口上的粉笔灰和前襟上的红墨水迹。"他说完了将残烟丢入痰盂，立起来取了桌子的放大镜纳入袋中。

我又问道："霍桑，你刚才察验什么东西？"

霍桑道："就是在椅子旁边拾得的一个烟尾。"

"烟尾上可有什么端倪？"

"我只知道这是一支大前门，还很新鲜。"他把颈口的一条蓝地儿白星的国产领带扣一扣紧，又将身上的藏青哗叽短褂整一整，"包朗，现在你可愿意再出去走一趟？"

我问道："往哪里去？"

"寻觅死尸。"

"唉，这倒很重要。你往哪里去寻？有把握没有？"

霍桑耸耸肩："死的总比活的容易寻觅些。我已打算过一会儿，有两条路。"

"唔？"

"那人既要移尸灭迹，当然不出两途——或是掘地埋葬，或是投入河中。可是埋葬的一法，手续比较繁，不如投入河中的省事。所以我打算先往河里去找。"

我寻思道："你以为除了这两条路，没有第三条？"

霍桑正在拿他的呢帽手杖，忽呆了一呆，反问我道："你以为还有第三条？"

我道："那人为嫁罪起见，会不会把断割的尸骸移往另一人的家里去？"

霍桑的眼珠旋了几旋，似乎这一着出乎他的意料。

他缓缓地答道："唔，这一着果真也有可能。可是此刻毫无根据，不如暂缓一下，免得乱我们的思路。如果我所假定的两点没有结果，再进行你这一条路不迟。"他开始向门口走去。他又站住了说："你的料想如果属实，我们虽不去寻，尸首也许会自然地发觉。"

霍桑说完了，伸手去握门钮，将室门拉开了些，忽又立定了不动，但他的右手仍握在门钮上。他用左手向我招招。我忙走近去。

霍桑低声道："听。别打断他们的谈锋。"

我侧耳从门隙中一听，有两个人谈话的声音，好似从门外甬道的尽端传来的。

一个人说："我看这种事并不稀罕。"

另一个声音粗些的人说："外边的人都把这件事当作新闻四面传着呢，你倒说并不稀罕。"

"这件事我早知道早晚要发作的，现在果然不出我所料，所以并不稀罕。"

"喔，你不是说彩凤本来不规矩，你早料伊会有这一次的失踪？"

"自然，我不但耳闻，还曾经目睹。"

"喔？跟彩凤交往的，不就是那个电报局里的家伙？"

"不是他。新近伊又换了一个更漂亮的人。你想这样的女人有一天跑了，那有什么稀奇？"

"你以为伊跟了那家伙去——"话忽而顿住了，又改口说，"彩凤失踪了三天哩，故而伊的妈着急起来，四处去找寻，惹得人家都传作新闻。"

最先的一人轻蔑地说："要是我做了伊的妈，决不这样傻。因为平时既然纵容伊惯了，这时候着急有什么用？……唔，再隔一两天，伊包管会自己回来。"

霍桑听到这里，向我做一个鬼脸，随手把室门拉开了，跨到外面。我也跟了走出来，向甬道尽端一瞧，谈话的是两个年轻侍役。他们俩看见我们出房，谈话立即中止。霍桑随手将室门锁好，头也不回，反身下楼。

我一边走一边附耳问道："你以为这事和我们的案子有关系吗？"

霍桑摇摇头："不见得。不过我起初听得他们说有什么新闻，才立定了听听。……不过即此一端，也可以见到社会背景的一斑。这几分钟工夫也不能说是虚废的。"

一个女子

我们出了旅馆，霍桑向西面进行。天气很晴朗。风吹在脸上，已不再有凛冽的感觉。这真是游春的良辰，现在我们却肩负着一件繁重的工作。穿过了一条马路，我开始发问：

"霍桑，你往哪一条河里去寻？"

"我已在地图上查过，后贝巷的左近，共有三条河。巷的北面有泗堡桥，距离最近，东面有平安浜，西面有大河池。不过东北两面，都接近街市，我料他不敢去。西面的大河池，地点比较冷僻些。我们先往那边去，同时还可以瞧瞧那边的荒地上有没有发掘埋葬的痕迹。"

我赞同了，就一同默默地进行。我们穿过了几条繁盛的街市，又经过电报局前，仍向西走，直到穿过了周师弄，才望见一片空地，那就是大河池。霍桑的眼光向四周流射，每逢空地僻巷，更加意注意。这时他立在旷地的中间，向四面瞭望，又兜了一个圈子，似乎不见异迹。

他说："我们还是沿着那河池走。"

那池虽然不通船只，却也非常宽广。池水涟漪，照在那近午的日光下面，彩光闪烁。池边有几棵柳树，枝头上已有新绿怒苗，垂条在风中舞动，很有诗意。地面上茂草芊芊，一碧无垠，野花也在开始含苞。自然界的美景真是别饶天趣。

霍桑忽把肘骨抵着我："包朗，你在欣赏景色？这里比梅园怎么样？"

我被他一提，便答道："如果没有这一件案子，这时候梅园我们大概已经游过。唔，煞风景，现在却到这地方来找死尸！"

"这是我们的职务，算不得煞风景。我倒觉得其中还含着乐趣。"

"唔，什么乐趣？"

"要是那尸骸果真被我们寻到了，我们完成了一件工作，岂不快乐？"

我承认霍桑的责任心比我强烈得多。因着观点的不同，有时候我们的意趣也不能完全一致。不过我并不反辩。

一会儿，我又问道："你想钱二移尸大约在什么时候？"

霍桑沉吟道："大概在昨夜夜半人静以后。那时候仁宝母子睡着了，他悄悄地将尸首移出，自然不会给人知道。"

"不会在今天早晨吗？"

"不会。时候太觉仓促。你想仁宝母子俩到我们寓里，还只七点半左右。钱二在七点半前已经办妥了回到屋里，似乎来不及。"

"也许在母子离家以后，钱二方才移尸。也可能吗？"

霍桑摇头道："那时人家都已起身，他干这件事太冒险。不，我料他绝不如此。"

我换一个话题："你想钱二究竟往哪里去了？"

霍桑出神地望着池面，皱眉说："这真是一个难题，我还不能回答。"他顿一顿，又说："他如果不是乘火车逃回去，势必仍留在本地，还有什么别的勾当。"

"什么样的勾当？"

"这也是一个难点。我看在这里附近，也许有一个或几个人和他们有某种蹩辘。他要料理这未了的蹩辘，所以还不能痛快地带了行李逃走。"

"那么，这与他有蹩辘的人是男是女，你可有成竹没有？"

霍桑摇头道："还没有。不过我抱着浓厚的希望。"

我道："喔，你以为你有探明这件案子的希望？"

他忽而瞧瞧我，说："包朗，你总也承认，人是靠希望生存的。没有希望，就没有生命。假使我对于这件事完全没有希望，我怎么干得下去？别的莫说，就是那尸首如果立刻被我们寻到，也就可以打破一层难关——"他说到这里，他的身体突然间偻下些，失声喊道："哼！"

当他和我谈时，且谈且沿着池岸进行，眼睛仍注视在池边，不稍忽略。这时他忽而站住了失声惊喊，显然已发现了什么。

我问道："什么事？可是已发现了尸骸？"

霍桑道："不是。你瞧，这是什么？"

我顺着他的手指瞧时，只是一片乱草，并没有什么特殊的东西。

霍桑接着说："你不看见那个痕迹？"

我应道："唔，这是一个空窟，像有什么大石从那里给搬开去了。"

霍桑起劲地说："是。你总也知道这大石所以给搬动的原因？"

"不是用它沉尸骸吗？"

"对！"他走前一步，又惊喜地说，"唉，这里还有一个显明的足印——是皮鞋印！"

我瞧见近水的边岸，有一个足印，那丛青草都现着向下倾折的状态，似乎经人践踏之后，还没有直立复原。

霍桑道："这足印所以特别显明，大概因着那人抱了尸骸和大石，一足踏在上岸，一足踏在下岸，用力往池中一掷。那时他的全身的重量偏在下岸的一足，因此使足底下的青草都俯折下去。包朗，你说是不是？"

我应道："很是。现在我们就动手捞尸吗？"

他向四面瞧了一下，摇摇头："不。这里虽然静僻，难保没有来往的人，究竟不妥当。"

"那么你打算怎么样？"

"我们不如夜间来——"他忽然停止不说。

我抬头一瞧，有一个穿灰色长袍戴四式黑呢帽子的少年，从北迎面而来。霍桑丢个眼色，引着我缓缓向前进行，且行且和我低声说笑，装作闲散无事的模样。一会儿，那少年已走到我们的背后。我偷偷地回瞧，他低着头只管走路，绝不理会我们。

霍桑低声说："回去吧。地点认明了，夜里来动手。"

我们走了一会儿，进入一条小巷，叫作牛师弄。从那里一直走，必须经过后贝巷前。我耐不住枯寂，又找出了一个题目：

"霍桑，你看这一件案子到底是什么动机？"

"唔，我想不出。"

"那么刚才我所说过的意见可有几分理由？"

"你还说他们是秘密经商？"

"不，这一点你已经解释过了。但政治意味你以为也可能吗？"

霍桑皱眉道："难说得很。从表面上看，南北政府的政见不同，内幕中也许有什么动作。但无锡在军略上不是冲要，似乎没有特别注重的理由。况且党人行动，贵乎消息灵通，怎么会居留了九天没有一封信件？"

我催逼道："那么究竟怎么样，你总该有些意见，是不是？"

霍桑微微叹一口气："这案一开端，就有一个矛盾点困住了我。因此阻住了我的思路。因为这里面有个相反的疑点，我推索不出。"

我道："唉，我记得了，你刚才也说过。到底是什么疑点？"

霍桑简单地分析："你想他们俩起初到无锡来，严格守着秘密，可见彼此的意趣和宗旨是相同的。既然如此，他们又为什么夜夜拍桌争吵，末后又甚至下残杀的手段？杀人行凶是件阴险的罪行，何况又肢解尸首，若不是有深怨宿恨，岂忍下手？反过来说，既然有深怨宿恨，又怎么会有起初的结合？这不是两相冲突的矛盾点吗？"

我想了想，勉强解释道："我怕主因仍逃不掉一个'利'字。他们也许像普通的交友一般，起初好像很投契，等到利害冲突，或是利尽交疏，就不免凶终隙末。"

霍桑点点头："话是有道理的。不过你说的'利'是哪一种性质，眼前也毫无头绪。等一等，别空谈。现在我已经构成了一个推想，等到捞起那尸骸之后，多少总可以打破些这一重疑点。"

我问道："你想那尸骸可以解释这个疑点？"

霍桑踌躇道："尸首是具体的物证，找着了总比较的有些凭借——"他突然忍住了，引手一指："那巷口站着的不是王仁宝的母亲吗？伊在那里张张望望做什么？快去瞧瞧。"

这时我们已走到后贝巷相近，远远望去，果见仁宝的母亲立在巷口。我跟着走近去，那老妇忽然也瞧见我们。

伊大声惊呼道："唉，霍先生！你来得正巧！"接着伊忽把手按到自己的嘴上，又另将一手招了一招，急忙退进屋子去。

霍桑并不答话，加紧步子跟过去。我看见那老妇这样子做作，案事上一定有了什么发现，但回头向巷中小室的侧门上一瞧，依旧是锁着。

我们一同进了王家，老妇诡秘地把门关上，轻轻地报告："两位先生，我正在等仁宝回来，叫他打电话报告你们。霍先生，有一个女子到这里来过了！"

霍桑动神地说："喔，一个女子？来干什么？你坐下来慢慢地说。"

大家坐定了，老妇定一定神，才继续伊的故事。

伊说："约莫一刻钟前，我在楼上听得有人敲前门，开窗一望，看见一个二十多岁的女人立在门前，门外还有一部黄包车。那女人见了我，便问我道：'这里是不是姓朱？'我回答道：'不是。我家姓王。'伊又问道：'那么可有同居的姓朱的人？'我只得说谎道：'没有，这里只有我们一家，已经住了三十七年。'那女子好像很失望，忽将伊手中的一张纸展开来瞧了一瞧，回头怨伊的车夫：'不是你走错了吗？'那车夫辩道：'这里是后贝巷口啊。怎么走错？'我插口说：'那边还有东口呢。'那女子一听，就重新坐上车子往东面去。"

霍桑全神贯注地倾听着，我也兴奋地默想。这女人有关系吗？如果不是偶然的巧合，那不能不说是春云乍展，乱丝中穿出了一个头绪。

霍桑低头沉思了一会儿，问道："王太太，那女子是个什么样人？你可曾瞧明白？"

老妇道："我仔细瞧过的。伊穿一件淡雪青华丝葛的棉袄，黑缎子西式的套裙，绣花鞋，打扮很时式。"

"面貌呢？"

"很漂亮。"

"什么口音？"

"本地口音。"

霍桑的眼珠转一转："咦，本地人！……但你儿子往哪里去了？"老妇道："他被一个厂里的同事拉了出去，说明不走远的。不料偏偏在他不在的当儿，来了那个女子。要不然，他就可依先生的吩咐，悄悄地跟伊去。"

砰砰的敲门声音惊动了我们。老妇忙走过去开门。进来的就是王仁宝。老妇便且说且怨地把经过情形告诉他。

仁宝听完了，顿足道："咳！真不巧！刚才那同事徐麒年要向我借钱，把我拉到了小桥头，立定了谈话。我几次回绝他，他兀自绕个不清。后来我没法，应允了半数，他才放我脱身。谁知道就在这几分钟中，竟会有这样的事发生！"他怨艾地回过头来："霍先生，你想这女子和凶案有没有关系？"

霍桑道："按情势而论，多分是有关系的。我正想找到一个当地的线索，可惜竟当面失去。"

仁宝道："以后我不再走开了。如果再有机会，我决不放过。"

霍桑问我道："包朗，这地方很有关系。你若能在这里暂留半天，说不定再有机缘。你可愿意？"

我应道："你如果认为必要，我当然愿意。"

霍桑站起来说："很好。现在已经十二点。你先往近处去吃了中饭，就来替我。我在这里等你。"

回　电

我从饭铺中回到王仁宝家里时，一点钟已经敲过。霍桑叮嘱我，约我到傍晚时如果没有动静，可以回寓晚餐，然后再预备捞尸。假使再有什么人来，我应当设法追迹，再不可轻易放过。我答应了，霍桑便辞别出去。

仁宝替我移了一张藤椅靠近窗口，以便我望得见街上；又取了几张旧报和几本小说杂志给我消遣。那藤椅已经破得可怜，却用麻绳穿着，旁的椅桌也尽显着老态，可是都很整洁。我轻轻坐了下来，随手取一张隔日的本地报纸，读了一会儿，觉得满纸都记着实业新闻。近年来无锡的工厂实业大有骎骎日上的趋势，比较苏州的滞留在沉静状态中的无声无息，相去很远。就物质文明的观点着想，这固然是一种很好的现象，但在美术家的眼光中，假使在三茅峰上，独立四顾，正披襟当风的时候飞来些黑烟煤灰，那又未免要感觉到大煞风景了。

我读报的时候，眼睛时时兼顾门外经过的行人，并不专注在报上。可是这一条小巷本是很静僻的，来往的人实在不多。过了一会儿，我觉得闲散无聊起来。因这闲散，脑海中的思潮又洄旋不定。

这一件案子若用"幻秘"的字样来形容，真可算得绝无仅有。案中的内幕如何，连霍桑都莫名其妙，显然超出了我们以前的经验。起先我曾有过两种见解：私贩和政治。霍桑却都不以为然。现在又发现了一个女子。据霍桑推想，这女子多分是有关系的。这可知霍桑起初也是有见解的，不过他只消极地指摘我的不是，却不肯积极地把自己的见解实说出来。霍桑平时最不肯轻易发表意见，除非到了证据齐集足以证实他的推想的时候，他才肯宣布。因此，刚才他既然承认那女子有关系，那就是间接地宣布了他原有的推想中是有一个女子的。那么这女子和凶案究竟有怎么样的关系？是不是伊和赵钱二人有什么恋爱？如果有，和哪一个人？还是同时恋着二人，是一种三角活剧？这种种疑问在我的脑海中起伏不定，终于构成了一种见解。

这恋爱活剧似乎起初是和二人都有关系的，并且程度上还难分高下，故而他们俩结伴而来，彼此都守着秘密。后来的凶终隙末，一定是因恋爱程度彼此间已分出了高下，一人得胜，一人失败；失败的心有不甘，便因妒行凶。现在一个人死了，这死的人也许就是得胜的人；并且可以推知这人的真姓是朱。因为那女子特地来寻觅的，势必是伊所爱的人。

我想了一阵，自觉非常近情，可惜霍桑不在旁边，不能向他质疑。

时间飞逝得很快，转瞬间已是夕阳西斜。可是终不见有人再度上门。仁宝也很注意地守着，门外也并没有可疑的人经过。直等到暝色控制了天空，夜幕渐渐地压覆下来，巷内的行人差不多绝迹，我想再不会有人来了，就别了仁宝母子俩，一直回到寓所。霍桑正执着一张电报似的纸在电灯下细瞧。

他立起来说："这是你表兄的回电，才刚到。但你可曾发现什么？"

我摇摇头："白等了半天。义轩怎么说？"

霍桑把电纸授给我："你自己瞧吧。"

那电报道：

来书已到。义往轮船探听，据说有一瘦长戴眼镜者偕

　　一蓝袍白须之老者今晨一同到嘉。详情函覆。

义

　　我读了一遍，觉得没有什么意思。因为我们要知道的，是那个圆脸矮胖的钱二，至于那戴眼镜的瘦长子赵大早已被杀死。他的报告有些似是而非，而且说了相貌，不说衣服，凭空中又添了一个白须老者，显得他完全外行。

　　我向霍桑说："这回电只给电局中作成了一注生意！"

　　霍桑道："此刻还不能说。你姑且忍耐一会儿。我们吃了晚饭，往大河池去走一遭再说。"

　　我问道："你现在可有什么新的见解？"

　　霍桑含糊道："我虽已拟定了一种推想，可是还没有到发表的时候。"

　　我很觉牙痒痒难过，好似有痒抓不着，企图探他一探："你的见解不是从那女子身上发生的吗？"

　　"我只说那女子是有关系的。"

　　"怎么样的关系？是不是恋爱？"

　　"大概如此。"

　　"那么你想这恋爱把戏是不是先时两个人都有牵连，后来一个人失败，就因妒杀人？"

　　霍桑张一张嘴似乎想要回答，忽而又顿住了。

　　他说："包朗，你别步步逼紧我。姑且吃了晚饭，停一刻再谈。"

　　我看了他这样的态度，料想他不会再说什么。但听他的口气，一再说等到捞尸之后再行解释，似乎那尸骸是有重大关系的。这关系是什么？赵大既被钱二杀死，这时即使寻得他的尸体，也不能够再教他把案中曲折的情由说明白了啊。那么得尸之后，至多也不过在王老太的故事上多一种铁证，证明他们所目击的惨剧完全是事实罢了。此外还有什么可能的作用？莫非除了尸骸以外，霍桑还希望捞得些别的东西？

我在默默地反复推索的当儿，侍役们已送晚饭进来。

霍桑叫我道："包朗，别胡思乱想了！快吃饭。吃饱了好动手。你也得助我一臂呢。"

我道："是不是捞尸？"

"是。"他忽瞧着我，"怎么？你好似不大高兴？"

我辩道："没有。我很愿意。"

"那才好。你得知道，你如果要解决疑团，这捞尸的手续就应当十二分重视。"

唉，他还是把捞尸的事当作重要关子。我没法强迫他马上解释，只索忍受他一下。晚饭彼此都没说话，吃完以后，照例吸烟休息。

我又开口问道："霍桑，今天下半天你干了些什么事？"

霍桑正闭着眼睛吸烟，好似不曾听得。

我又喊道："霍桑，你听得没有——"

他陡地跳起身来，把半支纸烟往痰盂中一丢："包朗，我们换衣裳吧。越快越好。你的疑团也可以快一些得到解决！别再多问了！"

卖关子居然卖到底！不无近乎刁难——简直有些可恶！可是我有什么办法？

一会儿，我已经装束完毕，换了一身黄色粗帆布的学生服，黑皮的游山皮鞋。那鞋非常厚重，可以涉水不渗。霍桑却换了一件黑绸的本国长夹衫，下身仍穿西式骑马裤，粗布的绑腿，厚皮皮鞋，头上戴一顶深灰色的呢帽。

他向我道："包朗，我们的工作是带着秘密性质的。无锡不比上海，你这样装束，在黑夜中被人瞧见了，未免要起疑心。"

这意见我倒赞同，就重新将学生装脱下，又除去了素领，照样罩上一件羽毛纱单衫，又戴了一顶阔边帽子。霍桑已将电筒、钩绳、绳尺等应用的东西放在袋中，又提了手杖，预备出发。

我得补述一句。我们出门的宗旨固然在乎游息，并不是在探案，似乎用不着带什么特别工具。但霍桑的一切应用东西，平时都藏在大提包中的底层里。因着天气寒暖不定，我们动身时既将大皮包带出来了，那些东西就也跟着我们一同旅行。这时偶然用得着它们，真是凑巧。

我们坐黄包车一直到周师弄。我瞧瞧手表，才交七点。马路上灯光雪亮，行人往来，非常热闹。车子走完了马路，渐渐走入小街，行人减少了，街灯的距离也逐渐远隔。我平时总喜欢走光明的道路，此刻心有所谋，却觉得越黑暗越便于行事，转而觉得光明的可怕。我因而理解到人生对于光和暗的爱憎，只在乎一念的差别，想想真太危险。幸亏我这时是因着合理的职务，目的在于维持正义和法律，故而虽有暂时爱好黑暗的倾向，实际上并不是自趋堕落。否则，这意念在心田中生了根荄，那真是不胜危险呢！

我正在冥想，忽觉得我的身体向前一扑，几乎跌下车来。车子已到了目的地，那车夫不打招呼，竟自停下来了！

意外发现

大河池的景物，在白昼和夜间是截然不同的。那天上半日我们第一次到那里时，茂草凝绿，垂柳漾空，加以日丽风和，得到的是风景宜人的印象。这时候却一望沉黑，一切景色都被那无边的黑幕笼罩着。池的两端近巷的地方本来也有路灯，可是河池的面积太广漠了，那幽淡的灯光力不胜任地不能够普照。因此这境地便变成了幽暗惨凄，身处其间，心理上便不禁产生出一种恐怖。

我们在黑暗中摸索了一会儿，脚底下一高一低，不觉已走到了池边。

霍桑向我附耳说："包朗，这样的地方，真便于我们行事。"

我答道："虽然，我们也得防着过路的人。"

"放心，这里过路的不多，何况在夜里？无锡人迷信的还不少，他们会怕'鬼打墙'呢！"

我笑了一笑，仍跟随着前进。霍桑立定了度量似的瞧了一会儿。

我低声问道："你还记得足印所在吗？"

霍桑道："记得。在第四棵柳树的下面。这是第二棵。我们从这里走。"

我们慢慢沿着池岸走去，一会儿已到了第四棵柳树。霍桑把身子俯下来，取出怀中电筒向下岸照一照。

他说："正是这里。"接着他仰身倾听，好似隔巷中传来些车声。他略不在意，又说："我们把长衣脱下来。"

我答应着，就照样将长衫呢帽等放在树根旁边。

我问道："我们怎么样动手？这里可惜没有船。"

霍桑道："不必用船。我料那尸骸不会远。"

"何以见得？"

"你想那人抱了装有断尸的包裹，又加着那块大石，一共有多少重量？况且他立足的所在高低不均，用不出力。这样，你想那人能够将尸体丢掷到多远？"

"唔，但愿如此。"

霍桑把带来的两条钩绳理了一理，又问我道："你近来练得怎么样了？今晚上我们不妨试一下子，看谁先钩中。"他就分一条绳给我。

那钩绳的一端有一个铁钩，丢掷时如果不得其法，往往钩背着地，不容易钩住。我在寓所后面的院里放了一块木头，已经习练了很久，差不多次次可以掷中。这时霍桑要和我赌胜，我自然不服气，便把钩子拿在右手，左足踏稳了，用力向河心掷去。这一掷很远，却没有到底，我忙把绳收回来，预备再掷。霍桑却已经掷了第三次。

他失声呼道："哼，包朗！"

我急忙应道："怎么样？你已经钩中？"

霍桑拉住了绳，低声道："是。重得很！你过来助我拉一把。"

我急忙丢了自己的绳子，走过去拉霍桑的绳，果然非常沉重。

我问道："这真是尸体？怎么这样重？"

霍桑道："别管，拉了起来再说。"

我惊喜道："呀！有些动了！可是臭气也上来了！"

霍桑仰首向北面瞧了一瞧，向我道："轻些，那边有一个人来了。"

"可碍事？"

"不妨。我们有柳树掩护，他瞧不见。"

他又用力拉绳。我一手拉住绳子，一手从霍桑袋中取过电筒，扳机一照，水面上水泡无数，近岸的水边果然已浮起了一种东西，可是还相差一二尺，辨不清楚。霍桑也已瞧见，便用足全力一拉，那东西果然浮出了水面。我借着电筒的光瞧到了那东西上面，不由得骇叫了一声。

那不是我们期望中的有断尸的包裹，却是一个没有肢解而完全的尸身！

"奇怪！怎么是一个整个的？"

我惊异地呼了一句，霍桑忙阻止我：

"留神些。那个人走过来了。"他仰头望了一望，忽又道，"唉，那家伙已退回去了。"

我吃惊道："他会去报告警察吗？"

霍桑道："不知道。无论如何，我们不能多耽搁了。"

我问："那么这尸身怎样安置？"

霍桑踌躇道："唔，僵！……这是一个少年女子的尸身，我做梦也没有想到！"他似乎有了主意："包朗，你拉住这绳，别放松。"

我将电筒授给霍桑，双手拉紧了钩尸身的绳子。霍桑走到树根旁边，取起他带来的那根手杖，旋了几旋，便抽出同样长的三节。杖是钢质的，外面漆着深褐色，粗看好似木质。他把杖的细端旋去了一段，从裤袋中摸出一把螺旋柄的小刀，随手旋在杖端，恰正相配。他一手执着电筒，一手将手杖深入水中，在尸身下面掠了几掠。一会儿，他果真已掠着缚尸的绳子，就着手割绳。我不曾准备，仍用力拉住了绳。不料我的身子陡地向后一仰，几乎倾跌，才知绳已经割断，尸身没有了束缚，就自己浮起来了。

嘘——嘘——嘘——

远远地送来一阵警笛声音，清厉刺耳。

霍桑惊呼道："唉，你喊坏了！"

"不是警察们得了报告来捕捉我们吗？"

"我怕如此。现在已没有功夫细验，只有赶快走！"

我们的宗旨虽然光明，形迹却近乎可疑。如果被警察们当场拿住，一时真不容易解说明白。

我问道："我们就丢了走？这尸身又怎么样？"

霍桑道："眼前也顾不得许多，只得任它浮在水面上。放手吧。"

他说话时早已将手杖收好，又将钩绳整理清楚了围在腰间。接着他又取夹衫穿上。我也跟着将羽毛纱长衫穿好，戴上了帽子。

嘘嘘——嘘嘘——那警笛越吹越近了。

我问道："我们往哪一面走？"

霍桑道："警笛声从北面来，我们还是向南走。"

他不敢怠慢，急忙拉了我向原路走去。走到周师弄口，猛听得警笛声音也在弄内狂吹。局势真尴尬！一定是那人听了我的喊声，心有所疑，果真去报告了警察，警察们就顺着大河池的通道在两面兜捕。

"哎哟，我们真逃不掉了吧！"

霍桑倒还镇定，站住了侧着耳朵细听。我身虽站着，心头卜卜地乱跳。我们平时惯于捉人，处于主动的地位，这时因情势关系，反处在被动地位，竟不免惊慌无措。

霍桑作镇静声道："包朗，别慌。事既如此，慌也没益。我们究竟没有犯罪，即使被捉，总可以弄明白。"他又定神听听："我听弄内的警笛声也是往北面去的，不一定是对付我们。

别慌，我们进弄去，不妨顺机应变。若使东避西避，那反而庸人自扰。"

我不但赞同他的见解，又佩服他临急不乱的定力。我的胆力也旺了许多。我们进弄以后，又听得一阵阵嘈嚷的人声，直到到了弄的那口，才打破了这误会的疑团。牛师弄里失了火，所以有许多警笛声音。我们只是恰逢其会的吃了一次虚惊！

我们回到旅馆以后，时计上还只七点三十五分。我的脑室中的思绪又棼如乱麻。

霍桑唯一的希望，完全寄托在捞尸一件事上。他以为尸骸既得，一切疑团都可以解释。现在怎么样？非但不能解释，疑障上反加深了一层。这发现的女尸不是被人谋害的吗？伊是谁？谋害的人又是谁？这女人和我们的这件凶案有关系吗？假使有关，岂不是愈弄愈迷惑？如果没关，这一样是一件谋杀案子，我们既然在无意中发现了尸身，要不要另行侦探，替这可怜的女子昭雪？还是就这样置之不理？要是再进行的话，那么一案未了，一案又来，力量上是否胜任？又到几时才能了结？种种问题在我的脑海中忽起忽伏，恰像大洋中的怒涛，一时受了飓风的吹动，奔腾不停地翻涌着。

霍桑也同样满现着失望状态。他先把长衣卸下了，去了皮鞋，又洗了一回脸，才坐定吸烟。他的眉峰紧蹙着，眼睛半闭，低沉了头似乎在默想。

一会儿他忽自言自语："唔，明天得再往近处找一找……唔，嘉定也得去一趟……或者……"接着他又沉默了。

我耐不住，问道："霍桑，你以为今夜这一遭怎么样？"

霍桑微微叹息道："完全失望！"

我应道："唔，我也和你一样地失望。但你——"

霍桑忽然把纸烟取在手中，瞧着我道："你也失望？可是你失望的性质，和我的不见得完全一样吧？"

我诧异道："这是什么话？我们所希望达到的目的既然相同，失望当然也相同。怎么说我的和你的不一样？"

霍桑点头说："对，希望如果相同，失望自然也相同。不过我说和你不同，就因为我们起初的目的不一定相同的缘故。"

我更觉奇讶，继续驳诘道："奇了，我们唯一的目的，不同样是要解决凶案中的疑团吗？"

霍桑又点点头："对，相同的。"

"我们不是为着这个目的才去捞尸骸吗？"

"不错，也是同的。"

"我们所希望捞得的尸骸，是一个已经被人家肢解过的断尸。是吗？"

"是，这也相同。"

"那么现在我们所捞得的是一个完整而没有断割的女尸，那不是要使你我同样失望了吗？"

霍桑吐出了一口烟，摇头道："不，这中间还漏脱一个环节。"

"脱漏一个环节？什么意思？我简直莫名其妙。"

他严肃说："我们虽同样希望发现一个被肢解的肢体，但是这个肢体的本人，你所希望和我所希望的，却彼此不同！"

我疑惑道："你所希望的人不是那被杀的赵大吗？"

霍桑摇头道："不是，不是。如果我的推想和你的一样，那么赵大的尸体寻到和寻不到，实际上没有什么分别。你的疑团和我的推想，又怎么可以因着他的尸体的发现而得到解决？"

我想起了先前的疑团。我曾怀疑霍桑为什么特别重视赵大的尸体，想不出这里面的关系。原来这是我误会的。霍桑另有用意，才把一切重心都放在尸骸上。

我又说："那么，难道这里面弄错了人？你所希望的不是赵大而是钱二的尸骸？"

霍桑又摇摇头："也不是。我所希望的，在赵大钱二以外，还有第三个人！"

"奇怪，还有第三个人？"

"是。"

"确实吗？"

霍桑忽现疑迟状道："这个……这个还难说……"

"怎么？你还吞吞吐吐？"

"要是我已经发现了那个第三人的尸骸，此刻自然可以用肯定的语气答复你，可是现在我既已失望，这仍不过是一种推想，那就说不到'确实'两个字。"

我道："那么你的推想究竟怎么样？能不能破例说一说？"

霍桑沉吟了一下，丢了烟尾，才答道："我本来应许你等到捞尸之后，便可把真相揭破，解释你所怀的一切疑团。现在我是失望了，可是若使我再不说明，今夜你必然不能够安睡。那你不免要怨我太作难你了。"

我笑道："霍桑，你能够这样体谅我的心事，我真是感激不尽！"

小小的辩论

霍桑在换上一支新鲜的纸烟之后，才缓缓说道："包朗，你也许要说我卖关子。其实此刻我所有的，只是一个没有证实的推想，论理是不应当贸贸然发表的。不过现在我已不能不说。据我推想，这案子不是像你所说的私贩或政治阴谋，乃是一件和女子有关系的纠纷。似乎那两个人中的一个——或者就是那托名钱二的人——和这城里的一个女子有了关系；同时那女子另外爱上了一人，或者另有一个男人爱上了那女子。这事忽然被钱二知道了，于是心有不甘，便约了一个同伴一同到这里来报复。后来那情敌被诱到了后贝巷里，钱二因妒行凶，便将这第三人杀死。那时候赵大首先脱身。他对于诱致仇人的计划一定与闻，然而实际行凶，他是否动手或参谋，我还不能知道。"他停一停，开始吸烟。

我记起周义轩回电中的话来，觉得不是完全没意思："唉，这果真是一件妒杀案，不过我所料的，认为是那两个人中间的妒杀，你却以为另有第三个人。"

霍桑点头道："不错，这就是我们二人的不同点。"

"那么钱二既已杀死了情敌，却还移尸灭迹，不马上逃去，你说他别有勾当。照现在看，这勾当无非要和他的情人会一会面，是不是？"

"大概如此。"

"那情人是谁？可就是那个到王家来探问的女子？"

"我也想是伊。可惜当时错过机会，没有知道伊的所在。"

我又想起了刚才捞得的女尸："霍桑，方才的那个女尸，你想和这案子有没有关系？"

霍桑看着他手中的纸烟，答道："这个我现在还不能回答。你也不应当问。"

"喔，为什么？"

"我此刻所说的推想，成立在我们捞尸以前。现在突然间发现了另一个女尸，那是出我意料的。伊在我的已成的推想中没有位置，你自然不应该问。"

"你不能将你的推想略略更变一下，弄一个位置给伊吗？"

霍桑笑道："这太笑话，没根没据，怎样变法？……唔，你自己不是有什么意见吗？"

我顿了一顿，说："这女尸的发现，时间和地点太相近，说不定有些关系。"

"唔，什么关系？"

"据我臆度，那女子也许就是钱二的情人。"

"唔？"

"钱二既然知道伊有了外遇，不但恨他的情敌，同时还恨那女子，因此既杀情敌，又一并将女子杀死，发泄他的愤恨。"

霍桑摇头道："错了。那情敌是昨天夜里才杀死的。但那个女尸已经浮肿发臭，不像是今天淹下去的。"

我坚持道："或者他先杀女子，后杀情敌，那也没有什么进出。"

"怎么没有进出？你起先说钱二杀情敌以后，所以不马上逃走，就为了他的情人。若使女子既已先死，钱二又何必再逗留在这里。"

"现在看，钱二的逗留，或者另有别的作用。"

"那么还有那个今天向王老太问讯的女子，你又怎样解释。"

"这也许是出于偶然，事实上这女人倒是没有关系的。"

霍桑忽仰起些身子，笑道："包朗，你虽善于诡辩，究竟太武断牵强了。你凭空要把那个淹死的女子拉进案子里来，只逞着你的主观，百般附会，竟绝对不顾到事实和根据。一个有科学头脑的侦探，应当这样推理案情吗？你自己想一想，可笑不可笑？"

我受了霍桑的奚落，心中虽也自觉有些武断，口中却还不肯屈服：

"你说我武断牵强，牵强在什么地方？"

霍桑道："别的莫说，那个问姓的女子，据我的眼光，实在是全案中的一个关键。你只用了'偶然'两个字，便轻易将伊撇开。难道还不算武断？老实说，我因着那个女子的缘故，今天下午已经费了许多功夫，想要查明伊的黄包车夫，以便知道伊的住址，不过一时间还不能够遍问。我已经委托了几个车夫，叫他们在同道中探问，明天给我回信。你得知道，这女子是特地来寻的，绝不是偶然的事。你怎么可以舍重就轻？"

我还不服气："那么你以为河中的女尸，和我们现在着手的案子，当真完全没有关系吗？"

霍桑又有些疑滞的模样："我已经说过，这问句我此刻还不能回答。"

我贯彻我的主张："据我推想，这女人多少总有些关系。"

"唔，你推想？你根据什么？"

"时间和地点。我觉得未免太巧。"

霍桑又摇着头："太脆弱，算不得根据。你这只是空想罢了。"

我觉得脸颊有些发热。意气控制了我，使我的理智暂时退处无权。

我冷冷地说："那么你方才所说的猜想，谅必总是有准确的根据的。"

霍桑点头道："当然，但准确不准确，要等证实后再说。

你应当明白，我所说的到底还是猜想。"

我道："那么你就把你所说的关于第三人的猜想的根据说一说。"

霍桑正要回答，忽而顿住了，拿下了纸烟，目光向着室门。室门上果然有弹指的声音。我们应了一声，走进一个侍役来："霍先生，有电话一定要请先生接，我实在回绝不掉。"

霍桑点点头，忙立起来跟着出去。我默忖谁打电话来？莫非又有什么人来请教他？我们的谈话可惜被打断了。

约莫五分钟工夫，霍桑已匆匆地回进来，神色张皇，竟改变了他的安暇镇静的常度。

他挥一挥手，低声说："包朗，快穿衣！我们还要出去！"

他急忙将夹衫重新穿上，又取了电筒等物。我知道必有什么紧急的发展，也不敢怠慢，急急穿衣戴帽。

我问道："我们往哪里去？"

霍桑道："后贝巷王家。"

"电话可是从那里打来的？"

"是王仁宝打给我的。"

"什么事？可是又有什么意外变端？"

霍桑摇头道："我不知道。他只叫我们快去。我听他的声音很惶急，多分那凶案又有什么变动。"

我们乘车子赶到后贝巷口停下。我们付了车资，就直投王家。那里虽然有一盏路灯，但灯罩上覆了许多灰尘，暗蒙不明。我们走上石阶，霍桑便举拳轻轻敲门。敲了两下，没有应声。霍桑便俯着身体从门隙中张望。我也模仿着他的动作，屋子里面却不见一丝灯光。

霍桑低低地诧异道："奇怪！"

我道："他们好似已睡着了。"

"怎么会？"

"打电话的也许不是仁宝。"

"我会听错？"

"那么有什么人冒名。"

霍桑不再回答，退下石阶，转身向小巷中张望。

他又呼道："唉，侧门上已没有锁！……也没有灯光和声音！……奇怪！……仁宝哪里去了？怎么不答应？"接着他高声叫道："仁宝，仁宝！"

屋中仍没有人答应。我想仁宝不在，他的母亲又在哪里？霍桑也觉得不耐，便用力将门一推。呀的一声，门应手开了，原是虚掩的。

霍桑仍立在石阶上面，不即进去，伸手摸出电筒来，向那黑暗的室中照了一照，方才跨进门槛。我跟在后面，采取着警戒态度，深防黑暗中有什么危险。

霍桑低声道："这真是太奇怪！王老太怎么也不见了？"

我说："事情太蹊跷。你得小心些。"

他又用电筒向四角掠了一掠："这里不见有什么异象。我们不如上楼去瞧瞧。"

我们寻到了楼梯，慢慢地走上去。霍桑一手执着电筒，一手摸着楼梯栏杆，一步一步非常小心。楼梯的构造先天不足，年龄又太大，我们俩踏上去，梯级有些不胜支持，不时发出吱咯吱咯的呻吟。我们到了楼心，见有两个空房，沿街的一个似乎是老妇的。床上幸而不见什么死尸，但被褥已经动过。

霍桑诧异道："王老太早先已经睡了，但为什么又起来？现在伊又往哪里去了？"

他立定了用电筒照射房间的暗角。我的心跳得厉害，深恐黑角里会躺着一个死人！

霍桑忽附着我的耳朵说："你进来以后，门有没有关好？"

我答道："我忘记关了。"

霍桑把电筒熄了，说："小心！我觉得下面有人进来了！"

我仔细一听果然有脚步声音，已经在一步步地传上楼。霍桑起先也似乎戒备着，这时他忽然扳亮了电筒，直奔到楼梯口去。

他高声叫道："仁宝！"

下面的人哼了一声，应道："唉！我道是谁！是霍先生吗？……你可见我妈？"

霍桑答道："没有。我们进来时不见一个人，才寻到楼上来。"

仁宝骇叫着："哎哟！不得了！"

霍桑忙安慰他道："你别急。到底是什么一回事，我们下楼去点亮了灯再说。"

灯点亮了以后，我看见仁宝的面色灰白，连嘴唇上的血色都已不见。

霍桑先将前门关好，轻声问仁宝道："你刚才打电话给我，没有说明是什么事。到底——"

仁宝忽喘息地抢着回答："钱二回来了！"

霍桑一听，不由得怔了一怔。我也觉得出乎意料。

霍桑仍宁静地说："唉，你坐下来，请说得明白些。钱二现在在哪里？"

仁宝仍站立着，竭力控制他的气息，继续道："大约在二十分钟以前，我在楼上听得下面小间的侧门上刮的一声，似乎有人开锁。我暗吃一惊，急忙悄悄地推开楼窗，向下面一望，果然有一个人在那里开锁。我定睛一瞧，那人就是钱二！"

"唔，以后怎么样？"霍桑见他瞪视着不说下去，轻轻催了一句。

仁宝又说："钱二顺手推开了门，跨进屋子去，反身又把门关上。接着我又听得擦火点灯的声音。这声音我是听惯了的，他们每逢晚上归来，总是如此。因此，我并不声张惊动他，就去告诉我妈。那时将近八点钟，妈已经照例上床。伊一听慌忙起来。我的意思，不如悄悄地往警署报告，将他拿住了再说。妈却仍怕警察们骚扰，不赞成。伊说：'霍先生说过的，如果时机不十分急切，不妨打电话通知他。他既然回来了，大概还要寄宿一夜。你不如就去打一个电话叫霍先生来。'

"我一想钱二点灯之后没有动静，妈的话也许近情。况且打电话的地点在黄泥桥，到警察署也是差不多的距离。我便依了妈的话，悄悄地出外报告你。不料我打电话回来时，不但不见了钱二的影踪，连妈也不知去向了！"

金钟罩

仁宝的神情很张皇，眼睛张得很大，呼吸也丧失了匀度，像是走了急路后的现象，又像是为了他的母亲焦虑。霍桑暗暗点了点头，似乎认为是后者的原因，在称赞他的孝意。

我拍拍仁宝的肩，缓缓说："别慌。慢慢地说。当你出外打电话的时候，钱二是不是确实还在室中？"

仁宝道："确实在。我还见灯光从板壁缝中透出来。"

"那时候你母亲可曾下楼？"

"没有。伊叫我尽管去，如果有什么意外变端，伊会叫喊。因这一来，才使我担忧。"

"你出去之后，一直到打罢电话回来，约共有多少时候？"

仁宝想了一想："时候不多，至多不过十分钟。我是奔去奔来的。"

霍桑点点头："你回来时这里的情形怎么样？"

"我看见小室的门上已没有了锁，灯光也没有了，就知道不妙，我又看见这一扇门也开着，走进来一瞧，楼上楼下都不见妈的踪迹，不觉大吃一惊，连忙虚掩了门，追到后贝巷东口，到底不知伊的去向。于是我重新退回来。"他的呼吸急得厉害。

霍桑摸着下颏，低垂了头，似乎正在推索王姓老妇的行径。

仁宝又颤声说："霍先生，你想我妈的性命可会有危险？"

霍桑仰起头来："你别如此。我想不会。"

仁宝提示说："或者钱二有什么动作，妈不顾利害，果然声张出来。钱二为自卫计，就下毒手。霍先生，你想这也可能吗？"

霍桑不回答，自顾自问道："你回来以后，可曾进过那间小室中去？"

仁宝摇头道："没有。我没有工夫进去。"

霍桑道："那么不要耽搁时候，坐失机会。我们先到小室里去瞧瞧再说。"

他仍叫仁宝引导，走进那厨房。霍桑走到了板壁旁边，重新动手拆板。板壁拆通了，他执着电筒首先进去。

他忽然失声道："呀！铺盖箱子已拿走了！"

仁宝道："那么我妈不是有危险吗？"

霍桑用电筒略照一照，随即退出了小室，一同回到客堂。

他说："仁宝，你不必着急，你妈不会有危险。钱二究竟是一个人，绝不能在数分钟间杀人不留痕迹。现在我们定定神，想一想，这一条巷可通几条路——"

仁宝接口道："北面通泗堡桥；南面通前贝巷，进城；若向西面走，就可以到牛师弄和大河池。"

霍桑道："还有向东一面不是可以通汉昌路通运路和火车站吗？"

仁宝应道："正是。霍先生，你的意见怎么样？"

霍桑深思地说："我想钱二所以回来，就是要取他们的行李，取得之后，他也许往什么地方去暂留一会儿，再打算乘夜车逃走。此刻他带着铺盖皮箱走，一定要坐车子。我们不如分路追去，沿路打听黄包车夫，或者可以得到他的所在。"

"那么我妈怎么样？"

"我们如果寻得钱二，你妈一定也就有着落。我料伊必因着钱二出去，就也跟随着同去。现在不要耽误。你往泗堡桥去。包朗，你向南面去，防他——"霍桑忽住了口指着门外，"有车子停在门口？什么人来了？"

仁宝抢步去开门。门开了，他不禁大声欢呼：

"妈！妈！"

我和霍桑也奔到门口，果见那老妇立在石阶上面，紧握着仁宝的手。

伊一看见我们，便气息咻咻地说："先生……你们……你们来了，很好！今晚上我总算也干了一桩事！你们可要见见那个钱二？"

霍桑忙应道："当然要。他现在在哪里？"

"在汉昌路——"伊忽又回头指着伊背后的一个黄包车夫，"他知道的。你们叫他领路好了。"

霍桑还没问那车夫，车夫忽然自动地报告：

"刚才这位老太太在巷中叫我的车子，跟着前面的一部车子走，一直到汉昌路泰兴客栈。前面的车子停了，有一个人下车，叫车夫捎着箱子进栈房去。我们也就回来了。"

霍桑不再答话，忙向我说："包朗，这一辆车子，你赶紧先坐了去。如果见了那人，别惊动或放走他。我要再到他们的房里去看看，随后就到。"

这是千钧一发的时候，再也不能延搁。我应了一声，立刻跳上车子，叫车夫快走，应许他到栈房时重重赏他。车夫果然飞也似的前进，过了黄泥桥，一直向东往汉昌路进行。

这一件案子可算得一波三折，我们的进行也不曾松懈一步。可是我们一再得到了机会，却都当面错过。这里又是一个难得的佳机。如果顺利的话，这奇案不难立刻就破，但不知道还有什么阻碍没有。我越想越急，便感觉到车子进行的迟缓。其实那车夫已是拼命地飞奔，我也不忍再催促他。

约莫过了一刻钟光景，车子好容易到了泰兴栈门前。那是一所半新半旧式的客寓，门前灯光明亮，出进的人还不少。我随手摸了一块银币给那汗流满面的车夫，就进栈房去探问。

我向账柜上的一位司事打了一个招呼，便笑颜问他："方才有一位带一只红漆皮箱和铺盖进来的客人，请问住在哪一号？"

那人向我打量了一下，答道："不是那位姓洪的南翔人吗？"

我忙应道："正是，正是他！"

那司事在账簿上翻了一翻，说："刚才他清算了栈金，大概已经走了。"

这句话刺进我的耳朵，正像有一桶冰水从我的脊梁上面直浇下来。机会又不幸地溜走了！我打了一个寒噤，正想再问，忽见旁边站着的一个年轻侍役走过来搭讪：

"洪先生要乘夜车走，还没有动身。"

我欢喜地说："好极！我要见见他。他住在哪一号？"

侍役道："他在楼上。我领你去。"

我只得跟在后面，一同上楼。侍役到了一个门口，立定了指示我：

"就是这里。可要叫他一声？"

我忙摇摇手："不必，我自己进去叫。"

那房间是十三号。房中电灯亮着，显见有人在内，但左右的十二十四两号，却都是暗漆漆的。

我又低声问那侍役："他可是今天早晨来的？"

侍役道："正是。"

机会的线端明明已握在我的手里，大概不会再弄错了吧？但霍桑叮嘱我不要惊动吓走他，似乎叫我不要先进去，等他自己来发落。但这时那少年侍役站在旁边不走，眼睁睁地瞧着我，显然已经起些疑心。要是我不进去，未免更助长他的疑焰，说不定会另生枝节，再来一个错过时机。

我硬着头皮在门上敲了一下。

十三号室内的椅子仿佛在移动，似乎有人立起身来，接着又有脚步声音。那人来开门了。

我觉得自己的心房跳动的速率骤然加增，呼吸也急促了些。那人曾单独肢解过一个尸首，不消说是个孔武有力的蛮汉。我此刻手无寸铁，若使那人有什么凶器，突然间行凶，我可来得及抵抗？

可是这当儿也不容我再三顾虑。刹那间我又听得拔闩的声响，房门便呀地开了。我一步跨进了房门，反身把门关上。

站在我面前的是一个穿玄色呢袍的男子，呢袍的前襟的边口上扣一支墨水笔，下面西装裤，黄皮鞋，打扮很像一个学校中的教员。他的黑发是平顶式，脸色略黑，一双黑目嵌在肥胖的圆脸中间，相当威武。他的两膊很壮健，身材却不甚高。我回想仁宝所描摹的钱二，与他大致相同。这时他向我一眼不霎地瞧着，脸上只现着惊诧的颜色，并没有恐惧或准备用武的姿态。我也只用眼光谛视着他，一时不知道从何说起。

这种相持的局势足足延长了一分钟，除了彼此的视线形成一种无声的斗争以外，大家都没有动作。

我先开口道："钱先生！"

"唔？"他的表示很模棱。

"你是钱二？"我开始正面攻击。

他怔一怔，接着定了一定神，冷冷地答道："先生，你要找谁？你弄错了，这里没有姓钱的人。"

他的态度仍很镇静，但他的口音显示他的确是嘉定人。一个铁证增加了我的胆气：

"我知道的，你固然不叫钱二，但我也知道你曾经借用过这个名字，是不是？"

他忽然沉下脸来，乌眼圆睁着，他的右手握紧了拳头。怎么？预备动手？

他厉声道："先生，你是什么样人？说这些不伦不类的话，什么意思？我瞧你是穿长衣的，留你些面子！快出去！"

我控制着感情，装着笑容说："原是啊，你也是穿长衣的，应当懂得厉害和是非。你这种态度又何苦？"

他挥挥拳头："快走，我不认识你，别啰唆！要不然——"

"不然，怎么样？"

"我要不客气把你当作扒窃或撞骗的匪棍看！"

这一种姿态大概就是上海人的俗谚叫作"金钟罩"的。可是我究竟也不是初出茅庐，要罩住我也不容易。

我严肃答道："你打算不客气吗？我倒和你特别客气呢。你也应得知趣些。这回事如果声张出来，你难道会占便宜？"

他再度怔了一怔，又向我瞅了一眼，似在打量我到底是什么样人。他的软化的态度已从他的语气中漏出来：

"先生，到底为什么事？"

"你还不明白我的来意？"

他的脸色有些泛白："你不是缺少些川资吗？出门人帮帮忙，没有关系，不过我也在客地，实在没有余多。"他分明把我当作"敲竹杠""吃白食"索诈一流人看待。

我见他回身想要拿钱的样子，忙挥挥手阻止他：

"喂，你不要误会。我的来意，只要你把所干的事情说一个明白。"

他站住了。他的灼灼的眼光又和我的眼光一度交锋。

"到底什么事？"

"你自己干的，怎么问我？"

"我干过什么事？真是莫名其妙！"

"你还想赖？"

他仍坚持着道："赖什么？"

我直截说："你杀了一个人！"

这一句话的余音还留在我的唇角，局势顿时变化！那人腾步过来，张着双手，显然要扼我的喉咙。幸亏我少年时略为学过几套拳法，而且并不是毫无准备，见他徒手过来，并不慌乱。我将身子一偏一蹲，反而闪到了他的背后。他正要回身再扑，局势再度变化。室门开了，走进一个人——霍桑。

他一进门，便高声说："喂，喂，朋友，怎么这样子不斯文！好了，大家坐下来谈。"

那人蓦然见霍桑进来，早已呆了一呆，又见他轻轻把门关上，态度从容而镇静，果然慑服地站住了。他的两手已垂落了，瞪目向霍桑呆瞧。霍桑向他点点头，笑了一笑，自己移了一把椅子坐下。

他又说："朋友，坐下来啊。包朗，你也坐啊。"他向室中略略一瞧："朱荣邦先生在哪里呀？"

惨　史

迅雷闪电的局势，将要演化为惊风骇浪，刹那间霍桑玩了几套小小的手法，顿时转变为波平浪静。室中有三个人——两个坐，一个站。不过那人虽还站着，已没有表演"武行"的倾向。

霍桑又带着笑脸说："洪先生，我们有话不妨细说，何必动怒？"

对方听了"朱荣邦"三个字，神色上早已起了变化。现在又看见霍桑的平静的神态，他的精神已受了催眠的控制。

他定一定神，瞧着霍桑答道："我不认识这个人，他却无端诬我杀人。你想可恶不可恶？"他用眼光向我一瞥。

霍桑忙应道："对，对，在这种地方，这样的话怎么可以随便出口？"他又回头向我道："包朗，你实在太疏忽了。幸亏那左右两个房间里都没有客人，茶房又不多，没有人偷听。

要不然，岂不坏事？"他又减轻些声音："洪先生，你是在嘉定的学校里教课吗？"

"唔——"

他这一"唔"显然是无意中的应承，可是立即忍住了。他呆立着谛视霍桑。霍桑又婉声续问：

"洪先生，我想你担任的是体育课？是吗？"

"不是！别乱说！"

"这又何必？我不是凭空猜想的。你的膀子虽相当有力，但若不明白人体的构造和骨骼筋腱的组织，你决计办不了肢解的事——"

"什么？"

霍桑摇摇手，阻止对方插口：

"洪先生，我老实说，我们对于你所干的事已完全知道。不但王仁宝说过，我们自己也已查明了几种证据。不过内中的底蕴如何，还得你自己说个明白。我们为顾全公道起见，在没有查明真相以前，严格守着秘密。你现在也应轻声些说，免得宣扬开来，反而误事。"

那人的眼睛瞪视着，似乎还不肯认服。他瞧瞧霍桑，又瞧瞧我，嘴角有些牵动，但没有声音吐出来。

霍桑掏出一张名片来，笑嘻嘻地递给他："唉，对不起，我们还没有介绍过。"

他瞧了一瞧名片，眼光闪了一闪，盯在我的朋友的脸上。霍桑装作不看见，摸出白巾来抹嘴。

室中静了一静，那人开口了：

"霍先生，你要我说什么？"

霍桑应道："你应说的话也许并不少，不过第一步你得相信，我们并没有恶意。"他侧过头，指着床底下的一只箱子："譬如我先给你一个忠告。这一只箱子，你带着回去，究竟太冒险。你得知道，那肢解的东西虽然已给你移开去，但箱底上渗漏的血迹却还很显明地留着。你在匆忙中大概没有瞧见。还有那双皮鞋，你也许舍不得丢掉。假使有什么人开箱搜查，那岂不危险？"

那人的眼光从霍桑的脸上移到床下的红皮箱上，又从箱子上回到霍桑的脸上。在这一转移间，他的面色越变越白，末后忽又白里泛红，他的头也沉倒了。接着他又仰起头来，咬着嘴唇，似乎主意已经决定。

他道："好，你们既然知道，我也不必再隐瞒。老实说吧，我叫洪伯道，钱二是我的化名。那个叫作朱荣邦的，已经被我杀死！"

霍桑忽然仰直了身子，失色道："怎么？朱荣邦不是你的同伴吗？"

洪伯道点点头。

"他起先不是托名赵大，和你一同到无锡来的？"

"是的，但后来他变作了我的仇敌。"

"因此他已被你杀死了？"

"是啊。我早已说过了。"

"那么除了你们两个以外，可还有第三个人吗？"

"没有。"

"这话当真？"

"怎么不真？我自己承认了杀人，难道还和你开玩笑？"

霍桑站起来。他的面色忽红忽白，眉毛也蹙紧了，显得非常困惑难堪。他已经失败了！我起初假定这赵钱二人是互相残害。他反对我，认为案中除了赵大钱二两人以外，被害的是第三个人。此刻反而证实了我的推想，只有一人行凶，一人被害，他的推想却根本给推翻了！他平素料事如神，当然远出我上，这一次怎么竟至失败？这不但使他感到惊异，连我也出乎意料。

霍桑又目光灼灼瞧着洪伯道，问道："那么你为什么杀死他？你们起初既然结伴到这里来，为什么竟变成怨仇？"

伯道说："我们是来贩吗啡的——"

霍桑又惊惶地插口道："什么？贩吗啡？……呀，你说下去。"他的眼睛中满含着一种异光——惊异，怀疑，懊恼还是困惑？——我简直分辨不出，也描写不出。

伯道继续道："后来我们因为分利不均，荣邦贪心不足，想要独吞，我就将他杀死。"

奇怪！我先前的料想竟然处处幸中，可是霍桑的恋爱推想却反而完全错误。世事往往出于情理，这句话又多了一次应验。

霍桑的神气平静了些，又问道："你们既然是来贩卖吗啡的，销给哪一家人家？你能不能指实？"

伯道低沉了头，答道："怎么不能指实？但是杀人偿命，何必牵连人家？现在你不必多说，把我交给法庭去定罪好了。"

霍桑的眼睛仍注视着对方："慢，我还有一句话。你既然将荣邦杀死了，又把他的尸体藏在哪里？"

伯道仍低头站着，答道："我先把他割成了几段，藏在箱子里。这一点你已经知道了。后来我另将尸身包裹好，丢到运河里去。"

霍桑踏近一步："喔，丢在运河里？你想可还捞得到？"

伯道有些踌躇："我……我想大概已流到了别处去，不容易捞觅。"

一种突变的举动，使我也不由自主地立起来。霍桑忽然走到对方的面前，伸手在他的肩上一拍，发出一声冷笑：

"朋友，算了吧！你还想用谎话欺人？我已经看破你的心事！你一定是为着维护案中关系人的名誉或因着其他的缘故，故而委曲认罪，把真相隐藏起来！唔，是不是？……其实这是徒劳的。你到底瞒不过我！……你们中间不是还有一个女子吗？"

洪伯道一听，不由得仰起了头，脸色忽然通红。他的身体挺一挺，两只手拘挛似的抖动着。又要动手吗？霍桑却没有这种倾向。他仍保持着镇静，不过镇静中漏出兴奋。他的眼睛仍盯在对方的脸上，灼灼得好像有火焰；嘴唇略略闭紧，像怒又像坚定了某种意志。这种相持局面延续了十多秒钟。可是就只十多秒钟，已使我非常难堪。

唉，解围的人来了！

房门忽而呀地开了，闯进两个人来。当前的一个就是王仁宝，后面跟着一个瘦长的中年人，头发近乎秃落，穿一件灰色布棉袍，罩着黑色马褂。他戴一副眼镜，双目呆定着，脸色像死灰。

仁宝先开口道："霍先生，事情真奇怪！这就是赵大！他……他没有死！"他舔舔嘴唇，又颤动地说："他……到我家里来寻钱二，一定要我引他到这里来。"

霍桑点点头，忙向那瘦子说："唉，朱荣邦先生！你是才从嘉定来吗？我想不到你今天又会回到这里来！"

瘦长的人向霍桑打量了一下，点点头，随即把枯陷的眼睛转到我的方面，立刻又转移到洪伯道的脸上。伯道呆呆站着，不动也不声，好像木鸡一般。四只眼睛相对看，室中便完全沉寂。

唉，变化太多了！

一会儿那朱荣邦忽然说道："伯道，可是那计贼的事发作了？"

伯道忙接口道："是！他已给我杀了！我方才已经承认。"他回头瞧霍桑："霍先生，请原谅，我刚才不曾说实话。你说案中有第三个人，这是实在的。那人叫计雪香，昨晚上已经被我杀死，尸骨丢在泗堡桥底下。这是真话，请先生定我的罪！"他挥一挥手，厉声向朱荣邦说："大哥。你来干什么？还不快回去？"

朱荣邦忽然张着两臂，发出一阵苦笑。笑声刺耳难受。他的状态好似发疯了。转瞬间他的枯陷的眼眶里面忽而满贮了眼泪，随即一颗一颗地从他的瘦削的面颊上滚下来。霍桑并不干涉，采取任其自然的态度。我也当然保守缄默。

朱荣邦忽颤声答道："回去？我回到哪里去？……伯道，你可知道这一回事的结局怎么样？唉，太凄惨！……伯道，你不必这样了，让我说明了吧！"他用手在面颊上摸了一摸，又回头向我和霍桑说话："先生，你们不是在官厅中服务的侦探吗？可有几分钟工夫听一个故事？"

霍桑正色答道："兄弟是霍桑，这一位是我的好朋友包朗。我们并不受什么官俸，却是主持正义的裁判者。好，大家坐下来。你们有什么话，尽不妨直说。"

朱荣邦因着霍桑的自我介绍，又仔细向我们瞧了一瞧，点点头。

霍桑做榜样似的首先坐下。我和仁宝模仿着。洪伯道叹一口气，同样地坐下来。最后坐的是朱荣邦。他走到床边，有气无力地靠床柱坐下。愁凄和紧张的空气控制了这小室，大家都静默着。

朱荣邦又叹了一口气，才开始他的故事：

"去年冬天，我的妹妹爱真在上海的一所师范学校里读书。伊是我唯一的手足骨肉，今年才十九岁。伊是一个天真烂漫的好女子。某天伊在同学家里遇见了那个计贼！哼！这杀人的魔鬼！"

他咬着牙齿，额角上的青筋胀得很粗，呼吸也像壅塞似的，说话不能不顿了一顿。别的人依旧静默。空气越加凄黯。

他继续道："霍先生，我并不是顽固的人。男女公开社交，我本是绝端赞成的。但是那计贼存心不良，利用了诱惑的手段，在一个星期之中，就将我妹妹诱进了他的圈套！这件事我本来不知道，直到上月的初头，爱真隐藏不过，方才吐露真情。因为从今年起始，我因着物价腾贵，生活费用一天天地增高，我的学校束脩只够敷家用，没有余力再给爱真读书，所以伊留在家里，不再往上海去。爱真还希望那计贼践行他的约言，补助伊读书的费用，使伊能够继续求学。当计贼勾诱伊的时候，曾经应允伊，并且还立誓娶伊。谁知伊一再去信，计贼竟绝不理会。起初我妹妹还忍着痛苦，不敢宣布出来。后来我看见伊的面容一天天憔悴，生理上也起了异象。因着我母亲的诘问，伊才吐出真情。我那时又羞又恨，就想杀却那个冷血动物，发泄我心中的愤恨。但是爱真还有余恋，似乎不信他竟会负心到底。我母亲也不赞成我决裂的计划。我于是忍着羞耻，准备见他一面，和他当面解决。他是这里无锡人，本在上海的一个大学里读书。但我查明他已给学校斥退，今年也不在上海。我预料这交涉不是三言两语办得了，天气又忽暖忽冷，所以我向校中请了三天假，带了衣箱铺盖，约了我的同事和谱弟洪伯道一同到无锡来。"

荣邦的呼吸又一度壅塞。他向伯道瞧一瞧。伯道的脸色铁青，闭紧了嘴，默默地不发一言。约莫停了一分钟后，讲故事的人又说下去：

"我们觉得这是一件莫大羞耻的事，便隐着姓名，行迹也故意秘密着，不使别的人知道我们的来历，所以不敢住旅馆。但是我们实在没有杀死他的意思。起初几天，我们寻得了他的住址，便打听计贼的历史，结果更加使人发指。原来这贼是早有了妻子的！"

他说到这里，不自觉地立了起来。他捏紧了拳头，一种切齿怀恨的状态便从他的脸上散布开来，传染到室中其余四个人的脸上。我暗想这样看，霍桑起先的料想并没落空，不过只料中了一半。因为这两个谱弟兄都只是恋爱活剧中的配角，那被杀的一个才是主角。

霍桑第一次问道："这姓计的住在什么地方？"

荣邦答道："酱园街九十八号。"

我的脑室中突然产生一种触动，仿佛觉得这个地名相当熟悉。

我不禁问道："可是老北门外的酱园街？"

荣邦点点头。

我记起来了。这天清早有个人打电话给我们，说老北门外酱园街九十八号计姓家里走失了一位少主。我以为无关紧要，一口就回绝了，事后也没有向霍桑提及。谁知这走失的少主就是被杀的计雪香，也就是这凶案的主角！

荣邦继续说："我们探明了他的历史之后，知道他是一个不道德的堕落少年。我预料这一次的谈判不会有什么圆满的结果，但仍设法和他会面，希望在无可如何中还能够和平解决。我起先用电话约他，请他到后贝巷来谈话。他竟一再失约。我连等他三夜，终不见他来，不觉怒火勃发，拍桌咒骂。那时候我们未免露些形迹，就被这房主人窥破了我们的心事。"他回头瞧瞧王仁宝。

仁宝摇摇头，答道："没有。我并没有瞧破你们的心事，还以为拍桌子的声音是出于你们俩的争吵。"

荣邦不答辩，又说："后来我亲自具名，写了一封信去，措辞比较严厉些，约他昨晚十点钟到后贝巷口来谈话，如果他再失约不到，我将用激烈手段对付他。这封信果然有了效果。到了昨晚十点半钟，计贼来了。他见了我，还是一味抵赖游移，好像并无其事。我仍竭力忍耐着，婉言和他商量。我对他说：'事既如此，我还希望和平了结。你是有妻子的人。我家虽是清寒，要我妹妹做妾，却是不行。不过爱真已丧失了贞操，在现在男女不平等的社会中，势必不能再嫁。我的最低限度的解决方法，就是爱真如果生了孩子，你得负责抚养。此外你还得承诺供给爱真两年的读书费用，使伊能够在师范卒业，以便自立生活。以前的事我就也不再深究。'霍先生，你总也明白，这一种方法，我原是顾念着老母弱妹，不能把一身孤注一掷地和他决裂，才委曲求全地忍着痛耻。不料他不但不应许，反而说我借端诈索。我受了这种污辱，真是气得说不出话！那时二弟伯道忽从床里面跳出来。他拔出一把他常带的旅行小刀，放在桌子上，强迫他签字承诺。因为当我和计贼谈判的时候，伯道躲在床上，帐子下着，不和他见面。直到计贼拿诈索的名词侮辱我，他气愤不平，才禁不住出来干预。伯道拿出刀来，我先时没有知道，但那时他将刀放在桌子上，也无非是恐吓的作用。岂知计贼一见了刀，急忙抢在手中，反而先向我猛刺。我幸而眼快，将身子一避，顺手抓住了他执刀的手，和他争夺。他虽没有脱手，那刀尖却已触到他自己的咽喉间。我愤怒已极，便用力一推。他惨呼了一声，就倒地死了！"

室中又恢复了静寂。霍桑的面容严肃而宁静。仁宝却张开了嘴，眼光也呆定了。我的胸口也有些闷塞，呼吸像加急了些。

洪伯道忽而直立起来：

"霍先生，请让我说一句话。朱大哥说的话句句都是实在的，但最后的一推，实在不是他。那是我的手推他致死的。所以这杀人罪应当由我负责，和朱大哥没有关系。"

"不！不是他！是我！"这是朱荣邦的抗议。

"不是他！是我！我是主凶！"洪伯道也来一个反辩。

声音太凄厉，空气太窒息！这究竟是怎么一回事？霍桑和仁宝都怔住了！

荣邦摇着两手，含泪颤声说："二弟，别这样。这恶贼委实是我杀死的。我不能教你受罪！"

洪伯道摇头道："不是，不是！我杀了人，我应当抵罪！你快快回去。"

朱荣邦忽而发出一阵苦笑，眼泪又像泉涌般地破眶而出。

他继续说："伯道，你……你要替我受罪，不是因为我有老母弱妹不能摆脱，不比你孑然一身地无挂无碍吗？……唉！你还不知道！我告诉你！三天前，爱真因着我们失约不归，料想这件事解决不了，也许已连累我。伊愧恨交并，便用绳子自己吊死了！……那时我母亲正卧病在床，一闻凶信，就也归天去！……哈哈！伯道，现在我不是一样是一个无挂无碍的人了吗？这个世界实在太黑暗了！倒不如痛快些就死！我已经毫无留恋，你何必再替我死？"

荣邦的神色惨变，身子向左右摇晃，那声浪也惨厉刺耳。他差不多要发狂了。霍桑急忙站起来将他扶住，强制他安静地坐在床边，禁止他再说话。

结　局

这一件迷离凄惨的凶案现在应当归结了。当我听他们俩争认凶手的时候，我心中不觉受了很大的感触。他们仅仅是通谱弟兄，竟有这样的义气，对于杀人的凶罪大家争认。在这个人主义嚣张的时代，这种尚义尚侠的精神真可算得绝无仅有。

案中的真情是这样的：杀计雪香的实在是朱荣邦，洪伯道是肢解尸体和移尸的助犯。朱荣邦在杀了计雪香后，怨恨的意念一平，忽念及一身抵罪，老母无靠，不由得惶惧战栗起来。那时洪伯道便挺身而出，叫荣邦马上先乘夜车回去，尸身的安排，由他一个人担负。等到王仁宝母子俩下楼窥探，事实上朱荣邦已经动身走了，故而母子俩就所见的情状推想，就深信行凶的是洪伯道（钱二），被杀的是朱荣邦（赵大）了。

伯道既将尸身藏入箱中以后，又觉得不妥，因为他既要使这凶案永秘，势不能丢了箱子回去；若使载尸而行，更难免破露真相。所以到了深夜，他重新将尸体用单被包裹好了，连着死者的衣帽和凶刀，悄悄地背了出去，系了一块大石，投在就近的泗堡桥底下。等到天明，洪伯道本要向仁宝的母亲退租，然后公然地带着箱子回去。但当他和仁宝道早安的时候，觉得仁宝的面色有些异样。他因而怀疑起来，恐怕他们的秘密已经破露，便不敢当面退租。

他就乘间溜出，本想抛了行李，立刻乘火车回去。但他到了车站，想到皮箱留在王家，这件事仍不能算完全了结，对不住他的盟兄。他又记起床底下还有一双黑漆皮的皮鞋是计雪香的东西，当他移尸的时候，一时疏忽，不曾放入包中一并丢掉。他回想到这一点，觉得非常危险。因为朱荣邦曾经写信给计雪香，信上分明留着后贝巷口的住址。如果那信不曾被销毁，那么雪香失踪之后，势必有人寻踪而至。那时箱子和皮鞋一定会被发现。那不但要连累王家母子，而且循迹追缉，他和荣邦二人也不能没有危险。因此洪伯道从车站退回，进了泰兴客栈，预备静等一会儿，听听风声。假使没有动静，他决意取了皮鞋和箱子回去。

午饭过后，他曾悄悄地走到后贝巷口，望见小室门上铁锁依旧锁着，没有一些异迹。他感到安慰，认为王姓母子并未发觉，只是他自己心虚。他就准备晚上再去将东西取回。

吃过了晚饭，他离了泰兴客栈，乘车到后贝巷口。他照常开锁进去，点亮了灯，就将计雪香的皮鞋藏入箱中，又打好铺盖。他向楼上高呼了一声："王太太，我们走了。再会。"急忙乘着原车回客栈去。那时候王仁宝已经出去。那老妇却已走下楼来，伏在板壁后面偷看。伊听得洪伯道高声告别，仍默不作声，只悄悄地跟了出去。走到巷口，伊就也叫了一辆车子，跟在洪伯道的后面，一直到泰兴客栈。

后来他的秘密被我和霍桑揭破了，他果然相信箱底上留有血迹，证据确凿，便不敢抵赖。他为顾全他的谱兄，就决计代他受罪，故而伪造事节，自认凶手，以免再牵涉荣邦和荣邦的弱妹爱真。直到荣邦到场质证之后，他还争认凶手，那一种尚侠的精神真可教人钦佩。

朱荣邦的突然回来也不是没有理由的。他回到了嘉定，不料母妹都已惨死。因为荣邦的行踪无着，没法通知，一切后事都是由朋友料理的。荣邦陡闻噩耗，刺激太深，几乎发疯。他觉得孤单一身毫无留恋，活着已没有生趣。他又等伯道不归，深恐事情发作了，伯道已经被捕，故而他又回到南翔，重新乘五点四十七分的快车，到无锡来自首。

朱荣邦到无锡时，正交八点三十五分。他一直到后贝巷，发现洪伯道已经不在，就问仁宝。仁宝起初慌得说不出话。后来给荣邦疯狂似的恫吓追问，才不得不领着他到栈房里去。

霍桑在一度考虑之后，决意对于这案子抱放任主义。他向这谱弟兄俩说了几句安慰和鼓励的同情话，就放他们自由回去，还叮嘱王仁宝不要声张开去。就法律的观点看，这办法似乎欠妥，但在我回寓诘问之后，霍桑却振振有词。

他说："我的裁判，在法律条文上固然是不合的，但在良心上，却毫无遗憾。你总知道，我一向行事，只凭公道，何必叫人做法律的牺牲品？他们俩虽杀了一个人，但那个被杀的人也已无形中杀了三个人。拿一个人的命，抵偿三个人，难道还不公道？现在我的责任已尽，法律问题还是让执法的人去主持。"

霍桑发表了他的主见以后，形色惨沮，脸上仿佛蒙上了一重暗影，比较寻常破案后快乐称庆的状态，绝端相反。我承认我也同情他的主张，也因受了那惨局的影响，同样感到郁郁不乐。所以当晚我听了他的这一番良心理论之后，不但不再答辩，并且绝口不再提这件案子。

下一天三月二十九日，我们整顿精神，补游梅园和羊山。在梅园的小罗浮石旁，我们坐下来歇息。我看见四周没人，才重新谈及这一次凶案。

我说："霍桑，这件事的破获可算非常凑巧，那两个当事人都是自投罗网的，要不然，真有些棘手。"

霍桑答道："是，这事固然很巧。不过我并不曾单纯地依赖这巧。如果他们俩不自己来投，我也早已知道那朱荣邦确实回到了嘉定去。我们循迹而往，也一样可以探明真相，不过多费些时日罢了。"

"喔，朱荣邦回到嘉定的事，你早就知道？是不是就靠周义轩的回电做根据？"

"不。那回电不是根据，只是印证。"

"那么你根据什么？"

他反问我说："你要问根据？那是你自己告诉我的啊。"

我诧异道："什么？我自己没有知道，几时告诉你过？"

"你往车站上探问的时候，那个路警不是告诉你，说他的同事李钰卿在前天晚上看见过一个形迹可疑的人吗？可惜你没有注意，不曾向那个李钰卿当面问问。昨天下午，我倒重新到车站上去查问过。这李钰卿所描摹的那个人的状态，果真就是朱荣邦。"

"唉，我真是错过了机会！但当那路警告诉我时，我想一个人既死，另一个人在早晨还有人见过，夜车的事当然没有注意的必要，所以没有细问。"

霍桑微笑道："这就是成见害人。因为那时候你的意识中抱着只有两个人的成见，自然便无暇旁及。"

我问道："那么你当时难道就知道这案子不止两个人？"

"是。我料到有第三个人。不过一时没有捞得尸骸，缺乏物证，不敢轻下断语。"

"你凭什么料想的？"

霍桑开始解释："第一点，他们俩既然结伴而来，共同守着秘密，宗旨势必是相同的。照常情推想，除非有意外的变端，似乎不至于演成凶终的惨剧。可是据王姓母子的报告，他们俩夜夜有拍桌相争的声音，又似乎显然是两人间的互相残害。这一层是矛盾的，我起初觉得无从沟通，不可索解。后来因着案情的开展，得到了几种旁证，又经过了几次仔细推想，我才发现一线光明。据王老太说，他们母子俩一听得声音，下楼去探听，那两个租户便戛然停止。你想他们俩中间，如果各因着本身的缘故，动怒争诟而至于拍桌，那么无论在盛怒之下，官觉不容易旁及，即使知道有人在窃听，但彼此的怒火一时间也断不能够同时熄灭。可是他们却反乎常情，一觉得有人偷听，就能够同时息怒。可知他们所以怀怒拍桌，并不是在二人自身间的怨愤。说得明白些，他们所怨愤的，却还有第三个人。"

我点点头："唔，你的推理力真可算得丝丝入微。第二点呢？"

"第二点自然要顾到物证了。我查到的物证有两种。第一是那支烟尾。从遗留的物证上看，他们俩是清寒的文人。又据我调查，他们俩的生活费用也是非常拮据的。但大前门香烟不是十分节俭的人吸的。况且仁宝母子俩既没有见他们吸过纸烟，又据鸿福楼饭店的侍役说，也不曾看见这两个人抽烟；屋中又没有第二支烟尾。这可见那椅旁的烟尾是另有人偶然丢在那里，并不是他们俩平时吸的。更进一层，那烟尾经我察验，还很新鲜，因此又可假定它给丢掉的时间绝不很久。故而我就联想到上晚杀人的时候，一定另有一个第三人在场。"

"唔，很合理。第二种物证是什么？"

"那就是床底下的一双漆皮皮鞋。这鞋还新，尺寸很小，不像是胖子或长子穿的，而且漆皮鞋价值较贵，也不像是这两个人的所有物。因此我又进一步假定这第三人也许就是被害人。这假定成立了，后来我又从李钰卿口中得到一个旁证，所以朱荣邦的失踪和失踪的理由也就不言而喻了。"

我不禁连连点头，说："霍桑，你的观察和推想的确有过人的地方——"

霍桑忽举起一只手，阻止我说："包朗，你别点头点脑。我不是万能的。我也有我的失着。例如我以为朱洪二人中的一人是恋爱剧中的主角。还有那个坐车子来问讯的女子，我也和你一样认作恋爱的对象。其实都是错误的。照现在看，这个女子似乎就是计雪香的妻子。"他的嘴角牵一牵，露出一种不自然的微笑。

我说："一个侦探在从事侦查时，好像在沉黑中隔着黑幕捉迷藏，暗中扪索，完全没有把握，只凭着官觉的些微的助力。等到眼障去掉了，豁然开朗，就会觉得从前的举动有些可笑。"

霍桑似乎不听得，又自顾自地继续说："包朗，还有两个误点哩，我索性告诉你了吧。第一，我料想赵大和钱二的姓名都出假托，也只料中了一半。"

"一半？什么意思？"

"他们的赵钱二姓虽是假托，但大哥二弟的名称却是真的，因为他们本是结义弟兄。"

"唔，他们的交情倒超过了一般骨肉弟兄，真可算得上难兄难弟。还有一个是什么？"

"第二个误点由于我过于周密，着眼太高，寻尸时舍近就远，不往泗堡桥去，却往大河池去，因而寻得了那个不相干系的女尸，白费了许多功夫。"

这句话使我想起了那个女尸。我先前认为这女尸多少总有些关系，现在水落石出，却是完全无关。

我含笑说："是的，这一着也是我的失着。我本来根据了时间和地点——"

霍桑忽又举起手来："我想你失着的地方似乎不止这一着吧？"

我笑道："是。我又记得一件事，也应当向你承认。"我就把那天清晨酱园街计家打电话报告少主失踪的事复述了一遍。

霍桑点点头："那才对了。昨晚我查问计雪香地址的时候，你打岔了一句，当时我有些奇怪。我想不到你早已知道。"

"当天的电话，一共有两通。我以为都是无关紧要的小事。我们既然抱着游散不干事的宗旨，所以就一口回绝。你也怪我不得。"

"可是事后你竟完全没有提起，这就未免有些粗忽。"

"喔，你以为我如果提起了，你就想得到这里面的关联？"

"假使你早把这一件事向我说明，有个少年在同一夜间失踪，因着时间上的吻合，我自然不能不注意。我有了着手之处，案中的真相也自然比较容易明白。"他瞧瞧下面的花尽叶茂的梅丛，不由自主地点点头，"不过这一点我决不怪怨你。"

"喔，为什么？"我不能理解他的未了的补充的怨词。

他呆呆地注视着梅树，说："因为我们如果从计家方面着手侦查，最终便不能像现在这样的便宜处置，那朱洪二人也不免要做法律的牺牲品了。"

三十日那天，我们又接义轩的第二次回音。他果然探明了洪伯道和朱荣邦都是嘉定尚公中学的教员，并且说及荣邦家里最近发生的惨剧——母女两个同时毙命。

那天早晨我们在《锡报》上又读得一段新闻，似乎也有些关系。现在我把它节录在下面作为本案的尾声：

昨天二十九日清早，有人在大河池里发现一个女尸，当时就四处轰动。后来经官中人验明，那女子是生前被人用麻绳勒死，然后给投在河中。河岸的东边还印着几个很深的皮鞋印子，似乎就是凶人所遗留。这女子已经给尸属认明，是小桥头某号王姓的女儿，名叫彩凤，失踪已经四日。伊被谋杀的原因现在尚未查明。伊身上的衣服首饰完整无缺，显见不为财物。但据熟识这女子的邻居们说，彩凤平素很放浪，男朋友不少，很像是出于奸杀，因此警探们已经查明有两个少年常和此女来往——一个是酱园街计某，一个是在电报局服务的杨某。但这二人先时都已失踪，虽有嫌疑，一时还无从质证。现在正在行文追缉，须等这二人提归到案，这勒死案才能水落石出。

这节新闻又加上一重补充，使我感到诧异，先时我以为绝不相关的女尸，这时竟也发生了关系。我的缺乏坚强根据的空想居然也应验起来。那计雪香真是个无赖流氓，东染西污，越觉得该死可杀。但这王彩凤的死，是不是计某所害，或是由于杨某的毒手，却还是一个疑问。

我向霍桑道："你瞧，新闻上所说的皮鞋足印，大概就是我们所留的。他们竟把我们当作凶手看了。"

霍桑略瞧一瞧，便将报纸一丢，显出厌憎的样子，默然不答。

我又问道："你想这王彩凤是谁杀死的。"

霍桑皱着眉峰，答道："谁知道？谁管得了这许多？这原是荡子荡妇必然的结果啊！"他深深地叹一口气："这是个严重的社会问题，也是个教育问题，事后的补救是无裨实际的。唉！我们的力量太微弱了，能补救得了多少？"他再度叹了一声，忽然跳起身来，戴了帽子，提了手杖："包朗，今天天气比较暖和，我们快到黄公涧去。我想那一股清流激湍，总可以洗一洗我们的烦恼！"

单 恋

讨救兵

在那件宣传全国的"舞宫魔影"一案发生的当儿，我正同我的佩芹在庐山避暑。我从报纸上读悉，霍桑费了四十八小时的工夫，竟把这一件惊骇诡秘的疑案完全破获。我不禁又喜又惜——喜的是，我的老友在服务社会的成绩上又加上一次纪录，因而又得到一般人的热烈的颂扬；惜的是，这样一件惊人的奇案，我竟没有像以前那样亲自参与。因此，我在十月四日回到了上海，下一天早晨，便赶去见我的老友。

我走进他办公室的时候，他已穿得很齐整，仍老样子坐在那只靠窗口的藤椅上，手中执着一张报纸，正要展开来阅读。室中的情景也依然如旧——书桌上仍杂乱不整；那张提琴仍搁在书橱顶上；藤椅足旁也仍堆积了不少的厚书，一切都没有改观。他一见我，立起来和我握了握手，那张报纸仍拿在手里。

他笑嘻嘻地说："包朗，你昨天才回来吗？……唉！两个月不见，你的体重大概可以加增十多磅吧？"

我答道："是，我昨天才磅过，增加了九磅半，但你似乎瘦了些。你不是为了那件舞女案子太辛苦了吗？"

他又笑一笑："哈哈！我早料你一回来就要问起这件案子。是的，这也怪不得你。这案子实在太离奇了。你且耐性些，我有笔记记着，空闲时尽可详详细细地说给你听。坐啊。我告诉你，昨天傍晚，杭州张宝全来了一个电报，说有一件疑案担当不了。我此刻正要瞧瞧报纸上有没有新闻。"

我坐到他对面的另一张藤椅上，刚取了一支纸烟，还没有烧着，陡见霍桑又从椅子上直仰起来。

他呼道："唉！果真有一件案子。奇怪！唉，真不可思议！"

自然这几句话已足够刺激。我也急忙仰起来，放了烟，接受他递给我的那张报纸。我的眼睛一瞧到杭州通讯栏中，便发现一节新闻：

不可思议的命案

▲息游别墅中的怪少年。

▲自杀吗？被杀吗？

孤山东麓，有一个幽静的小村，唤作香雪村。村中有百多家人家，都是种树为生的农民，浑浑噩噩，可算与世无争。当六七年前，上海有一个姓黄的富商，在村中建筑了一所息游别墅。起初几年，每逢夏天，别墅主人总带着家眷们来避暑。但是最近两三年中，主人们竟绝迹没有来过，只留一个叫章全禄的老年仆人在那里看守。一个月前，忽然来了一个少年，拿了别墅主人的信，到别墅里来避暑。他拿出一百块钱，说要在别墅中耽搁一两个月。那老仆看见了主人的信，当然接待供应，但心中早有些奇怪。因为那少年进别墅已有一个月光景，前后只出门过三次；每次出外，也只在香雪村中绕一个圈子，至多不过十分钟。除此以外，他整日整夜地深居在别墅里面，足迹不出门户。并且那封介绍信上说他姓吕，但他有一次偶然和老仆闲谈，却又说姓夏，真是莫名其妙。

本月三日晚上，不幸事件发生了。那晚上恰逢大雨倾盆，天气突然转凉。那老仆吃过了晚饭，收拾完毕，便和这怪客道别归寝。全禄睡到半夜光景，忽听得有人呼叫。他惊醒了，仔细听听，又没有别的声音继续，便以为是噩梦的惊搅，不以为意。到了第二天四日早晨，全禄送面水进去。那少年的房门仍旧闩着。全禄敲了好久，不见有人答应，不禁疑惑起来。那别墅原是没楼的平屋。他绕到窗口外去，从玻璃窗里看一看，窥见那怪客仿佛仍躺在床上，窗也从里面闩着。他高声喊叫，依旧无效，才惊惶起来。他一个人不敢擅动，走出了墅屋，找到了一个附近的邻人，一同奔到岳坟前警局里去报告。后来警察到场，打破了窗子进去，才发现那少年已经死在床上。床的蚊帐一面下着，一面仍挂在钩子上。床上有一条线毯，染着不少血渍。那少年的身体经过检验发现，左胸口有一个伤口，分明是利刀刺的，但四面检查，找不到凶刀。因此这案子便不可思议。若说自杀，何以不见凶器？若说被杀，怎么又没有凶手的来踪去迹？因为那房间只有一门一窗，门窗都从里面闩着，窗的玻璃也都完整没有异迹。杭州市警局的探长张宝全，虽已亲自到别墅里去勘验过，也还找不出什么线索。这案子未来的发展，一定很有可观呢。

我读完了这一节新闻，果真惊诧万分。我在庐山上静居了好久，耳目所接触的，只是些高林奇花，飞瀑怪石，和那朝晖夕阴、风云开阖的天然美景，脑子里好久没有异案怪闻的影踪。现在我又回进了现实世界来，真像遇见了久别重逢的故友，更觉得亲切有味。

我说："霍桑，这案子的确不可思议，自杀没有凶器，被杀又没有凶手的踪迹，真是一个哑谜！"

霍桑已立起来，两只手插在他的青哔叽的裤袋中，在室中缓缓地踱着。他的两只灵活的眼珠越见得灼灼有神，好像电灯泡突然增强了电压，发光更见强烈。自然，那增加的电压的来源一定就是这件案子。

他答道："是的，这问题的确困人的脑筋。我觉得那少年行径诡秘，他背后一定有着某种耐人寻味的故事。"

"你现在可已有什么意见？"

"什么话？我们凭着这报上的简单的新闻，一些没有根据的材料，怎么便说得到意见？"

"那么，你打算往杭州去亲自侦查一下吗？你刚才说杭州有电报来，可就是为这件案子？"

霍桑点点头，一边摸出记事册来，拣出了那电报递给我。

他答道："我想是的，不过电报上没有说明。"

电报是张宝全发的，非常简单，只说有一件重要的疑案，要霍桑帮忙，请他立即动身。

我说："现在你决意要走一趟吧？假使你嫌途中寂寞——"

"唉，你要一同去，就老老实实地说，何必用什么外交辞令？老实说，这件案子我当然不肯轻轻放过。"他瞧瞧壁炉檐上的小瓷钟，"现在已十点半，我们若使立刻——唉，有什么人来了。"

出乎我们的意料，那来客就是那短小精悍的杭州警局侦探长张宝全。他穿一件黑灰柳条呢单袍，光头不戴帽，削下巴，高颧骨，一双眼睛很有神。他和我们曾联手办过案，有相当交谊。这时他拍了告急的电报不算，竟又亲自赶来，这案子的诡秘棘手已是不言而喻。经过了一度例有的寒暄，大家都坐下来。

霍桑说："宝全兄，你来得正好。你大概是为着息游别墅的案子来的吧？"

张宝全用眼光向那散乱在书桌上的报纸瞟一瞟，点头道："正是，你们已从报纸上读悉了吗？我刚才也看过，不过记载得太简单，而且不正确。譬如报上说室中并无凶器，这话就不确实。"

"喔，有凶器的？"霍桑忙着接一句。

宝全又点点头："是，有一支手枪。"

我也插口道："那么死者是枪伤，不是刀伤吗？"

张宝全道："死者的确是刀伤致死的。手枪是从死者的一只手提箱中拣出来的。枪膛中虽装满子弹，但一粒都没有发过。我提起这一点，只证明报上的记载并不详尽。这案子的内幕委实不可捉摸，因此我不得不乘了夜车来讨救兵了。"

霍桑道："好。现在请你把报纸上略而不尽的事迹详细地补充一下。我们正渴望着要知道。"

那侦探长定了定神，开始说："这案子最奇怪的一点，就是自杀被杀的问题无从决定。据岳坟前警署里的巡长沙春山证明，他确实是打破了玻璃窗进去的。窗上的铁插和门上的小铁闩都是确确实实从里面闩住的。后来我亲自去察勘，那房间除了一窗一门以外，果真没有别的通道。我仔细把墙壁验过，并无复壁秘门，地板也完整没有孔洞。不过上面承尘的一角有一小块灰泥已经剥落，里面的木条也有两三条朽烂。"

霍桑显出注意的神气，忙问道："这一个孔洞有多大？"

张宝全答道："有七八寸见方。你若疑心有人从这洞里上下，那是断乎办不到的。"

"假使有人从洞里伸下手来，也可能吗？"

"这固然可能，不过我曾在屋顶上仔细看过，绝没有翻动过的异迹。除了屋顶，屋内也没有钻进承尘上面去的通道。恰在烂洞上面，有一块底瓦已经破裂，裂痕却已陈旧。这足以证明那下面承尘上的烂孔，是长时间雨漏所致。因为那墅屋已是多年失修。"

霍桑脸上先前显露的一线希望，此刻又归于毁灭。他略一寻思，便请张宝全继续讲他的故事。

张宝全道："我在尸室中仔细察验的结果，在死者日记册中发现了一封不易索解的信。还有他的一身白哔叽西装是上海李顺昌西衣铺制的。这两种东西似都可作为案中的线索。此外有一只爱而近牌子的金表，一支很精致的镶金派克自来墨水笔，又有三百多元钞票，那似乎不见得可以做探案的证物。"他一边说着，一边便探怀取出那封信来，交给霍桑。

我立起来走到霍桑旁边，一同瞧那一封信。那信的信笺上印着"金业交易所用笺"字样，信上的字句只寥寥两行：

据闻对方已被迫离家，情势似很紧张。你还是小心为宜。余事另行奉告。

勋伯启　九月十四日

自杀与被杀

我推想信中的语气，那写信的人像是死者的好友，受了死者的委托，刺探所谓"对方"的举动。这信是探查结果的报告。这个"对方"指的是谁，自然无从悬揣。但是死者正处于危险的地位，有所顾忌规避，那是很显明的。

霍桑说："这封信一时虽不易解释，但因此也许可探悉死者已往的身世，的确非常重要。此外，你可还发现过别的东西？"

张宝全现着迟疑的样子，缓声答道："我还在室中的地板上发现过一些泥灰。那似乎无关紧要。"

霍桑道："喔，泥灰？可就是在承尘上的朽洞的下面？"

"不，恰在房门口。我还瞧见泥灰是从门框上面落下来的。"

"那么，可也有可疑的足印之类？"

"这一点我实在不能回答。因为我到场的时候，尸室的内外足印已杂乱无章。你知道发案的上夜是下过雨的。那沙春山巡长不知道保存足印的重要性，故而这一点已不能利用。"张宝全停一停，又说，"我在房门里面的地板上还看见像有几滴血，可是也给泥脚踏没了。"

霍桑低垂了头深思。我也不无有些失望。

我乘机问道："这样说，死者自杀被杀的问题到底没有解决，是不是？"

张宝全道："原是啊。我办不了的就是这一着。"

霍桑抬起头来："宝全兄，你对于这问题完全没有见解？"

张探长踌躇了一下，答道："我觉得内中有两点似乎也有值得注意的必要。第一，别墅的四周围着短墙，有前后两门。发案以后，后门上却没有下闩。据那老仆全禄说，上夜里因着大雨的缘故，他是否把园门闩住，记忆已有些模糊。至于四面的短墙上绝对没有异迹。第二，据香雪村中一个姓冯的老妈子说，三号那天的清早，看见一个陌生的少年男子，在村中徘徊过一会儿。不过这个人是不是寻常的游客，和此案有没有关系，还不知道。"

霍桑再度静默，他的眉尖深锁着，我又插一句。

我说："从这两点上推测，好像案中是有一个凶手的。那么死者似乎是被杀。"

宝全道："可是凶手进出尸室的线路呢？这还并无着落啊。"

是的，这又是一垛毫无隙缝的石壁，我也看不透。霍桑不表示，提出另一个问题：

"死者的鞋子怎么样？可有什么湿泥的痕迹？"

"没有。那是一双铁机缎的布底鞋子，并没有在雨中走过的迹象，显见他上夜里进房以后，并没有再出过房门。"

"死者全身呢？你也详细说说。"

"他的下身穿着棉毛质衬裤，赤着两足；上身除了一件棉毛衫以外，还穿一件灰色花绸的短夹袄，纽扣没有扣全。他的伤口在左胸近心房处，约有一寸半宽，三寸深，分明是刀伤。那件棉毛衫和绸袄上都有凶刀穿过的孔洞。流血很多，床上的线毯被单和席上都有。他的右手上也满染血迹，看见了非常可怕。"

来客的故事稍稍顿挫。霍桑又定着目光在思索。一种意念触动我，我又乘机插一句。

我问道："宝全兄，对不起，我要请问一句。你可曾在那承尘的孔洞上面检查过？"

"瞧过一回的。什么事？"

"你可瞧得仔细？"

"这……这个难说。包先生，你有什么意见？"

他瞧着我有些踌躇。霍桑也抬起目光来瞧我。我提出一个见解。

我说："我想那把凶刀也许就在承尘上面。"

张宝全张大了两只有神的眼，直视在我的脸上，仿佛很惊异。

他问道："什么？你可是以为有人把凶刀藏匿在承尘上面？"

我答道："若说故意藏匿，当然不会，但是我有一个假定，也许……也许……"

张宝全又催逼道："也许怎么样？"

一阵咯咯的笑声，阻止了我发表。霍桑已代替我作答。

他道："我明白了。包朗兄的意思，假定死者是自杀的；自杀以后，死者执凶刀的手随手一抛，无意中把刀掷进了那承尘角上的朽洞里去。包朗，是不是？"

我的意念又给霍桑看透了。我随即点一点头。

我反问道："你说这一着在事实上有可能性没有？"

霍桑摇摇头：

"唔，我看这个见解，可能的成分未免太少。现在我们还不知道那凶刀有多长，能不能丢得进去，这是一个问题。还有一层，死者受伤后随手一丢，竟能这样子高，并且能恰巧丢进那孔洞里去，也未免太凑巧。"

我默然不辩。张宝全也在用摇头的动作否定我的见解。

霍桑又说："其实这一点已不成问题。我们眼前的工作，只需侦查死者的往史，查明白他行踪诡秘的原因。再进一步，那凶手问题也自然会有着落。"

这是一个确定的表示，我和张宝全同样感到惊异，几乎不约而同地发出同样的问句。不过宝全比我更着急，发问权就被他抢了去。

他问道："霍先生，你说这案中有凶手？你已经确定这是件被杀案子？"

霍桑微微现着笑容，答道："这是我眼前的假定，还得有更新的发展，才可以证实。现在我们应得找一条进行的路径。我以为这个金业交易所里的勋伯是一条唯一的捷径。"他把那张信笺轻轻地折好，夹入他自己的记事册中："宝全兄，这别墅的主人是谁，和死者真实姓名叫什么，你可曾查出来？"

张宝全道："别墅主人叫作黄鼎华，听说也是在上海什么交易所里的。死者究竟姓吕姓夏，和他的真实名字叫什么，还不知道。"

霍桑点点头："好了。有了这两条线索，已尽够着手。现在我们分头进行。你回杭州去，赶紧去调查那个在村中徘徊的陌生少年男子。我就近从这方面进行。"

张宝全立起来，虽在用点头来表示应诺，但他的眼光中仍含着疑信参半的神气。

他问道："霍先生，你是不是疑心那个陌生少年就是凶手？"

霍桑沉吟道："唔，我还不能说定，但这个人至少有几分嫌疑。你若能把他找到，对于了解案情当然有益。"

张宝全又问："假使这少年果真是凶手，他又用什么方法，竟能隔着墙壁行凶？"

霍桑微微笑了一笑，答道："这一点说明了并无奥秘，你但把所知道的和所发现的推想一下，大概也可以明白。现在我们不必坐失时机，快分别进行吧。"

以后的两天中，霍桑努力地侦查死者的来历和历史。侦查的线索有两条：一条是那别墅主人黄鼎华，一条就是那写秘信的勋伯。他着手的当儿，好像很有把握，疑团不难迎刃而解。可是事实上并不如此。五日那天的下午，他费了半天工夫，好容易找到了那个黄鼎华，但谈话的结果对于这案子并无推进。黄鼎华先前是面粉交易所的经纪人，很"红"过一阵。可是干投机生涯的人，"红"和"黑"常是交替的。近几年他因着投机失败，由"红"而转"黑"，境况已有变动了。当霍桑和他会面的时候，他说他对于别墅中发生的案子也正莫名其妙。先前有一个姓曹的朋友转接介绍，说有一个人要借他的别墅避暑，至多住一两个月。别墅本空着，他也想不到会有什么岔子，便一口应承。现在不幸发生了这一件奇案，他要找这姓曹的朋友交涉，不料这朋友已往吉林去了。所以霍桑去找他探听消息，他也正要向别的人问消息。

六日的清早，霍桑又到金业交易所去访问那个勋伯，也扑了一个空。因着不知道姓什么的缘故，他到底问不出这个人。这天傍晚，我去看霍桑，他正感到非常失望。我问起他进行的情形，他便把经过的情形说给我听。

末后他说："这个人在金业交易所里也许另有名字，所以这'勋伯'二字没有人知道。或是这个人本不在金业交易所里，那信笺只是偶然借用的，那自然也查不出了。"

我道："那么你没有别的方法找到这个人了吗？"

霍桑道："这个人是全案线索的总枢，实在不能放过。现在我已在金业交易所中放了些消息，以便引他上钩。假使这个人果真在交易所里，并且和这案子并没有直接的关系，他自然会来见我。假使不然，就不免有些棘手。"

这天上灯时，霍桑接到张宝全寄来的快信，报告他回杭州以后，曾竭力搜查那嫌疑少年的踪迹，但并无下落。不过他在靠近孤山的湖光旅舍里面，访得在本月二日下午，确有一个少年男子投宿。那少年的年纪还只二十左右，身上的衣服是一套敝旧的学生装，脚上穿的又是本国鞋子，似乎有些不伦不类，听他的口气明明是从上海去的。在三日晚餐之前，那少年又曾出去过一次，直到深夜方回，衣服都淋得像落汤鸡一般。到了四日的清早，他便离开旅舍。他的行径很诡秘，早已引起一般人的怀疑。合着霍桑的推理，这个人和凶案有关似乎已有七八分把握。

这消息总算是霍桑在无聊中的慰藉。可惜这少年仍无下落，正像水底的月儿，瞧得见，摸不着，更觉得使人牙痒痒地难熬。

训　诫

到了十月七日的清早，这案子忽然有出乎意料的发展。

上一晚我睡在霍桑的寓里，早晨七点半时，我还没起身，霍桑却早已循着老例，实施他的户外运动去了。忽而霍桑的多年的仆人施桂急忙忙上楼来叫醒我。

他说："包先生，有个客人敲开了门进来，要找霍先生。我告诉他霍先生出去了。他不相信，他竟要走到楼上来了。"

我从床上坐起来，暗忖来人如此性急，也许与这件案子有关。

我说："好，你请客人坐一坐。最多五分钟，我就下来。"

我遵守诺言，在五分钟内急匆匆洗漱完毕，便下楼来见那来客。

那人穿着一套淡灰色阔柳条的薄呢西装，紫领带，脚上一双黄皮鞋，式样都很入时，他的年纪在二十三四，头发用发膏涂抹得油光光，面色雪白，但并不是天然的，是借助于白玉霜之类的效果。他的两只乌黑的眼珠流转很速，敏慧中带些浮滑气。他左手指上戴着一只黄豆般大小的钻石戒指，显见他是上海社会中的一个摩登人物。不过他和我相见的时候，他仍安坐着，他的脸上现着一种惊惶而愤怒的状态，忽略了应有的礼貌。正在这时，霍桑恰巧散步回来。来客看见霍桑和他点头招呼，似乎霍桑已认识他，马上站起来，可是这不是礼貌，是敌意的姿态。

他开口道："你就是霍桑？"

态度和措辞倒一致，因为如此称呼未免失态，而且他的声浪也冷峭刺耳。但霍桑仍不改常态，向他微微点了点头。

少年又问道："你是当侦探的，应当知道法律！你怎么凭空说我和夏杞生的凶案有关系？并且你的意思还像说我有凶手的嫌疑。这不是太荒谬吗？"

气势汹汹，咄咄逼人，这两句成语可以描绘那来客的神情。可是霍桑仍带着笑容，毫不发火。

他答道："先生，请你静一静。我还不曾请教过你的尊姓大名呢。我几时对你说过这样的话？"

少年道："我是徐振邦。昨天你到交易所里去找我，明明向我的同事们说过这种话。现在你要赖？"

霍桑嘻一嘻："唉，你就是徐勋伯先生？不，我并不想赖。这话我确实说过，不过我只是转述人家的话罢了。"

"转述的？那么有人说这样的话？"

"自然有人说。"

"谁？谁说的？你得指出这个人来！"

"指出这个人并不难，不过指不指的权是我的。到眼前为止，我还不曾受过人家的强制。小朋友，我看你的火气还得平一平。你跟一个年龄比你长近一倍的人初次相见，而且你的安

危也在他的手里，你的说话和态度就不应这样子。我想你总进
过学校，读过几年书，最起码的礼貌，你总得懂一些！"

霍桑发火吗？不是。他在利用机会教训一个仗着老子的钱
而目空一切的孩子。因为霍桑的神情还是很安谧，不过略略有
些冷气。他自顾自地坐下来。我也不客气地坐下，让那客人气
息咻咻地呆立着。窘吗？当然谁也想象得到。不过这是他自作
自受，用不着任何同情。他好像辨味出训话中的一句含意。

他问道："什么意思？我的安危在你的手里？"

霍桑仍淡然地应道："是，人家可以随时把你送进监牢
里去。"

他有些吃惊："什么？送我进监里去？这样容易？"

霍桑瞧着自己的黑皮鞋，答道："是。人家还有证据。你
刚才说过法律，有了证据，用法律送你进监狱，当然并不难。"

那少年的脸泛白了。火气呢？自然悄悄地融化了。

霍桑又缓缓地说："你的处境很危险呢！我老实告诉你，
现在你若想用这样的态度改变你所处的地位，那是办不到的。
要是你的脑子还没有到完全昏聩的程度，我想你还是换一副面
孔和人家谈话的好。"

徐勋伯的脸色从灰白变成青白，他的失血的嘴唇也似有些
微颤。他先前那一副汹汹的气焰也顿时火灭焰消。霍桑的训话
在产生效果了。

他作惊疑声道："怪事！真怪事！我和件案子绝对没有
关系。究竟什么人造谣？还有什么证据？"

霍桑道："这话自然有人负责，不是造谣，证据也不是捏
造的。不过我觉得这事还有考虑的必要，不主张立刻逮捕你，
所以先放一个消息给你，给你一个辩白的机会。"

语气婉和些。这自然是让对方转篷。徐勋伯究竟还知趣。他不会放弃这个机会。

他说："那么你倒是好意？不过这件事和我实在没有关系的。唉，霍先生，你——"

霍桑仍带着笑容，接口道："尊称不敢当。我原觉得你不会杀人。不过你现在有了这个辩白的机会，应得好好地利用才是。你坐下来说。"

对方屈服了——不，顺服了。因为霍桑所采取的方式不失于循循善诱。少年在对面的沙发上坐下。

他急忙道："霍先生，第一个铁证，夏杞生是三号晚上被杀的。那晚上我明明在上海，尽可以有证人证明。"

霍桑用眼角向我瞟了一瞟，表示他的反激计已得到成功。

他应道："你说夏杞生是三号夜里被杀的，那不错。现在你得指明杀他的人是谁，你的嫌疑便可以洗刷干净。"

徐勋伯呆了一呆："这个……这个我不知道。"

"徐先生，我劝你还是静静地考虑一下。假使你要顾全别的人，还不肯坦白地说出来，那你也应当替你自己的处境想一想。"

"我实在不知道。"

"当真'实在不知道'？"

"真的，我委实不能够指实是谁。"

"这才近情些了。你虽不能指实，但在你的意想之中，至少已有所怀疑，是不是？现在就把你的想象中所怀疑的人说明白。那你自己的嫌疑也可以脱卸了。"

话题被引进了正确的港口。我观察对方的神态，料想绝不会再有搁浅触礁的事。我的估量没有错。经过一分钟的沉默的考虑，那少年表示了。

他作坚决状道："也好，我说明了也不妨。我意想中的嫌疑人是一个女子，叫……叫秦英娥！"

黑暗中透出一线光明。我不禁暗暗欢喜。霍桑仍保持静穆的常态。

他问道："是一个女子？为什么事？不见得是恋爱关系吧？"

"唔，很难说，也许可说是畸形的恋爱——单恋。说一句俗话，就是'单相思'。"

"唉，怪有趣！请你说得详细些。"

"好，我索性说明白了吧。夏杞生是我在江南大学里的同学。他是个独生子，家里很有钱，今年毕了业，并不就什么职业。他的脾气很固执，喜欢和女性结交，在学校里的时候，已闹过好几回把戏。后来他又爱上了那个秦英娥——"

霍桑举一举手："慢。这秦英娥是个怎样的女子？杞生和伊怎样相识的？"

徐勋伯疑迟道："这个我也不大仔细。我听说杞生是在路上碰见伊的。伊今年近二十岁，长得很不错，今年从宏志女子中学里毕业。别的我不知道。"

"好。你说下去。"

"杞生爱英娥是单方的，英娥方面并无意思，他却坚持着恋恋不舍。他告诉我非达到目的不可。我劝他，他也不听。后来他竟采用强制手段，事情就严重起来。英娥本已许了人家，杞生便捏造了情书，寄给英娥的未婚夫。那男的姓戈，是个旧式人家，他老子在前清时做过什么道，接了信认假作真，果真退了婚。英娥的父亲也是很顽固的，一怒之下，不问真假，便严厉地斥责英娥。英娥受不住冤气，便只身离家。伊分明要找杞生复仇。第一次伊在门外等杞生，就有拼命行凶的意思。幸亏杞生逃避得快，没有遭害。所以我怀疑这一次行凶的也许就是这女人。"

霍桑瞧着来客，问道："你既然是参与他的机密的，那时候你因着朋友的情谊，就劝他出门暂避，是不是？"

徐勋伯用诡异的目光向霍桑瞧一瞧，点头道："正是。他也有些害怕，就设法到杭州去暂避。"

"你还负责给他侦查对方，随时把消息报告他？"

"唔，是的。"他顿一顿，"霍先生，你怎样知道的？"

霍桑淡淡地说："这个容易知道。他避在杭州，踪迹特别秘密，通信的只有你。可见你是唯一的参与秘密的人。后来怎么样？"

"在已往的一个月中，我曾和他通过两三次信，他的情形似乎很好。却不料他到底遭了不幸。所以据我想，那秦英娥多少有点关系。"

霍桑点点头，应道："你的见解很有意思。你和秦英娥可相识？"

"不，不过伊和我同住在靖远路上，距离很近。"

"你看见过伊？"

"是，好几次——是以前。"

"自从夏杞生的凶案发生以后，你可曾再见过伊？"

"没有，伊离家已经好久，先前听说伊在伊的母舅家里。但我在报纸上得到了杞生的死耗以后，曾悄悄地到英娥的母舅家里去探听过，据说伊在一星期前也不知去向。"

"如此，假使有人要你说明秦英娥的踪迹，你也办不到？"

"是啊。我到哪里去找？"

霍桑思索一下，又问："你既然怀疑这一次刺杀夏杞生的是秦英娥，你想杞生避在杭州，英娥怎么会知道？"

勋伯摇头道："我不知道。不过杞生到杭州去，曾托人转了好几个弯，才借到那个息游别墅。这里面难保不漏风声。"

静一静。霍桑的眼光又回到他的皮鞋上去。案情似乎已豁朗得多，但这少年所说的有相当嫌疑的秦英娥，还是空洞地无从捉摸。徐振邦静默了一会儿，耐不住。

他说："霍先生，现在你总已明白，这件事和我完全没有关系。你得给我证实一下。究竟谁说我有嫌疑？莫非就是那些饭桶警官们？"

话近乎指桑骂槐，可是我相信他是无心的。霍桑向我瞅了一眼。

他答道："这一层你不能怪人家。你的传递情报的秘密信，信上又匿姓化名，都足以把你拖进这漩涡里去。现在你也不必深究，我不妨给你申辩明白。不过我有一句话奉赠。你是受过大学教育的，最少限度，态度礼貌上应得下些进修功夫。还有一点，你如果爱你的朋友，与其在事后设策、献计和侦查情报，何不在事前切切实实地进几句忠告？你总知道一个大学生在眼前的时代，应得致力的事尽多，而绝不是单恋。好了。现在你姑且回去。如果有需要你处，我会再来找你。"

徐勋伯临去的时候，向霍桑鞠了一个躬，那深度足足有九十度，比较他进来时那种桀骜不驯的状态完全变作了两个人。

给女子们吐一口气

案情的变化是不可捉摸的。有时候希望断绝，沉闷得像黑夜一般；有时发展迅速，却又像洋面上的波浪，层层地不绝。那天早晨，徐勋伯离去还没多久，霍桑和我正在一边进早餐，一边谈论着案情和商量结束的方策，不料那送报的报贩一走进来，便把霍桑的计划全部推翻。原来那报纸上载着一封奇怪的来函，这案子已自然地结束了，用不着霍桑再企图查问秦英娥的踪迹。我现在把报纸上的来函录在下面：

主笔先生：

请你在报纸上牺牲数方寸的地位，把我这封信刊登出来。事是近乎冒昧的，但我深信这问题也许可以引起社会上的注意，也有值得记载的价值。

你们这几天不是载着杭州息游别墅夏杞生的凶案吗？这件案子不是不但使警探们绞脑呕心地空忙着，连社会上的一般人们也都十二分注意吗？其实这只是我制裁了一个轻薄儿；也可以说我处决了一头没灵魂没人格的动物！不错，他的罪只是轻薄和没有人格，我所下的处罚似乎太重了些，可是那'轻薄'的结果委实使我不能承受。我为给一般被压制的女子们吐一口气，又为给社会中的渣滓分子下一种有效的警戒计，就不得不采取这严厉手段了。

我和他本来不相识。但我的学校和他的学校相距仅仅二三百码。我们每天放学的时候，他和那一些和他同样没有人格的同伴，总是候在校门附近，尾随着我们同行。起初他还只说些评头论足的轻薄话，后来逐渐放肆，竟效仿下流们的态度，有时竟拦住我们的去路，恣意调笑，使人不能容忍。他们不知利用了什么方法，竟把我的同学们的姓名探听得清清楚楚。于是那些不堪入目的情书便雪片似的乱投。我常因此暗暗叹息：这班人总算受了高等教育，怎么他们致力的方向，单单在片面的色情上？并且为了这个，连他们的人格廉耻和男子对于女子应有的态度都可以丢掉！我想到教育的前途，真是值得一哭！

我所说的那个动物——夏杞生，不知怎的，竟找到我的身上来。他一连写给我十多封信，我都付之一炬，回信当然没有。有一天他在路上单独撞见我，他竟拦住了我，责我怎么不写回信。我窘极了！那是一条僻巷，既没人解围，我又不知用什么话对付。我情急了，只有向前奔逃。他竟追过来，想要强吻我。我拼命挣扎。结果他把我腋下的一块手帕抢了去。我经过了这一次侮辱，心中说不出的恨恶。可是我的母亲死了，我向谁申诉呢？这动物还不死心，荒谬的情书仍连续地投来，因此引起了校中几个教职员和多数学生们的猜疑和流言。我知道这陈腐黑暗的社会是冷酷的，尤其是对于女子，虽是无意识的错误，也不会轻恕。何况在这男女社交还未普遍成熟的时期，一谈到男女便容易飞短流长，而且受谴的总是女子。可是我有什么法子阻止他呢？不得已，我硬着头皮，写了一封哀恳的信，恳求他不要再痴心妄想，因为我是一个已经许婚的女子。

今年我毕业了，以为可以从此不再看见这魔鬼。不料这可恶的动物真是太无心肝了！他竟索性写信到我的未婚夫家里去，捏造了许多不堪的谎话，又把我的手帕和我的亲笔信封拍了照做凭证，结果我就做了一个被退婚的女子！我的婚姻是家长做主的，退了婚，在我还没有大不了。可是我父亲是个守旧礼教的人，因着这事，竟不分皂白，不由分说，就认假作真。现在虽说已是男女平等的时代，但数千年来被压迫的女子依旧完全没有保障！于是我在家庭、亲戚和社会中的地位也就可想而知了。

他的目的原想我无路可走，向他屈服。但是我已经受过些教育。我觉得我的一生不足惜，但社会上有了这班动物，我们做女子的实在太危险太可怜了。于是我决心报仇，给像我一样的女子们吐吐气，同时又向像他一般的人们下一个有效的警告。我买了一把锋利的刀，第一次候在他的寓外，不幸一击不中，被他避去。不久他忽而失踪不见了。我当然仍不甘心，费了许多心思，才从他家仆人的口中，查知了他的避匿所在。我换了男装，悄悄地赶到杭州去，查明了他的踪迹，趁着雷雨之夜，竟毫不费力地给他尝了一刀。过了两天，我在报纸上得悉我的目的已经达到，我心中的快乐真是不可言喻。

现在我的意愿已经完成，我准备脱离这冷酷无情的社会。临末，我要向社会上理智健全的人们问几句话：我的措施究竟太过分吗？假使过分，我应当用什么方法对付这种动物？我现在的举动还含着警戒一班轻薄儿的意味，很希望有些效果。有良心的人们，你们能想出一种更有效的方法吗？那是我愿代二万万女子们全体祷切的！

秦英娥

往日我们在结案时，总是兴高采烈的。这天早晨我和霍桑读完了这封信后，竟是很凄恻地默默相对，除了彼此的感喟声以外，都说不出话。我先前吃的早餐也像梗塞在胸臆之间，胃脏在拒绝消化。我们足足静默了半个钟头光景，我方才开口。

我说："这女子倒有革命精神。霍桑，你想伊此刻怎么样？会不会自杀？"

他叹口气："谁知道呢？"

我说："我但愿伊不死。"

霍桑沉默着。

我又说："我也不愿伊做法律下的牺牲品！"

"……"

以后的几天，我很注意报纸上的女子自杀的新闻，却终于没有发现。我私心暗暗地欢喜。霍桑除了写一封相当长的快信给张宝全以外，绝口不再述及这一回事。

英娥怎样实施伊的制裁，还是一个疑问，我不得不请霍桑解释。霍桑也只轻描淡写地说了几句。从死者隔着短夹袄中刀，房门口被震落的泥灰和给踏污的血滴上着想，他早就决定这是件被杀案。据他推想，英娥在那天傍晚，离了旅馆，趁别墅的后门未关以前，偷掩着进去；伏到半夜，才去敲夏杞生卧室的门；等到杞生开门，伊就猛刺一刀，杞生不提防，一吃痛后，才知道有人寻仇，故而忍着痛急急把刚才半开的室门猛力合上，又乘势下了铁闩。但瞧那门口地板上给踏污的血滴和从门框上被震落下来的泥灰，便知死者中刀在门口，那泥灰显然是用力关门的明证。接着他按着伤口，回到床上；伤势发作了，加着他的良心上多少总有些内疚，就默默地受了灭诛。这个解释是否和事实恰正相符，那已无从证实。对不起，我也只得姑存悬疑了。

地狱之门

邮筒后

那天傍晚，我刚踏进了我的寓所的门口，骤然听得一阵子的高跟皮鞋声音，很急促地从楼梯上传下来。等我走近客室，我的妻子佩芹已从后面迎出来。我一看见伊的丰腴的粉颊上带着一种急遽而含些惊慌的神色，不禁怔了一怔。也许发生了什么意外事情吧？

伊很匆促地摸出一封信来给我，一边娇喘着说："朗，这封信在七点十五分方才送到，还不到十分钟哩。"

事情的确紧急，但我一边把信接过，一边故示镇静地点了点头。上面写着"西门林荫路九九号，包朗先生收"，下面只有一个"霍"字。我明知信是霍桑写的，内中总有什么惊奇的消息，但当着我的佩芹面，我不能让我心中的情绪在神色上流露出来。我缓缓地卸了外衣，方才把那信撕开。

那信道：

包朗：

今夜九点钟，请到大通路兴业路转角的附近，守候一个穿灰布棉袍和黑缎马褂，挟黑皮包的男子。你见了他后，只能暗暗地窥察他的举动，尾随他，并探知他所到达的地点，但不要冲破他，更不要伤害他。你为自卫起见，必须携带武器，事成后可通知敝寓。

霍桑 二月三十日

这是一封紧急的短信，局势的紧张果真不出我所料。我的外表上虽然仍不露声色，但佩芹早已带着仓皇的神色，要求我给伊阅看。

伊问道："信中说些什么？"

我觉得拒绝了伊也许反而会坏事，就索性将信笺递给伊。伊把信读完以后，向我凝视了一会儿，似乎要窥察我的心理。伊看见我仍镇静如常，并没什么表示，也就安定了些。

伊又问道："你想这封信真是霍先生写来的？"

我仍淡淡地应道："当然。"

"但送信的并不是施桂，是一个不相识的男子。"

"那也没有疑问。他的笔迹烧成灰，我都认识。我还瞧得出这字就是他常用的那支华孚牌子的阔头笔写的。不过他写得非常潦草，可见他写信时的急遽；同时也可想象到这件事一定严重。他此刻正需要我的助力。"

"我还有些疑惑。假使真是霍先生约你，他为什么不先打一个电话来？或差施桂——"

"这个容易明白。他一定担任了什么重要案子，打电话难免走漏风声。我料想他写信时一定不在他自己的寓中，大概就在发案的地点。所以他才打发另外的人送信来。"

佩芹低着头，用一块素巾掩住了嘴，接着伊又缓缓地抬头：

"你可是准备接受他的请求？"

"自然。这封信分明是讨救兵，我怎么能不去？但你用不着忧虑，刚才我说得严重，是指事情的本身说的，至于我的任务原很轻而易举。你尽不必担心。"

佩芹又把目光低垂下去:"他还叫你带了手枪去呢!"

我故意笑一笑,作安慰声道:"这个也成问题吗?从事侦探工作的人出门不能不带一支手枪,真像作家离不掉一支笔。带手枪只是防身,不一定就会有危险。芹,你不用瞎费心思,快吩咐预备晚饭。"

我从我的寓里出来的时候,已交八点一刻。佩芹送我到门口,那种依依惜别的状态,竟使我回想起我们新婚时的景象。伊实在太胆小些,每逢我干什么冒险的勾当,伊总是这样子提心吊胆。因此我偶然客串式地过过侦探生活,和霍桑合作干什么案子,大半总是瞒着伊的。恰巧这一封信送到的时候,我不在寓中,实逼处此,就也瞒不过伊。我临走时和伊约定,在十二点以前一定可以回家,免得伊惴惴不安。不过实际上我的任务是否能在三个钟头以内了结,我自己也没有把握。

霍桑要我秘密侦查的那个人是个什么样人物?霍桑目前所从事的,又是一件什么性质的案子?他的目的似乎是要我担任两种任务:一种是观察那人的举动,另一种是查明那人的所在地点。这样,可见这个人一定是案中的主要角色。不过有一点近乎矛盾。他既然叫我带枪自卫,又禁止我伤害他。我既需要自卫,可见对方一定会有用暴力的可能。可是他如果利用暴力,我可不能伤他。这不是很难应付的吗?

从我的寓所往大通路,黄包车约需二十分钟的路程。车子到达大通路东口,我就下车步行。大通路本来不是热闹之区,除了几爿小杂货店以外,大半是人家的住宅,有几宅还空闭没人,所以一到上灯时,路上的行人便很稀少。这种初春天气,冬之神的余威,还没有失势,那一阵阵料峭的夜风

更把这大通路吹得冷清清的。我把我身上的黑呢外衣的绒领
竖了起来，一则避寒，一则也可以借此掩蔽我的面部，免得
被人家瞧破真相。

兴业路是南北向的，位置在大通路西部的一段。我在未到
兴业路以前，一路上便留心观察。路上虽然有一辆黄包车和两
三辆汽车经过，可是并无可疑之点。我到了兴业路的转角，就
立定了向四周一瞧，都是静悄悄的，并无人迹。但在兴业路的
南部，另一条马路的岔口，似乎有一个站岗的警士。我记得那
第二条岔路是和大通路并行的和平路。这两条马路的距离约有
五分钟的步程。这地方若使有什么事变，那和平路口的警士实
际上也许招呼不到。我又测度这岔路四角的情势。一个转角上
有一爿小杂货店，已经关了门。南面的转角上有一盏电灯，电
灯的对角有一只绿漆的邮筒。

我默自忖度："这个邮筒尽可以做一种屏蔽物。我要暂时
利用一下子哩。"

那邮筒虽没有像我的身子一般高大，但是我若把身子蹲下
一些，尽可以避免行路人的视线。我掏出表来一瞧，已是八点
三刻，离约定的时间还有十五分钟。我又想起我的任务，在乎
尾随那人，并探知其到达的地点。假使那人是乘汽车来的，这
地点一时势不能有别的汽车可以利用，那我又怎样完成我的任
务？那个人究竟步行，还是乘车，霍桑大概也不能预先知道，
所以他不曾提及。那么我除了临机应变以外，实在想不出什
么固定的成法。

一辆黄包车从大通路东首过来，将近转角，车子忽而停
止了。那坐车的男人也就走下车来。那人付了车钱，挥挥手
叫车夫走开，接着他就在有电灯的街角上站住，又急急地向

左右探视，似乎带着些诡秘的模样。我的精神顿时振作起来了。我仔细瞧，那人年龄还轻，身材相当高，穿一件深棕色毛织品的皮袍，上身并无马褂，头上戴一顶灰色的铜盆呢帽，左手中并无东西，那右手却插在衣袋中。

这个人的衣服打扮虽和霍桑信中所指示的不同，但他既然在这里停车，又有那副惶急窥探的状态，自然不能不引起我的注意。我忽见他的视线已移转到我所站的方向。我急忙把身子蹲得更下些，不使他瞧见。我的眼睛从邮筒的侧里瞧过去，看见那人正在电杆木旁站住，似乎正在瞧他的手表。那时他的全身恰在电灯下面，他的面目完全显露。他的年龄似乎还只二十左右，脸色苍白，因着面颊的瘦削，颧骨便显得耸了起来。他瞧了一会儿表，重新鬼鬼祟祟地向左右张望。

我又暗自忖度："这个人的确很可疑。他虽不是我所要侦查的人，但多少总有些间接的关系……唉！不对！他怎么又回过去了？"

那瘦长子站了片刻，忽然重新向大通路的东首退回去。好似他是到这里来会什么人的，此刻他已认为失望，故而退回去了。

这当儿这幕哑戏发生了一个转变！

我瞧见兴业路的南端也有一个人走过来，到了转角上时，也同样地站住了探望。这个人给我一个刺激，使我的心房突突地乱跳。因为他穿的是一件灰布棉袍，上面罩着一件玄缎马褂，他的右腋下果然又挟着一只黑皮包。他的模样完全和霍桑所说的吻合。他的面貌也消瘦异常，上唇上有一撮新式短须，还戴着黑色的眼镜，头上戴一顶深棕色的呢帽。那人探望了一会儿，似乎已瞧见了那个刚才退回去的穿棕色皮袍的少年，就急急地追赶上去。我觉得这个人走路时现一种异状，每举一步上半身向前微伸，跨步越急，那伸势越发厉害。我等他走过了两三家门面，又看见那先前的瘦长少年也停了脚步，回身来招呼。我正要移动我的藏匿的地点，悄悄地跟踪上去，陡觉得我的肩膀上有人拍了一下。

我吃一惊，回转头去一瞧，是一个穿黑衣的中年男子，躯干非常高大。他正站在我的身后，呆呆地向我瞧着。我有些不好意思，一时很窘迫。

他冷冷地问道："你在干什么？"

他的口气像是一个侦探遇见了什么不良分子，特地上前去干涉的一般。我显然处于被干涉的地位，受了他的质问，却不知道用什么话回答。那人忽又在我的肩上轻轻地拍一下，发一种低沉的命令：

"喂，跟我来！"

我还没有答话，他竟动手拉住了我的手臂，转身往兴业路北部走去。我被他拉着走了十多码远，突地站住了脚步，强制着不动。

我厉声反问道："你是谁？这举动有什么意思？"

那人也住了步，答道："这句话是我要问你的。你蹲在那个邮筒背后瞧什么？"

我仍气愤愤地答道："我在瞧哑巴戏，跟你有什么相干？现在你打算怎么办？可是要我陪你往警局里去？"

这几句话原出于我一时的恼怒。假使我果真同他往警局里去，势必要耽误我所负的任务。不料这句无心话发生了一种意外的效力，竟把这个人吓退了。

他忽变了态度，婉声说："我是好意，你别误会。路上危险多，我们行路的人还是少管闲事为妙。"

"我管闲事，你管什么？"我的气还没有平。

他带着笑脸说："朋友，跟我发脾气，有什么意思？我劝你赶快走你自己的路。要是不识趣，东瞧西瞧，准会惹祸。"他说完话，向我点一点头，旋转身子，匆匆地向北走去。

我觉得这个人像是一个过路的人好意劝我，又像另有作用的同党。可是我一个人分身不开，不能双方应付。权宜轻重，我急急回到转角，进行我本来的工作。

那时在转角上的电灯光下，那两个人还在交头密谈。但瞧他们俩诡秘的神气，便可知他们的谈话一定带着犯罪性质。我在对角上重新站住的时候，似乎已被那两个人瞧见。我还没有把身子隐到邮筒背后去，忽见对角的两人彼此分散了。那穿棕色皮袍的一个仍向大通路的东首走去；那挟皮包穿灰色布棉袍的中年人也反身退向兴业路去。

我遵照霍桑的指示，自然放过了少年，尾随那挟皮包的中年人。我的步子的快慢完全跟从前面的人，前后的距离有二三十步光景。他走了几步，忽然回转头来瞧瞧。我忙把身子闪在一边，等他回过头去，才继续尾随。这个人分明已有些疑心了，也许已有了准备。我的任务当然也有些棘手了。

我一步步前进的时候，特别谨慎，防再被他瞧见，坏我的大事。幸亏他向后瞧了一次，不曾第二次回过头来。到了和平路口，那警察仍孤单单地站在路口。我故意放缓脚步，免得使警察生疑。这时那前面的有须人忽有一种出我意料的动作。他将要走到那警士的近旁，突然加紧两步，奔到警士的面前，指手画脚地报告什么。接着这人和警士的目光都旋转来注射在我的身上。

一头蛮牛

我不得不停了脚步，心中怀疑，不知他有什么举动。那警士忽然举着警棍，向我奔跑过来。我觉得来势不妙，退避已经来不及，分辩也没有机会，不由得暗暗着急。大概那人向警士谎报，那警士说不定把我当作盗匪，故而才有这种态度。

那警士快奔近我时，果然厉声向我叱喝：

"停步！不要动！"

他雄赳赳地奔到我的面前，不问情由，突地伸手插入我的外衣袋中。我没有提防，袋中的那支手枪竟被他随手拿出。

他又撑足了威势，大声道："好家伙！你想抢劫？知趣些？好好地跟我走！"

糟！这误会显然不易解决，但惶急之中，我还努力分辩。

我说："弟兄，你弄错了。我不是歹人，那前边的人才是坏蛋！……唉！瞧，他已经走了！……喂，这个人不能轻放！你——"

我一边说话，一边放开脚步，准备追上去，索性把那人捉住了再说。谁知我才刚跨了一步，那警士突地把手中的手枪枪管抵住我的肋部。要是我再动一步，说不定有一粒子弹会穿进我的胸膛。

我还努力解释："我是包朗，此刻我来侦查——"

警士又不理会地大声呵叱："快住口！跟我走！要不然，我要开枪哩！"

怎么办？我既然碰到了这头蛮牛，空口分辩显然失了效。虽然眼见我的目标人物安然远去，我只能坐失机会，跟着这莽撞的警士一同往警署里去！

我到了警署以后的解释虽没有什么困难，但等到那警官蔡松年道了歉送我出来时，已经十点钟了。我在往霍桑寓里去的途中，回想受了那警士的阻碍，不能行使我的职务，心中说不出的恼恨。在解释明白以后，那蔡署长仍把手枪还我，还向我再三道歉和恳情，但时机已失，我辜负了霍桑的嘱托，也许会因此坏他的大事。我的挫折失败事实上已没法挽回！

我自己寻思："那警士固然太愚蠢，但那个小胡子也真狡猾。他施用这个'金蝉脱壳'的计策，我简直没有准备。"我又想到霍桑嘱托我的任务，觉得无从复命："我现在失败了，又怎么回复霍桑？他虽是我二十多年的老友，未必会因此责怪，但我说出来岂不自己惭愧？"

我到了爱文路霍桑的寓所，施桂告诉我，霍桑还没有回寓，但他已经有电话来问起过我。我料思他不久总有消息回来，就准备在他那里等候。

我在他的办公室中坐定了，点了一支纸烟。不到一刻钟工夫，霍桑的第二次电话果然又来。我和他接通以后，便把经过的情形约略说了一遍。

末后，我又说："我很惭愧，这种小事情也办不了！不过时机实在太不巧了！那个家伙竟也有几分智诈，又恰巧碰到那个笨警士！现在我可以干些什么？这件事还有什么补救办法没有？"

他答道："还好，你不必焦虑。这件事我想还可以挽救。"

霍桑的答话又出我的意料。我这一颗惶急不安的心，因着他的答话才得略略安宁。

我忙应道："唉，那再好没有！但这是一件什么案子？那逃走的人是不是案中的重要角色？"

霍桑道:"这是一件上海的流行案,但电话中不便细谈。你此刻不妨就到民权路六十七号王姓家来。我在这里等你。"

廿分钟后,我已赶到民权路王家。霍桑把我引到一间没人的厢房里面,关上了门,方将经过的情形和我说明。我才知道霍桑所说的流行案子就是"接财神"的玩意儿。

据霍桑告诉我,这姓王的主人名叫继祥,从前开过丝厂,手里很有几个钱。他所生一子,叫樵生,就是这一次被绑的主角。樵生才二十岁,可是已经娶了妻,夫妇的感情也不大和洽。樵生的母亲是溺爱樵生的,故而此次失踪,伊最是惊慌。

霍桑说:"他们来请我的时候,樵生已经失踪了两天。樵生的好朋友任渭川已在外面奔走了一回,也查不出什么情由。他们不愿意让这件事在外面宣扬,所以樵生的父亲特地请我去商量。我同他家里的人们和那任渭川谈了一会儿,又在樵生的卧室中发现了不少跑狗票和赛马票,对于这件事便有了几分把握。

"正在这时,勒索信寄来了,讨价是五万,限信到后十二个小时内取赎,否则撕票。信中还说明交款的地点是大通路兴业路口;接洽的人穿灰布棉袍,黑缎马褂,拿一只黑皮包做标记。这个绑架勒赎的消息一来,那个任渭川又像为朋友尽力,又像和我争功似的自告奋勇,愿意冒险去接洽。樵生的母亲也急不待缓,若使手头有这许多现款,几乎要完全应承。我默察情势,也就乘机利用,附和着任渭川的提议,怂恿他去接洽。因为我已有些疑心,这件绑案任渭川很有串通的嫌疑。不如让他前去,我留在王家,故意置身事外,免得他有所顾忌,反多周折。因此我只能暗中差一个人送封信给你,请你到那约会地点去,观察他们的举动。刚才你瞧见的那个穿深棕色毛织品皮袍和灰色呢帽的少年就是那负责接洽的任渭川。"

事实的框架已很清楚，是一件平凡的绑架案，而且对于线索已经有了把握，并不像我所期待的那么危险和棘手。

我说："现在赎票的事既然有过接洽，大概不再会有什么变化。"

霍桑道："是。但是据你观察，这两个人行径可有什么破绽？"

我答道："有一点很可疑。我瞧这两个人的模样，分明是彼此素来熟悉的，绝不像绑匪和事主接洽。你的疑心当真不错。"

霍桑点点头："我但愿如此，这案子就容易解决。"

"那么任渭川接洽以后，有什么回复？"

"他说他和对方再三磋商，非两万元不可，并且限定今夜十二时以前，必须人钱两交，否则樵生的性命未免危险。这一着又使我得到一个印证。"

"证明这姓任的是和绑匪串通的？"

"是。因为当勒赎信来的时候，樵生的父亲王继祥曾吐露过一句，家中的现款只有两万，限期既急，来不及提款，所以五万元的赎价事实上断难办到。后来渭川的回音，又恰巧讲定两万元，这里面的关键，明眼人真是一目了然。因此我又怂恿王继祥把两万元交给任渭川，叫他连夜去赎。现在他已第二次去，大概不久就有消息来哩。"

"如此，这两万元不是已落到了匪徒的手中去了吗？"

霍桑的唇角微微牵一牵，很随意地答道："这个不须忧得。我有方法可以追来。"

我道："假使两万元脱了手，王樵生仍旧不被放回，那又怎么办？"

霍桑微微摇头道："我想不会如此。我料他们的胃口并不大，否则他们也不会采用这急速了结的计划。"

溺爱的后果

一阵子惊扰声响打断了我们的谈话。接着的是欢呼喧叫，闹成一片。霍桑突地立起身来：

"他们来了！"

他连忙开了厢房门走出去。我也紧紧跟到外面的客堂里。

两个男仆拥着两个少年从外面走进来。首先一个瘦长子，穿棕色毛织品皮袍，头上灰呢铜盆帽，就是霍桑所说的被绑者的好友任渭川。后面跟着的也是一个少年，年纪和前一个差不多，身材略略矮些。他穿一件酱色纯锦缎的灰鼠袍子，罩一件外国玄缎的曲襟马甲，头上的铜盆呢帽是深棕色的。我知道这一个定是那被绑了赎出来的王樵生。我瞧着这两个人一前一后地穿过天井，走进了客堂，我的嘴里不由得低低地惊呼一声。

霍桑突地回头来瞧我，接着拉拉我的衣袖，退后一步。

他低声问道："怎么，那后面的人，你也认识？"

我作迟疑声道："不，我……我不认识他。"

"那么可是他走路的姿态，你在哪里见过的？"

这句话提醒了我。我努力地追想了一下，不禁失声惊呼：

"对！我刚才——"

霍桑又急急拉我的袖子：

"轻些呀！你刚才看见过他？"

"是！他举步时上身向前微伸。刚才我看见那个半途脱壳的匪徒也有同样状态。"

霍桑不再发话，走前两步，站在那两个少年的面前，目光灼灼地向他们俩的脸上细瞧。

樵生的母亲已经赶出来迎接，嘴里在喃喃地念着："好儿子，回来了！"樵生带着惊惶的面容，拉住了那老妇的手，口讲指画地述说他在匪窟里的经历情形。王继祥也高兴地进入客堂，站在一旁，听樵生诉说，并不插口。樵生正说得高兴，大家也都屏息静气地倾听，忽而晴空霹雳似的霍桑插身进去。

他大声道："喂，小弟弟，你这虚构的故事，停一停再背诵吧！这里有一个法律问题，必须先行解决。"

王樵生住了口，旋转来瞧着霍桑发呆，好像一时摸不着头绪。

樵生的父亲说："霍先生，什么意思？你可是还要追究绑匪？嗯，对不起，不必了，算了吧！"

那妇人也接口道："对，对，人回来了，谢天谢地。霍先生，别追究吧。"

霍桑叹口气，又说："唉，盲目的溺爱会有怎样危险的后果！"他又沉下了脸："你们得知道，对于绑票勒索的造意犯惩罚，法律上有明文规定——重的死罪，减等些也须监禁十年八年。不过自己绑自己的票，又向自己的父母勒索，我还不知道有没有这样的条文。据我的意见，绑人绑己应得同等科罚。王先生，你不能怕多事！"

樵生的父亲和母亲听了这几句话，都呆木木地莫名其妙。王继祥想要答辩，可是他的眼睛一瞧到他的儿子的脸上，又忍住了不作声。因为樵生和渭川都变了面容，脸上和嘴唇上的血色顿时褪尽，眼睛也张得很大。两个人彼此交换了一回眼光，兀自发怔。接着樵生忽然贴近了他的母亲，像要躲到伊的怀中去。任渭川也垂着手，低下头去。一时间没有一个人答话。

霍桑冷冷地笑一笑："孩子，我瞧你们俩的情状，似乎还可救药。不过你们的把戏玩得太胆大了！樵生，你近来马票狗票赌僵了，没有法儿想，才勾结着你的好朋友，出此下策，是不是？你刚才装扮成一个老头儿，到大通路去约会。你那假装的胡须不是用胶水粘上去的吗？唔，你究竟还不够致密。现在你不妨摸摸你的上嘴唇，那亮晶晶的胶水不是还没有揩干净吗？"

说也奇怪，王樵生竟像受了催眠似的很听霍桑的吩咐，他的右手当真不自觉地摸到他自己的嘴唇上去。实际上我看见他的嘴唇上并无亮晶晶的胶水，显然是霍桑的虚冒。

"哎哟！"

樵生的父亲王继祥喊了一声，便倒退一步，坐在那只红木椅上，兀自摇头叹息。

那妇人也惊呼道："好儿子！你……你可是自己和我们开玩笑？"伊还抚摩着那少年的头。

霍桑变了面容，庄声道："王太太，这不是玩笑的事！你这样子疼他，简直是害他！"他沉下了脸，瞧那两个少年："孩子们，你们可知道你们此刻都已陷进了法律的罗网？你们年纪轻轻，不好好地念书，倒干那丧志戕身的赌博勾当。赌输了，又穷思极想，干出这不法事来！你们现在已贸贸然跨进了地狱的门口，假使再进一步，你们便终身不能自拔！我们的国家要复兴，正需要有为的青年，你们的职责何等重大？你们怎么把光明的前途和对于社会国家的责任，断送到黑暗的地狱里去？孩子们！我没有别的话了。快回头来瞧一瞧吧！"

室中静一静。空气很紧张。两个少年都低下了头，抬不起来。但他们的耳根和颈项之间都渐渐地红起来。

霍桑又回转头去，瞧着那斜躺在红木靠背椅上出神的王继祥：

"王先生，你刚才交出去的钞票，我不是叫你都盖一个小印子的吗？我想这款子此刻总还有一部分在他们俩的身上。你若是要收回，那你只能自己动手。"他又沉着脸瞧那妇人："王太太，我说句不客气的话。你们当父母的，应负些管教的责任才是。否则在这恶魔四伏的社会里，少年们受的教育不够，意志薄弱，你们又一味溺爱放任，简直是鼓励他们向地狱里去！……唉，夜深了。对不起，我们不能再奉陪。包朗，走吧。我想你夫人一定等得很心焦哩。"

我记叙我的朋友霍桑侦破案件的文章有好多，读者们以为我们两人互相帮助友谊很深，都想知道我们相交的大概情况。我翻查旧竹箱，得到一册以前的学校日记，其中记录一件情迹迷离惝恍的事，是我亲身遭遇而被霍桑所解决的。那时候我和霍桑虽然大家都就读于中华大学，但尚无深厚的交情。自从经历这件事以后，我们两人的友谊就与日俱增，可称莫逆之交了。这件迷离惝恍的事，实际上是我们两人结交的媒介。

一天我伏案连续书写达两小时，直写得头脑昏昏沉沉，手腕酸痛，好像突然得了手腕蜷曲不能伸开展动的疾病。我写的是学校中的哲学考试题。老师出题以后，得到他的特许，限定时间完卷，可以在宿舍中完成。但是题目深奥，不容易理解，我感到立意解题相当艰难。不久前我听家人说，作文犹如剥茧，没有得到头绪，虽然操之心切也是枉然，如果能理出丝头，顺次而抽就十分顺利了。这种说法相当可信。当我开始思索考虑，只觉得腹中空虚，手僵脑木，一个字也写不出来；等到一有引线就感触纷来，那个时候就文潮汹涌奔放，我的文章就一挥而就了。

我搁好笔，读一遍自己的作品，不禁自我击节叹赏，心想拿这篇文章去应试，不怕不名列前茅。日后好消息传到家里，得到家里人的赞赏，也是意料中的事。我读完后，随手将它放在书桌的右边，再握笔给我母亲复一封信。母亲的信寄到时，正当我文思枯窘的时候，等到一看信，喜乐的心情直透我的心坎，试题书写之快，犹如风扫残叶。方才我讲的"一有引线就感触纷来"，"引线"指的就是我母亲来信中的话。读者们看到这里，必然会产生疑问，亟须知道我母亲的信中写些什么话，使我急于复信。由于其中事属幽秘，我不愿意在仓促之间将它泄露出来。再说，如果加以透露又怕诸君嫉妒。

信写完，我取出信封写上地址并贴好邮票。这时候我乐不可支，既完成试卷又得到好消息，兴高采烈，手指头簌簌地在颤动。我斜过眼光偷看一下，坐在我邻座的两个人，有没有发觉我这时候的异常表情。我们的宿舍共有三个人。一个叫成登，是我的同班同学，另外一个年龄较小的，叫费德之。三个人各占有一张书桌，相连成 T 字形，成左费右，我居中，相互成犄角形。我瞧见他们两人，成登握笔在凝思什么，费德之则手里握着一卷书在默默地背诵，幸而都没有发觉我那种乐极战栗的状态。我边看边粘折信封。事情完毕，我拿着信，起立走出宿舍唤宿舍里的仆役贝四。

贝应声就来。我将信递给他，叫他给门房，并问他道："贝四，现在几点钟？收信人将要来吗？"

贝取出他的钢壳挂表，答道："下一次信差将在十时三十五分到这里。现在是十时一刻，还有二十分钟就要来了。"

我点了点头，贝四退出去，我就回到自己的座位上，洋洋得意，想拿方才的试卷重读一遍。不料书桌上空空如也，我的试卷已不翼而飞了！

开始我还以为自己眼光模糊，但是定神仔细看，依然没有找到。试卷已杳如黄鹤了！我大为惊惧，前些时候的欢乐，一霎时付诸烟云。这篇文章是我的得意之作，在写信之前，我曾击节叹赏，亲手将它放在书桌上面，而一转身之间，竟然丢失，文章不是被人偷窃去，又是什么？因此我再回顾这两个人，他们中间究竟谁是偷试卷的人呢？这时候费德之已经瞧见我的惶惶不安的状态。他把书合拢，脸色有些异样，露出恐惧不安的神色。这孩子平时行为不端，过去曾拾到了人家的书本，藏匿不报，私下出售，后来事情暴露，被学校记过一次，同学都鄙视他。我回想到这些，对他产生了怀疑，不觉目光炯炯地注视着费德之。费害怕，脸部泛红直到耳朵后面和颈项之间。好像我虽没有宣布丢失试卷，而他已经自己承认是个偷窃者。

我刚准备问个究竟，突然间坐在我左面书桌旁的成登丢笔起立，走向宿舍门去。我的目光也就从费德之身上移向成登。成登平时沉默寡言，性情孤独，使人不容易接近。我虽然和他在同一班级住同一宿舍，相居不多交谈。这时候正当我失去试卷，他走出去，从迹象看，绝不可能不对他产生怀疑。但是我没有办法留他下来，又不能阻止他走，只得目送他出去，可是我却一筹莫展，气喘心急。成登刚跨出门槛，忽然有一人走进来，他就是我的朋友霍桑。

霍桑富智谋，机警超群，人家都说他心思灵巧精于测算，所以把他看成一个大侦探。我看见他进来，心里稍稍安定一些，想或许能向他求援。霍桑含着笑脸走近我的身边，等到瞧见我的懊恼状态，他脸上的笑容顿时敛住。

霍桑惊讶地问道："包朗，你怎么啦？"

我直率地对他说："我的试卷不见了。这是一份哲学试卷，是我绞尽脑汁的得意作品，现在已被偷走，岂不令人愁闷？"

霍桑沉下脸，说道："真的吗？究竟怎么回事？"

"谁和你开玩笑？如果你能够帮助我，我就详细地告诉你。"

"不妨告诉我，或许我能帮助你解决。然而你为何肯定试卷是被人所偷走的？"

"这是显而易见的。我的试卷放在书桌上面，我略一转身就不见了。若不是被盗窃，难道我的试卷通神，能破壁飞去吗？"

我用目光盯住费德之，费越发恐惧不安，脸色灰白，更加令人生疑。我将从握笔起稿到试卷不见的全部经过，毫无遗漏地告诉霍桑，唯独关于怀疑费、成两人的想法，由于费在旁边，一时也不便说清楚。霍桑倾耳静听，不置一词，等我的话说完，方始抬头四望。

霍桑问道："这桩事情确实奇怪。然而你的桌子靠窗，会有风吹进来，你各处都寻觅过了吗？"

我答道："已经找过，都没有。窗虽然开着，然而你认为试卷被风力吹去，这绝无此理。"

霍桑沉默了一下，又说道："你脱稿以后，这屋子里有人进来过吗？"

我说道："房间里只有我和费、成三人，成方才出去，你或许已见到。他——"

费德之从旁插言道："怎能说没有人来过？刚才乔一雷就进来向我借笔。他站在你的书桌旁侧，你怎么没有看见？"

这才使我想起来，我在写信的时候似乎有一个人在我近侧，由于我全神贯注，没有抬头看清楚他是谁，所以就记不起来了。

霍桑忽两眼仰视而问道："包朗，这可信吗？你果然看见乔一雷进来吗？"

我讷讷然答道："仿佛有这回事，因为我没有留意。他和我有隔阂——"我的话说得吞吞吐吐。

霍桑急忙问道:"什么?你和乔一雷之间有过不愉快的事吗?"

我答道:"确实有过。一个星期前,因为比赛网球,彼此口角起来,直到今天,见面彼此不讲话,只白白眼而已。"

霍桑掀着眉峰说道:"有这样的事,我竟没有知道。"他瞧一瞧费德之说道:"乔一雷到里面来逗留多久?就是为了借一支笔吗?还有其他事吗?"

费说道:"他留了大约五分钟,拿到了笔以后就出去,没有其他事情。"

霍桑道:"然而试卷已经遗失,你认为与他有没有关系?"

费德之讷然道:"这我怎么知道?你为什么来盘问我呢?"

霍桑说:"不是我盘问你,是我们私下讨论一番。现在从你角度考虑有什么意见?"

费德之说道:"以势而论,乔所站的地方,刚好在包君书桌的后面,固不难乘间将试卷藏匿起来。但是他不和包君同一班级,试题不同,偷去何用?"

我说道:"有谁知他不会因为嫌隙而暗中毁我的试卷?也许他要报以前的宿怨呀。"

费接嘴道:"对,这句话说中要害,但是必须得到证明,方可确定。霍桑,你能胜任这桩事吗?"

霍桑用手抚摸着下巴并不回答,稍隔一会儿才对费说道:"德之,请你暂时离开房间,容我和包朗商议一下。但是这件事必须严守秘密,不要让旁人知道。"

费德之听到这里,像专制国家里的大臣们捧得诏书一般,立刻应声自然而然地走出房间。我心里依旧惶惶不安,相当怨恨霍桑采取的不近情理的措施。

霍桑说道："包朗，你且静下来，想一想，能不能指出试卷确实在什么时候丢失的？"

我沉思一下，说道："我心绪紊乱，也提不出确切的证据。而现在你放费德之出去，不无举措失当。"

"什么？你不是怀疑他偷的吗？"

"像你所说那样，你可知道这孩子素来不知检点。也许他偷藏了我的试卷，去卖给他人亦未可知。"

"如果是这样，乔一雷就和这件事没有关系了。"

"这也难判断，我头脑昏昏沉沉，拿不定主意。可是你仓促之间让费德之出去，实是失策。我的试卷如果是被他偷去，现在岂不是给他一个移赃的机会吗？"

霍桑微笑地说道："话虽这样说，可是你为什么不责怪自己而责怪别人呢？方才你不是也让成登出去的吗？"

我目瞪口呆，不能立即回答。隔了一会儿，我红着脸说道："不错，我怪罪于你，太苛刻了。成登和我同一班级，试题相同，从形势判断，不能说毫无关系。况且他方才扶着头穷思苦想，好像久久不能完成，等到我遗失试卷，在搜寻的时候，他忽然离开，固然也有可疑之处。"

霍桑的眉尖深锁，沉吟了一下，似乎也有抓不着痒处之苦。

我催促他道："霍桑，你究竟怎样打算？我的试卷是谁偷去的？"

霍桑有条不紊地说道："根据你的推算，疑点不在一个人身上，似乎三个人都涉及。现在姑且勿下结论，能不能先请你回答一句话？"

我说道："是什么？"

"方才你说试卷的完成是由于令堂的来信起到了引线的作用。信中讲些什么，能否见告一二？"

我犹豫不答而后说道："这又是为了什么？难道试卷的遗失，和我的母亲也有关系吗？"

霍桑道："虽然未必如此，但是你没有听说过寻根究底是侦探家应有的职责？你果真希望我帮助你找试卷，请你不要有什么顾忌。"

我无可奈何，略顿一顿，就从怀中拿出母亲的来信递给霍桑。霍一面笑一面开启信封，将信朗读出来：

朗儿知悉：

昨日收到你的信，知道学校假期临近，已开始考试。我深深希望你努力应考，不要疏忽放松，不要辜负家里人对你殷切的期望。月初你舅母来，我稍微透露了一下你的意愿——想和她的慧珠结为终身侣伴。你的舅母大喜，立时允诺，并且说不单是她喜欢你做她的女婿，就是慧珠本人对此事也很有意思。看形势，这件事当可圆满地成功。这样，我的心事可了，而你的幸福也随后就来。况且——

霍桑朗读到这里，我不胜羞惭，急忙把信抢过来，不让他再读下去。

霍桑沉吟一下，大笑一声，说道："好呀！这样的好消息，无怪你喜乐得出神了。但是为什么讳莫如深，不让你的好朋友向你道贺呢？"

我说道："不要开玩笑。现在试卷已失去，限期短促，我拿什么去交卷？况且这个时候我脑汁如沸，连一个字也背诵不出来。如果你同情我，不是应该将祝贺改为悲痛吗？"

霍桑忽然拿出表来看，然后一跃而起说道："东西在了！不要忧愁，不要忧愁！你姑且少待一会儿，我一定为你侦查到手。"

霍桑的声音还没有断绝，他就很快地走出去，状态有些疯癫。我大为疑讶。霍桑的话是真还是假？为什么在一瞬间就自信能成功？是不是纯属因为我忧郁的关系而来安慰安慰我？我沉沉而思，还是想不出来；越是思索越感到烦闷，头脑像要裂开来似的。突然间呼的一声霍桑又从外奔跃进来。我见他神色仓皇，好像已有些眉目。这时候我的心如小鹿般地撞个不定，竟无法克制。

我颤着声音问他："霍桑，事情怎样？试卷有没有下落？"

霍桑大声道："案子已经破了！岂止下落？"

我喜出望外狂呼道："真的吗？是谁把试卷偷去的？你能把人交出来吗？"

霍桑笑道："这有什么不能？人赃都已得到了。"

我惊讶地说道："神乎其技，你真是名不虚传呀！然而谁是偷盗者？是乔一雷吗？"

霍桑道："不，你的念头是错误的。你想一想，他虽然和你有隔阂，然而试卷在你肘腕旁边，他怎敢贸然动手？投鼠忌器，他也不至于糊涂到如此。"

"你的话不错。那么一定是费德之偷的了。"

"也不是，他平时行为不检点，也不会像你所说的偷了试卷去卖钱。至于他那种瑟缩的可怜相，无非是因自己的声誉恶劣，有自卑感怕招人怀疑而已。你没有注意这一点，就误认为他有偷盗的嫌疑。你如果再回想一下，必然要哑然失笑了。"

我听到这里，目不转睛地望着霍桑，真是目瞪口呆，好像走到迷阵中去。霍桑斜眼瞧着我，在暗笑着。

我泛红着脸说道："我钻到牛角尖里去了，所以放掉了真的窃贼而不加怀疑。现在知道我的过错了！"

霍桑吃吃地答道："辨辨你的话味，在你的意想中果真有窃贼。试问窃贼是谁？能不能告诉我听听？"

我说道："偷试卷的既然不是费和乔，那么不是成登又是谁呢？"

霍桑抚摸着他的手掌说："我知道你定会说出这句话。实际上他们都不是。我知道成登为人庄矜而有节概，鼠窃般的行为是不屑一顾的。看人论事要从大处远处着想，不能局限于一点。你所猜测的，真所谓偏于一隅了。"

我既感到惭愧又有些惊讶，真是摸不透其中的奥秘，有些惘然若失。

接着我说道："这倒奇怪了，我实在想不出来！这三个人既然都没有关系，又从哪里来第四个窃贼呢？岂非你所说的风从窗吹进来，于是——"

霍桑突然一手伸入衣服口袋中去，一手阻止我的说话。他大声说道："窃贼就是你自己！这就是你所偷得的赃物！"

他把一封信放在我的手掌中。我如梦如醉，接过信看了一看，原来就是我方才给仆役要他发出的那封给母亲的复信哪。我开始还有些茫茫然；接着就有所醒悟，觉得信相当沉重，好像里面封的不止一张信笺；启开信封一看，我惨淡经营的试卷赫然在里面。

这时候我惊喜悔怍，齐集在一起，好像遇到饥荒之年的百姓，薯蓣菽麦并煮一锅，吃的人不能辨出是甘是苦。这个误会，实在是我一时糊涂，误把试卷封入信封里，自己不察觉，反而疑心别人偷去，事后想想真是后悔莫及。

我不安地说道："霍桑，我的过失很大！幸而全仗你大力，为我解危，不然的话，疑阵重重无法揭开，我真不知道该怎么办。我实在钦佩你的机智过人。"

霍桑道："这有什么奇怪呢？谚语说得好，'当局者迷，旁观者清'，因为你心绪紊乱，所以有这样的失误。我处在旁观地位，头脑必然比你冷静，揣理循势，就被我发现其中的奥秘了。"

"的确如此！你用什么方法能得到这样的收获？能给我解释一番吗？"

"可以。方才我听说你丢失试卷而怀疑试卷是被偷去的，当时我就不同意这种说法。等到我听了你的纯属揣想的话以后，更觉得似是而非。我在旁侧搜索的时候，想到你的家书。后来朗读书信，得知你在精神极度疲乏以后，突然间得到喜乐的消息，当然控制不住自己的情绪，在仓促中将信封好，就必然连试卷也一并封在里面了。方才你自己说，做完试题，随手将试卷放在桌子的右边，接着就写回信，然后取出信封写地址。从这些方面来推测，可知当你在封信的时候，这封已写好的信必然覆盖在试卷上面。后来你匆匆折叠，没有想到会将试卷一起封在信封里。以后我问你试卷在什么时候丢失，你说已经记不起来。凡是人在惊喜惶惧之交的时候，一瞬间的思想，有时候在不知不觉之中往往会发生颠倒错乱的情况。我一想到这里，就深信不疑。你知道絮絮叨叨地多说话，没有什么用，往往会扰乱人的思想，况且时机一失就会败事。因此我便不多问，迅速出去，当我走到门房，邮差刚好到。我将试卷被误封在信封里的事告诉他，这样才取得你的那封家信。信比一般的要重，一摸就知道不出我所料。现在这案子已破了，你将怎样酬谢我呢？"

我大声称赞他道："老朋友，你诚然聪敏过人，无怪乎同学都以大侦探看待你。等到学校放假，我要邀请你泛舟遨游，我来做个东道主，好吗？"

霍桑笑道："这样就算酬谢我吗？不，不！这跟我的要求差得远呢。"

"是什么？你需要什么？"

"我所希望的是你和意中人合卺的晚上，你必须请新娘用伊的白白的纤手执壶斟酒，亲自敬我一满觥，方能满足我的要求。"

听到这里，我面红耳热，举起手掌要向霍桑扑上去。他一闪避过，接着彼此相顾而笑，久久没有说话。